Happy B- day
Haquinette !

Même si l'emballage
est en forme de bonbon
je te rassure c'est pas
du plastique qui se mange !
Bisous à toi et graham.
Miss U so much.

Cocktails, rumeurs et potins

Marisa Mackle

Cocktails, rumeurs
et potins

Traduit de l'anglais par Frédérique Corre Montagu

•MARABOUT•

Publié pour la première fois sous le titre *Chinese Whispers* en Irlance, en 2005, par Dodder Books Ltd, puis en édition poche en Grande-Bretagne, en 2007, par Little Blak Dress, un département de Headline Publishing Group, Londres.

À Sheila Collins.

1

Recherche : super-coloc'

Elle doit :

1. Être drôle (c'est-à-dire amusante, pas flippante).
2. Me prêter ses belles fringues (pas me piquer les miennes).
3. Être jeune dans sa tête (mais surtout pas étudiante).
4. Avoir un boulot décent (et de jour).
5. Ne jamais oublier d'acheter du PQ.

Elle ne doit pas :

1. Squatter le téléphone.
2. Passer l'aspirateur entre minuit et sept heures du mat'.
3. Ramener des hommes bizarres à la maison (ou des femmes, si c'est son truc).
4. Draguer mon copain (si j'en ai un, un jour).
5. Laisser des cheveux dans la baignoire.

Mais que m'arrivait-il ? La simple idée de partager mon ravissant petit appart' avec une étrangère m'emplissait d'horreur ! Et si je me retrouvais avec une vraie nympho qui ne jurerait que par les parties de jambes en l'air à trois ? ou une cinglée qui écrirait soigneusement son nom sur les briques de lait ? Si seulement Ellie était encore là ! Pourquoi tout ne pouvait-il pas revenir comme avant ? Comment les choses avaient-elles pu cafouiller à ce point ? Mais Ellie était partie. Partie pour de bon. Elle avait fait ses sacs le matin même. C'était mieux comme ça, m'avait-elle dit. Elle ne pouvait continuer à vivre avec quelqu'un qui avait couché avec son copain. Elle avait même ajouté qu'elle espérait que je comprenais. Plus polie que ça, tu meurs. On n'avait pas trinqué une dernière fois ensemble. Non. En fait, on ne s'était même pas dit au revoir. Pendant qu'elle faisait ses valises, j'étais restée assise dans ma chambre à regarder fixement le mur et quand j'avais finalement entendu la porte claquer, je m'étais précipitée à la fenêtre d'où j'avais vu un taxi démarrer sur les chapeaux de roues. Je m'étais effondrée par terre en hurlant.

La douleur était insupportable. Un mélange de gueule de bois et de déprime que je ressentais à chaque fois que je me faisais larguer, mais en pire. Là, je touchais vraiment le fond ! J'avais réussi à tirer un trait sur mes ex en me rappelant leurs ignobles ronflements, la façon dont ils pissaient par terre dans la salle de bains et laissaient systématiquement la lunette des toilettes relevée. Ou en pensant à leur incroyable radinerie ou à la façon dont ils mataient les gamines ayant le nombril à l'air. Mais Ellie n'avait aucun défaut. Elle s'était toujours super bien comportée avec moi. Difficile, dans ces conditions, de la détester. Elle avait un cœur d'or. Elle essayait toujours de me caser avec de gentils garçons et n'oubliait jamais mon anniversaire ou ma fête. À l'époque où je travaillais tard le soir, elle allumait le chauffage dans ma chambre, et quand j'avais découvert que mon ex, Greg, me trompait avec la femme de son voisin, elle m'avait emmenée passer un week-end à Brighton pour me changer les idées. Quand ma perruche, Bertie, était morte, elle avait creusé un trou dans le jardin de mes parents et nous l'avions enterrée en grande pompe. Rien que nous deux. Ensuite, nous avions ouvert une bouteille de vin et évoqué la courte vie de Bertie avant d'aller en boîte car, comme Ellie l'avait justement remarqué, c'était exactement ce que Bertie aurait voulu pour nous.

Personne d'autre n'aurait fait ça pour moi. J'avais des tas de copines drôles, mais elles étaient inconstantes et m'oubliaient dès l'instant où elles se casaient. Ellie n'était pas de ce genre-là. Certaines nanas ne vous appellent que pour vous proposer d'aller en boîte, et non pour le plaisir de la conversation, mais uniquement dans l'espoir de rencontrer quelqu'un. Résultat, elles passent leur temps à vous parler les yeux au loin. Mais Ellie s'intéressait vraiment aux gens. Elle écoutait. Et elle aimait les gens. Elle m'aimait.

Bon, maintenant que vous savez quel genre de fille c'était, vous comprenez sans doute pourquoi je n'ai pas punaisé une grande photo d'elle sur la porte de ma chambre pour la larder de fléchettes, comme je l'avais fait avec le nombre incalculable de mecs, qui, à peine leur objectif atteint, avaient filé. C'était tellement, tellement différent ! Bien sûr, j'allais avoir d'autres colocs. Bien sûr, d'autres fêtardes allaient entrer et sortir de ma vie. Mais jamais je ne retrouverais une autre Ellie. Le pire, c'est que je n'avais pas couché avec son copain. Je n'avais même pas fantasmé sur lui, même si je dois reconnaître que quand je l'avais vu pour la première fois, je m'étais dit que je n'avais jamais vu un type aussi canon. Apparemment, Ellie s'était dit la même chose et elle avait hâte de me le présenter. Pensez donc ! Les deux personnes qu'elle aimait le plus au monde. Elle avait peur qu'on ne s'entende pas. Mais si, justement, on s'était super bien entendus.

J'avais fait un gros effort pour les 28 ans d'Ellie. Elle m'avait lancé d'un ton taquin que Connor avait des tas d'amis très mimi, et que si aucun ne me plaisait, alors j'étais vraiment un cas désespéré. Elle m'avait forcée à aller chez le coiffeur au lieu de me faire mon brushing maison et m'avait même autorisée à mettre sa robe préférée pour faire sensation. Je l'avais fait pour lui faire plaisir. Je m'étais fait faire les racines chez un super-coiffeur et avais enfilé une robe courte avec des bottes hautes. Quand Ellie m'avait vue, elle avait haussé les sourcils et lâché :

— Je ne pensais pas que tu ferais un tel effort !

Mais elle avait ri. Elle connaissait ma démesure mieux que personne.

Quand Connor avait fait son apparition dans la pièce, je m'étais sentie fagotée comme pas possible. Il portait un jean délavé et un tee-shirt noir. Il avait les cheveux châtain clair bouclés et décoiffés comme s'il sortait du lit. Bref, il était sexy à mort. Aussi désespérée qu'intimidée, j'avais foncé me changer dans ma chambre. Quand j'étais revenue, le visage un rien empourpré, j'avais marmonné un truc sur mes bottes neuves qui me faisaient mal aux pieds. Il avait gentiment acquiescé, mais il savait. Il était comme ça, Connor. Il connaissait les femmes.

L'appart' s'était vite rempli d'amis de notre heureux couple. Ils avaient tous l'air d'être dans les médias car Connor bossait à la télé (même si je n'avais aucune idée de ce qu'il y faisait) et Ellie faisait des piges pour le magazine *Travelling About*. Bref, l'appart' était noir de têtes vaguement familières et on entendait sauter un bouchon de champagne toutes les cinq minutes. À un moment donné, j'avais vu Ellie et Connor s'embrasser passionnément et disparaître en douce. J'étais vraiment heureuse pour elle. Elle avait eu son lot de plans foireux – comme nous toutes – et elle connaissait enfin une embellie.

Je m'étais mêlée à la foule en me demandant vaguement qui étaient ces gens et en évitant ceux qui risquaient de me questionner sur ce que je fais dans la vie car, voyez-vous, je ne sais jamais vraiment quoi répondre. À l'époque, j'étais intérimaire dans une boîte d'assurances plus prout-prout que ça tu meurs. Mon titre officiel, c'était « assistante de direction », mais je ne me sentais pas du tout en être une. Pas du tout. Je ne savais pas vraiment ce que j'étais, mais, au fond de moi, je savais qu'un jour je trouverais ma voie. Le problème, c'est que je ne pensais pas que ça serait si long. En bonne optimiste, je croyais fermement que la vie me réservait une meilleure surprise que de répondre au téléphone, classer des dossiers dans des meubles poussiéreux et avoir à supporter mon fou furieux de chef et son horrible assistante, Cynthia.

Bref, j'étais à cette fête, terrifiée à l'idée qu'on m'interroge, qu'on me pose des questions condescendantes. Et j'étais paralysée de gêne devant ces créatures ultra-chic, avec leurs coiffures branchées et leurs chaussures originales. J'avais passé la soirée à trimballer des plats remplis de petits-fours, genre « l'hôtesse parfaite trop occupée pour pouvoir parler ». D'accord, c'était ridicule et je n'aurais pas dû me sentir tellement ; je savais par expérience que job glamour rimait souvent avec salaire de misère. Il n'empêche que tous les invités avaient l'air de savoir de quoi ils parlaient, et pas moi. Je savais aussi que quand on vous demande : « Tu fais quoi, dans la vie ? », la réponse importe peu car c'est juste pour vous évaluer, pour voir si ça vaut la peine de passer encore soixante secondes avec vous. C'est pourquoi j'avais décidé de ne pas courir le risque.

J'étais en train de zoner près du frigo (où la plupart des invités avaient visiblement plus envie de descendre des bières que de connaître ma profession) quand j'avais senti deux mains vigoureuses m'attraper par la taille. Je m'étais retournée en poussant un cri et m'étais retrouvée le visage enfoui dans un large torse recouvert d'un tee-shirt noir.

— Hum, tu sens bon.

Dans un état second, j'avais levé la tête et croisé le regard de Connor. L'alcool aidant, je l'avais fixé effrontément. Il avait les yeux bleu très foncé. Je n'avais jamais vu un regard aussi intense, intelligent, envoûtant… Mais pas de bol, c'était le regard du nouveau chéri de ma meilleure copine. J'avais donc agi en conséquence : j'avais fait un pas en arrière, lui avais offert une miniquiche et lui avais demandé d'un ton jovial s'il passait une bonne soirée.

— Oui, mais malheureusement, je n'ai pas encore eu l'occasion de te parler. Tu bouges tout le temps, m'avait-il taquiné en révélant une dentition digne d'une pub de dentifrice.

— Je ne peux pas laisser Ellie faire tout le travail. C'est stressant d'avoir du monde. Il faut surveiller les invités pour qu'ils ne cassent rien ou n'aillent pas faire des cochonneries dans notre lit.

Connor avait haussé un sourcil curieux.

— Bref, avais-je enchaîné, je m'amuse toujours plus aux soirées des autres. J'adore faire la fête.

— J'avais deviné.

Avec un grand sourire, il avait regardé mes longs cheveux blonds. Le bout de mes tresses pendouillait dans mon verre de vin. La honte ! Pourquoi personne ne m'avait dit que j'avais trop bu ? J'avais sorti mes cheveux de mon verre avec un petit air coquin. Connor s'était visiblement demandé s'il fallait en rire ou pas. Surgissant de nulle part, Killian, un ami de Connor (presque aussi beau que lui, mais un cran en dessous) avait mis fin à ce grand moment de solitude en se présentant.

— Tu es pris, alors passe ton tour. (Hop ! viré, le Connor.) Vous dansez, beauté ?

Il m'avait pris la main. J'avais posé mon verre et m'étais laissé entraîner jusque dans le salon où deux types cassaient l'ambiance en faisant éclater des ballons. J'avais repéré Ellie du coin de l'œil. Je lui avais souri. Elle m'avait fait un clin d'œil en retour. C'était exactement ce qu'elle espérait. Elle était persuadée que Killian et moi, et Connor et elle, ferions un magnifique quatuor. Pour sortir et boire des coups, j'entends.

Puis quelque chose d'épouvantable était arrivé. Quelque chose de vraiment, vraiment horrible. L'instant d'avant, j'étais en train de roucouler avec quelqu'un (je pense que c'était Killian, mais vu la quantité d'alcool que j'avais absorbée, je n'en suis pas sûre), et celui d'après je m'étais retrouvée vautrée par terre en train de vomir sur le magnifique tapis artisanal qu'Ellie avait rapporté d'Inde. Et j'avais beau être beurrée comme un Petit Lu, j'avais conscience que c'était la chose la plus humiliante qui m'était arrivée de ma vie et que je ne m'en remettrais jamais. C'était comme « votre pire cauchemar multiplié par mille ». J'avais conscience que les gens s'étaient attroupés autour de moi et que quelqu'un criait d'une voix paniquée :

— Appelez une ambulance !

Ça m'avait dessaoulée d'un coup. J'avais relevé la tête et braillé :

— Non, pas d'ambulance ! Ça va.

Puis, j'avais senti Ellie derrière moi qui me retenait les cheveux.

— Ça va ?

— Non, ça ne va pas. Dis à tous ces gens de partir. J'ai besoin d'être seule.

Par chance, c'est ce qu'elle avait fait. Elle avait demandé aux fêtards de dégager dans la pièce à côté et était revenue avec des vieux torchons pour m'aider à me nettoyer. Entre-temps, j'avais réussi tant bien que mal à m'asseoir.

— Je suis désolée, j'ai gâché ta fête.

— N'importe quoi. Ce ne serait pas une vraie fête si personne n'était malade.

— Mais ton tapis… Je t'en achèterai un autre. Promis. Je vais écrire à ces gens en Inde et…

— Tu délires ! Écoute, je vais le mettre au pressing et il reviendra comme neuf. Ce n'est qu'un tapis.

— Je vais aller dormir un peu…

Apparemment, c'est à ce moment-là que je m'étais évanouie.

Plus tard, dans un demi-coma, j'avais compris que j'étais dans la salle de bains avec Ellie qui me tenait la tête sous un filet d'eau glaciale. Puis j'avais senti une paire de bras musclés me porter jusque dans ma chambre. Quand j'avais refait surface, Connor était à mes côtés. Il pointait un objet noir vers mon visage, un objet qui ressemblait à un revolver.

— La vache, que fais… ?

— Hé, je voulais juste te sécher les cheveux. Si tu t'endors comme ça, tu vas te réveiller avec une pneumonie. Je t'ai aussi apporté un pichet d'eau et tu vas le boire de gré ou de force.

— Merci.

Même si j'étais à l'agonie, et même si c'était la propriété privée de quelqu'un d'autre, je dois avouer que j'avais apprécié d'être en si agréable compagnie. J'avais bu lentement un verre d'eau pendant qu'il branchait le sèche-cheveux. Il avait commencé par le haut de mon crâne. L'air chaud m'avait de nouveau fait somnoler. J'avais posé ma tête contre sa poitrine et j'avais eu l'impression – même si je ne pourrais pas le certifier – que quand Connor avait débranché la prise, il m'avait embrassée.

— Retire ta robe, tu vas l'abîmer si tu dors avec.

— Ça ira comme ça, je n'ai pas la force.

— Eh bien moi, j'enlève mon tee-shirt. Il est encore tout mouillé de tout à l'heure.

Il s'était levé et bien que la pièce fût plongée dans l'obscurité, quand je l'avais vu torse nu, je m'étais dit que David Beckham avait du souci à se faire.

— Je suppose que tu n'as pas un truc assez grand à me prêter ?

Hypnotisée par ce corps de rêve parfaitement bronzé, j'avais ouvert la bouche pour lui répondre, mais aucun mot n'en était sorti. Les mots me manquent encore aujourd'hui pour vous dire à quel point il était sexy. J'étais en train de me dire qu'Ellie avait un sacré bol quand une pensée m'avait traversé l'esprit :

— Où est Ellie ?

— À l'hôpital.

— Qu… qu… quoi ?

Je m'étais redressée d'un coup sur le lit.

— Oui, une de ses cinglées de copines de journalistes s'est éva-nouie et s'est cogné la tête contre la table basse du salon. La table n'a rien, mais la fille doit être recousue.

— Oh, mon Dieu. La pauvre !

— Oui, la faute à pas de chance. Ellie l'a emmenée à l'hôpital. Elle m'a téléphoné il y a quelques minutes pour me dire que ce n'était pas grave, mais qu'elles allaient probablement devoir y passer la nuit.

— Pauvre Ellie. Je me sens coupable. Elle espérait tant s'éclater ce soir. Elle attendait cette fête avec impatience et…

J'avais marqué une pause.

— Elle avait très envie qu'on fasse connaissance.

Connor regarda au loin, l'air gêné.

— J'ai dit quelque chose qu'il ne fallait pas ?

— Mais non ! Oui, il y a eu de la casse, ce soir. Le punch était trop fort. Quelqu'un a dû y rajouter une bouteille de vodka. Ellie n'y a pas touché, c'est pour ça qu'elle était en état d'aller à l'hôpital.

— Je n'assure vraiment pas. C'était l'anniversaire d'Ellie. C'est moi qui aurais dû ne rien boire pour qu'elle puisse s'amuser. Mais, au fait, tu lui as proposé d'y aller à sa place ?

— Bien sûr que oui.

Légèrement vexé, il s'était assis sur le lit à côté de moi.

— Mais elle a voulu que je reste avec toi. Elle se faisait du souci pour toi.

— C'est typique d'elle. Elle pense d'abord aux autres avant de penser à elle. Cette fille est une sainte. Voilà, je culpabilise encore plus maintenant. C'est vraiment pas malin de boire autant.

— Ne t'inquiète pas. Ça arrive à tout le monde. Arrête de te flageller comme ça, d'accord ?

— D'accord. C'est vrai que je me sens beaucoup mieux maintenant. Merci de t'être occupé de moi.

J'avais esquissé un faible sourire.

— Et toi, ça va ? Où vas-tu dormir ?

— Heu…, avait-il fait avec un gros bâillement. Je vais voir si quelqu'un peut me prêter un sweat et essayer de dormir quelques heures sur le canapé. Mais d'abord, j'insiste pour que tu enlèves cette robe. Allez ! Je ne vais pas regarder, je te promets.

Il s'était retourné. À force de gigoter en grommelant, j'avais fini par m'extirper de la robe d'Ellie.

— Tu n'as pas intérêt à regarder. Je n'ai pas de soutien-gorge. Si tu bouges, tu es mort.

— C'est tentant mais je n'en ferai rien, avait-il ricané.

— Bien.

Mais rien n'est jamais simple et la satanée fermeture de la robe s'était prise Dieu sait comment dans mes cheveux. Je vous jure sur la tête de ma mère que je ne pouvais pas m'en sortir seule. Et impossible de demander de l'aide à Connor car j'étais à moitié nue et lui aussi.

Quelqu'un avait frappé doucement à la porte. Mince. C'était probablement une des plaies qu'Ellie avait invitées. Ou un couple qui cherchait un endroit pour « finir la soirée ».

— Interdiction d'entrer ! avais-je hurlé.

Un autre coup.

— Bon, c'est fini ou quoi ? avait renchéri Connor.

On était tous les deux morts de rire. Mais la porte s'était ouverte et la lumière avait été allumée. J'avais poussé un cri indigné.

Ellie se tenait dans l'encadrement de la porte, muette de stupeur.

2

Une semaine plus tard…

La veille, j'avais été invitée à une fête, par un gros type dans un *fish & chips* vers 4 heures du mat'. Interloquée par tant d'audace, j'avais sorti le grand jeu. J'avais regardé l'heure et lui avais demandé qui d'autre y allait.

— Ben, d'abord toi…

Il m'avait adressé un large sourire libidineux en aspergeant ses frites d'une grosse giclée de ketchup au curry et en suçant ses grosses lèvres lippues.

— Et moi…

Il s'était tu, avait inspiré profondément et lâché le plus gros rot que j'aie jamais entendu. Je m'étais ratatinée d'horreur.

— Pardon ! Alors, tu en dis quoi ?

Inutile de vous dire que j'avais rejeté son offre. Et, en rentrant à la maison sous une pluie glaciale, je m'étais demandé si ma vie serait toujours aussi pourrie. Il n'était quand même pas possible que je passe le restant de mes jours à échouer les vendredis soirs dans un *fish & chips* puant ou dans une queue interminable à une station de taxis. Seule.

Je me demandais combien de temps encore j'allais rester célibataire. Juste comme ça. Pour savoir. Franchement, je n'étais pas une de ces désespérées qui sortent avec le premier venu dans l'espoir que ce soit enfin le bon. Et je ne passais pas mon temps à essayer de harponner un mec au hasard pour enfin filer m'installer dans une banlieue glauque et vivre « comme tout le monde ». Rien que d'y penser, j'en avais la nausée. Je me fichais d'être célibataire. Je m'en accommodais même presque. Depuis quelques mois, j'arborais même une pancarte « NE PAS DÉRANGER » sur le cœur. Je croyais sincèrement qu'on pouvait être heureuse, voire encore plus heureuse, seule plutôt qu'accompagnée. En effet, quoi de pire que d'être casée avec la mauvaise personne ? J'étais quand même allée voir une voyante la semaine précédente et elle m'avait dit un truc qui me tarabustait. À la base, je voulais juste savoir si mes relations avec Ellie s'arrangeraient, mais on s'était mises à parler d'amour et elle m'avait dit que je tomberais amoureuse au moment où je m'y attendrais le moins.

La dame au turban m'avait aussi révélé que j'irais quelque part où je n'allais jamais normalement. Elle avait sans doute raison. Après tout, je fréquentais toujours le même pub, et les chances qu'un bel inconnu entre et me fasse me dresser d'un coup, la langue pendante, s'amenuisaient d'année en année. C'était sans doute pour ça que j'avais fini la soirée avec Dervala dans une boîte louche où le vin était si mauvais que j'avais commencé à avoir mal à la tête dès la première gorgée. Dervala était une grosse fêtarde que j'évitais soigneusement à la fac mais que je fréquentais à nouveau parce que mes autres copines étaient toutes en train de tomber amoureuses (ou de faire semblant) et donnaient l'impression d'être très, très heureuses. Et s'il y a un truc dont les célibataires ont horreur, c'est de sortir avec des couples.

Dervala ne m'appelait que pour me demander de l'accompagner à des soirées, même si « bonne poire » n'était pas écrit sur mon front. Après notre premier verre, elle avait disparu avec un sosie blond de Peter Andre. Son ami ressemblait au plus jeune frère de Peter Andre, mais en brun. Il m'avait demandé :

— On va chez toi ou chez moi ?

— Les deux. Tu vas chez toi, et moi chez moi.

Il avait ouvert la bouche d'un air stupide et l'avait refermée. « Chez toi ou chez moi ? » Franchement, il aurait pu trouver mieux ! Existait-il quelqu'un dans cette ville qui eût un peu d'imagination ? Dublin était trop petit. Vraiment. Je devais trouver un nouveau terrain de chasse.

Cela me fit soudain penser à mon problème de coloc'. Il fallait que j'en trouve une. Et vite. Ce n'était pas que j'en mourais d'envie. En fait, je redoutais de recevoir tous ces gens. Vous imaginez le truc ? On voit quelqu'un cinq minutes et on doit décider si on va ou non dormir sous le même toit pendant un an. Et lui laisser libre accès à ses trucs perso ! Rien que d'y penser me faisait flipper. Si seulement j'avais assez d'argent pour vivre seule ! Vraiment. Mais comment faire pour devenir riche ? Je n'avais même pas les moyens de jouer au loto !

Allez, retour à la case « amour ». Bien sûr que je savais pourquoi j'étais seule. Parce qu'il faut physiquement sortir de chez soi pour rencontrer quelqu'un. Parce qu'il faut officiellement se mettre sur le marché, si j'ose dire. Et moi, j'avais passé les derniers mois vautrée chez moi devant la télé. Je commençais même à comprendre ce qui se passait dans *Emmerdale* et je m'extasiais régulièrement devant la coiffure de Patsy Kensit, ce qui était, je vous l'accorde, alarmant. Donc je n'avais pas paradé toutes plumes au vent pour attirer les mâles. Pourquoi ? Tout simplement parce que mes dernières histoires d'amour n'avaient pas vraiment eu le succès escompté et que j'avais décidé de faire un break pour mieux me connaître. D'accord, ce n'était pas en restant des heures devant ma télé que j'allais trouver mon « vrai moi », et cette situation n'avait pas non plus des effets bénéfiques sur ma ligne. Chaque fois que je voyais une pub pour du chocolat, je fonçais dans la cuisine chercher quelque chose à grignoter. Mais pourquoi Cadbury casait-il toujours ses pubs en plein milieu des séries gnangnans ?

La seule façon de perdre du poids, c'est de sortir. Même moi, je le savais. Mon sport préféré, c'était le shopping, et en ce sens, le nouveau centre commercial de Dundrum était un véritable paradis. Et pour se motiver à perdre du poids, il n'y a rien de mieux que d'essayer un jean Miss Sixty dans une cabine d'essayage commune avec des ados taille 34. Malheureusement, j'avais traîné dans mon appartement en pulls XXL et bas de survêt' pendant beaucoup trop longtemps et j'avais pris au moins six kilos en six mois. Il fallait que je m'en débarrasse. Et le plus vite possible. Au moins, quand j'étais étudiante, je pouvais prétexter que j'avais besoin de manger pour avoir la pêche pendant mes examens. Mais là, je n'avais aucune excuse.

Bref, un an plus tôt, j'avais commencé à chercher sérieusement l'âme sœur. Avant, je me contentais d'une petite aventure de temps en temps et ça m'amusait. Mais un jour, tout le monde avait commencé à s'installer, à parler maison et crèche dans les soirées, et j'avais ressenti l'envie de faire pareil. C'est alors que j'avais rencontré M. Pourquoi-Pas dans un de ces nouveaux bars à cocktails chicos. Vous savez, ceux avec les grandes vitrines et les longues queues à l'extérieur avec des gens prêts à tout pour y entrer. Il avait commencé à me parler. Il était grand, assez beau gosse et bien décidé à me plaire. Il avait insisté pour que je lui donne mon numéro de téléphone et, à ma grande surprise, il m'avait appelée dès le lendemain. Pourtant, j'en avais connu des hommes – et une ribambelle – qui m'avaient fait des promesses d'amour éternel pour mieux disparaître sans laisser de traces à la fermeture du bar ! J'avais donc été flattée de tant d'ardeur. J'avais accepté de l'accompagner dans un resto branché le lendemain soir. Il était venu me chercher dans une Mercedes noire rutilante. Oui, je sais ! J'avais dû virer Ellie qui était béate d'admiration à la fenêtre. C'était un bon départ. Malheureusement, le final fut moins glorieux.

J'avais à peine mis ma ceinture que M. Pourquoi-Pas avait commencé à passer des millions de coups de fil depuis son portable. Il m'avait expliqué qu'il était manager d'un groupe. Il m'avait même dit son nom et bien que je pense être plus branchée musique que la moyenne, ce nom ne m'avait rien dit.

— Ça marche du feu de Dieu en Allemagne, m'avait-il lancé d'un ton pincé avant de reprendre son téléphone comme si je n'étais pas là.

Réflexion faite, il devait être en ligne avec l'horloge parlante ou un truc comme ça. Quand il s'était finalement arrêté, je n'avais que trop bien capté le message. M. Pourquoi-Pas était un VIP. Petite veinarde ! Puis il s'était garé et m'avait demandé ce que je voulais faire. Quelle question ! On était censés aller au resto, non ?

Je lui avais proposé d'aller faire une balade sur la jetée de South Wall à Ringsend car c'était un endroit calme et la vue était magnifique de la route de Howth quand il faisait beau. J'espérais qu'il trouverait ça terriblement romantique. Eh bien non. Ça avait même tourné au désastre. Il n'avait pas arrêté de lancer des coups d'œil derrière lui de peur que des sauvageons lui bousillent sa voiture et, pour couronner le tout, il s'était mis à pleuvoir à verse. Il était furieux et j'avais commencé à me sentir terriblement mal à l'aise et à culpabiliser comme s'il pleuvait par ma faute. On était retournés en courant à la voiture. Il m'avait demandé si j'avais faim, j'avais acquiescé avec entrain et il avait démarré. On avait roulé, roulé, roulé. On s'était finalement arrêtés devant une pauvre échoppe de plats à emporter avec une enseigne lumineuse d'un violet tapageur. J'avais d'abord cru à une blague, mais comme il ne riait pas, j'avais compris que c'était sérieux. J'avais commandé un truc végétarien avec du riz cantonnais. Il avait pris des frites. Arrivés dans son somptueux appartement de Dalkey, qui avait une magnifique vue panoramique sur la mer, j'avais enfourné mon « dîner » qui, bien sûr, était complètement froid. Il avait mis une vidéo avec des tas de Chinois qui agitaient des sabres en hurlant et on avait mangé dans le silence le plus total. Au milieu du « repas », il s'était tourné vers moi et avait plongé son regard dans le mien avec insistance. Je lui avais retourné son sourire chaleureusement. Par chance, il s'était décrispé. Peut-être la soirée n'allait-elle pas être si pourrie que ça finalement...

— Fiona ?

— Oui, avais-je répondu de ma voix la plus sensuelle.

Il avait haussé un sourcil.

— Tu ne vas pas manger tout ce riz, n'est-ce pas ?

Inutile de vous dire que je ne l'ai jamais revu.

N'étant pas du genre à me décourager (après tout, dans la vie, on n'a rien sans rien), j'avais rencontré quelqu'un d'autre peu après. Il était du genre taiseux, mais je m'en fichais. Il avait l'air mystérieux. Ça m'intriguait. Je l'avais rencontré dans une boîte hyper fréquentée et hyper bruyante deux nuits plus tôt. Et, il faut bien l'avouer, après quelques verres, les hommes ont toujours l'air plus sexy qu'en vrai. Mais en plein jour, dans la lumière crue d'un sandwich-bar O'Brien's, ça n'avait pas vraiment fait d'étincelles. Après ce qui m'avait semblé être un long, très long silence, il m'avait demandé :

— Tu as un animal ?

— Non. (Et c'était la vérité car je n'avais pas encore mon chat Timmy à l'époque.) Et toi ?

— Non.

Et, croyez-le ou non, cela résume à peu de chose près notre brève conversation.

À ce stade, vous vous dites sans doute que vous avez de la chance, comparé à moi. Que je dois détenir le record de la lose. Eh bien accrochez-vous, car ça ne fait que commencer. Eh oui !

Après M. Pourquoi-Pas et M. Taiseux, j'avais eu envie de faire un break. C'est peut-être pitoyable de passer toutes ses soirées chez soi, mais, au moins, on ne souffre pas et on ne se mine pas parce qu'« il n'a pas appelé ». L'espoir était assez vite revenu sous les traits d'un acteur vaguement connu que j'avais rencontré à l'ouverture d'une nouvelle boutique ; une boîte de RP l'avait payé pour venir dire quelques mots et boire plein de coups *gratis*. Il était un peu petit (comme tous les hommes célèbres, non ?) et déjà bien allumé quand on s'était parlé. D'où ma surprise quand il m'avait appelée le lendemain en se souvenant parfaitement de mon nom. J'étais fière de sortir avec une star, même « mineure » et mesurant quelques centimètres de moins que moi. Mais dans sa tête il se prenait pour Tom Cruise, au point qu'à mon avis, il aurait dû embaucher un régiment de gardes du corps tant il flippait à cause de ses prétendus fans invisibles.

Il m'avait proposé d'aller dans un club VIP dans lequel je n'étais jamais allée mais qui était souvent mentionné dans les dernières pages des magazines people. Je dois avouer que mon cœur s'était mis à battre la chamade quand on s'était approchés de l'entrée et que M. Presque-Célèbre était passé devant la longue file d'attente. Mais une fois devant la porte, il s'était penché vers moi et m'avait chuchoté à l'oreille :

— On me laisse entrer *gratis* ici. On se retrouve à l'intérieur. OK ?

Avec du recul, je me dis que j'aurais dû me barrer sur-le-champ, mais en me voyant plantée là, l'un des videurs m'avait reconnue (il était agent de sécurité dans une boîte où j'avais bossé) et m'avait fait entrer à l'œil.

Mon cavalier, étonné de me voir arriver si vite, s'était exclamé :

— Comment as-tu fait ?!

Vexée comme un pou, je n'avais pas daigné lui répondre. Puis il s'était mis à brancher toutes les nanas peu farouches qui étaient là. Beaucoup n'étaient pas intéressées, mais il s'en fichait. Pendant ce temps, j'étais assise seule dans mon coin avec mon verre, totalement humiliée. À l'aube, j'avais compris que ça ne pourrait jamais marcher entre nous et je le lui avais balancé tel quel.

— Tout ça parce que je suis célèbre et pas toi ! avait-il éructé en me crachant un de ses postillons dans l'œil, son méchant petit visage défiguré par la rage.

Fin de l'histoire.

Désolée de m'être ainsi dispersée, mais ça m'avait fait réfléchir d'aller voir cette voyante. Je me demandais où se cachait l'homme idéal. Si le destin existait vraiment. Ou si tout ce qu'on nous racontait sur l'âme sœur et le reste n'était pas que des bêtises. Les gens disent qu'ils « le savent tout de suite » quand ils rencontrent la bonne personne. Et ceux qui divorcent ? Ils ne le savent pas ? Et pourquoi tout le monde se case juste avant la trentaine ? À mon avis, ce n'est pas juste une coïncidence. Il doit y avoir une sacrée dose de compromis là-dedans.

Je me demandais comment Ellie avait fait la connaissance de Connor. Elle ne m'avait pas beaucoup parlé de lui. Je savais vaguement qu'ils s'étaient rencontrés lors d'un voyage de presse en Tunisie, mais côté détails, *nada*. Je me demandais lequel des deux avait fait le premier pas et si ça avait été le coup de foudre. Je ne le saurai sans doute jamais. Je n'avais eu aucune nouvelle d'Ellie depuis son départ. Elle n'avait pas répondu à mes appels et, malgré mes messages embrouillés lui jurant qu'il ne s'était rien passé entre Connor et moi, elle ne m'avait pas rappelée.

J'aurais peut-être dû lui écrire une longue lettre. Le problème, c'est que ce n'était pas évident d'expliquer comment je m'étais retrouvée à moitié nue dans ma chambre avec son mec. Surtout pendant qu'elle veillait une amie blessée à l'hôpital. Rien que d'y songer, j'en étais malade. Mon Dieu, elle devait penser pis que pendre de moi ! En tout cas, c'est ce que j'aurais pensé d'elle. Je l'aurais détestée.

On sonna à la porte. C'était Dervala. Elle voulait me raconter sa nuit de folie avec son ersatz de Peter Andre. Je n'avais pas spécialement envie d'entendre ses détails sordides, mais tant pis. Elle m'avoua avoir couché avec lui et ne plus avoir de nouvelles depuis. Elle me demanda mon avis là-dessus.

Je fis semblant de réfléchir longuement avant de lui lancer :

— Je pense que tu devrais apprendre à te faire désirer, Derv. Ça marche souvent.

— Sans doute.

Elle alluma une Marlboro, inspira une grande bouffée et recracha la fumée dans toute la cuisine. Je me levai en toussant discrètement pour ouvrir la fenêtre.

— Tu as commencé à chercher quelqu'un pour l'appart' ? me demanda-t-elle soudain, en attrapant une mug vide pour y mettre ses cendres.

— Oui, plus ou moins. J'ai fait une liste de critères.

— Une liste ? Tu me la montres ?

Je lui sortis la liste que je venais de faire. Elle la lut et manqua de s'étouffer sur sa cigarette.

— Tu ne serais pas un peu difficile ?

— Comment ça ?

— Tu en demandes beaucoup, non ?

— Il va falloir que je vive avec cette personne une bonne partie de l'année, alors je ne peux pas me permettre de tomber sur un cas. Je préfère être prudente. Tu as vu le film *Jeune Fille partagerait appartement* ?

— N'exagère pas. Et pourquoi tant d'urgence ? Tu ne peux pas assumer seule le loyer ?

— Avec mon salaire ? Cela m'est impossible. Tu as une idée de combien ça coûte ? Non, bien sûr, parce que toi, tu vis encore chez tes parents. Moi, j'ai besoin de partager les factures avec quelqu'un, et vite. Mais je veux quelqu'un de bien.

— Et Ellie ? Elle ne risque pas de revenir ? Elle va peut-être finir par se calmer.

— Dervala, elle ne se calmera jamais. Ellie ne me pardonnera jamais ce qu'elle croit que j'ai fait.

— Eh bien, c'est vraiment dommage. À ta place, je mettrais une annonce au supermarché *et* dans le journal local pour avoir plus de choix.

— Tu as sans doute raison. Plus la queue sera longue, plus il y aura de gens intéressants dedans…

— Oui, on a toujours envie de ce qu'ont les autres. C'est pour ça qu'une fiille se fait toujours draguer quand elle est maquée.

— Exact. Quand on est seule, les mecs ne se bousculent pas au portillon, et ça peut durer longtemps car ils finissent par penser qu'on a un problème. Alors que, quand on est prise, ils surgissent soudain de nulle part et nous font des serments d'amour à tour de bras.

— Tu l'as dit.

— Tu sais quoi ? À partir d'aujourd'hui, je vais dire à tout le monde que je suis avec quelqu'un. Ça me rendra plus désirable.

— C'est le concept. Mais tu ne cherches personne en ce moment, n'est-ce pas ?

— Eh bien, pas vraiment. Mais je ne dirais pas non à Brad Pitt.

— Ou à Peter Andre.

— Par exemple.

18 h 55, le lendemain soir. En jetant un coup d'œil par la fenêtre, j'eus un choc en voyant la queue devant chez moi. Ça faisait tout de même quelque chose de voir tous ces gens attendant d'être introduits dans mon humble demeure. Après tout, l'un d'eux allait peut-être se révéler comme le coloc' idéal ? On allait faire affaire et vivre heureux. Super, non ? Allons, pas de faux espoirs. Si j'avais l'air trop à cran, les gens allaient se méfier.

Apparemment, il y avait surtout des femmes. Tant mieux. J'avais précisé dans mon annonce que je cherchais une femme, car l'idée de voir un type velu déambuler à poil dans ma cuisine et me dégoûter de manger mes Cheerios ou mes Spécial K (selon l'idée que je me faisais de mon poids) ne m'emballait pas. J'aurais adoré pouvoir les dévisager un à un, mais je ne devais surtout pas me faire voir en train de mater telle une vieille concierge.

Je jetai à nouveau un rapide coup d'œil sur la file et, à ma grande surprise, j'aperçus quelqu'un avec un bouquet de fleurs à la main.

Waouh ! Là, j'étais impressionnée. Pour un effort, c'était un effort ! Mais je n'allais pas prendre une coloc' sous prétexte qu'elle m'avait offert des fleurs. Non. Je n'étais pas aussi vénale que ça. Quand même ! Et puis, elle les avait peut-être piquées dans le jardin d'un voisin ! Incapable de me retenir, je lançai un nouveau coup d'œil discret par un trou du rideau pour voir la tête de la fille au bouquet. Mais, un instant, ce n'était pas une fille, c'était un garçon ! Un grand, beau… C'était… Attendez… Mais qu'est-ce que Connor pouvait bien faire ici ?

3

J e me réveillai avec le moral dans les chaussettes. Sur le coup, je ne compris pas pourquoi, mais ça me revint. Ou plutôt ça s'abattit sur moi comme une claque en pleine figure. J'avais trente ans ce jour-là. Oui, trente ans. Le grand trois avec un zéro. Ce qui signifiait que je ne pouvais plus dire que j'avais vingt ans passés. Du moins, sans mentir…

Bien sûr, ça m'était égal d'avoir trente ans, ça ne me déprimait pas plus que ça. C'était sans doute mieux que d'avoir vingt ans et infiniment mieux que d'être une ado angoissée et criblée de boutons avec des problèmes à n'en plus finir. Mais le problème, et ça c'était horrible…, je n'étais pas encore millionnaire. Et non seulement je n'étais pas millionnaire, mais je n'avais pas l'ombre d'un embryon de fortune. C'était ça, le drame. Comme tout le monde, j'avais toujours pensé que je serais millionnaire avant trente ans. Résultat, non seulement je n'avais pas le moindre million en banque, mais j'étais à découvert. Et, histoire de me mettre vraiment au fond du trou, quand j'allumai mon téléphone portable afin de voir si quelqu'un m'avait appelée pour me souhaiter un bon anniversaire, je vis que le seul message était d'un certain Edwin, qui disait en substance : « Je vous téléphone de la part de votre organisme de crédit. Merci de me rappeler dès que possible. » Eh bien, Edwin, ce n'était pas le jour de mes trente ans que j'allais appeler quelqu'un au sujet de mon effroyable manque d'argent. Il allait falloir attendre demain. Sacré Edwin ! D'ailleurs, où as-tu pêché ce nom ?

Je m'assis et m'adossai à un petit tas d'oreillers douillets en bâillant. Aujourd'hui, je ne travaillais pas. J'avais pris ma journée pour fêter mon anniversaire. Quelques semaines plus tôt, en faisant mon planning, ça m'avait semblé être une bonne idée. Maintenant, je me demandais vraiment pourquoi j'avais fait ça. Après tout, personne ne savait que c'était mon anniversaire, sauf les membres de ma famille (et, les connaissant, ils allaient sans doute oublier). J'aurais peut-être dû organiser quelque chose. J'aurais peut-être dû inviter des amis. Mais, franchement, ça m'aurait embarrassée. Je ne voulais pas qu'ils pensent que c'était pour avoir des cadeaux ou me faire payer à boire jusqu'à l'aube.

Je traînai dans la cuisine qui paraissait bien nue depuis qu'Ellie était partie en embarquant tous ses jolis pots et ses belles plantes colorées. Heureusement qu'il y avait les fleurs de Connor, même si elles commençaient à faner. La moitié baissait piteusement la tête comme pour me rappeler pourquoi Connor me les avait offertes.

Il m'avait dit que c'était pour s'excuser, debout, dans l'entrée, encore plus beau que dans mon souvenir. J'avais senti mon visage s'enflammer quand il m'avait mis le bouquet dans les bras.

— Pas maintenant, avais-je bougonné. Je dois recevoir ces gens.

— Bon, apparemment, j'ai mal choisi mon moment. Je m'en vais, mais je veux que tu les acceptes. Ce n'est rien par rapport aux soucis que je t'ai causés.

Toutes les filles dans la queue le regardaient avec de grands yeux admiratifs. Mais elles ne s'intéressaient visiblement qu'à son physique. Elles ignoraient ce qui s'était passé et, Dieu merci, elles ne le sauraient jamais. Peut-être qu'alors elles auraient eu la langue moins pendante. Connor se tenait là, ses yeux expressifs plongés dans les miens. J'avais senti mes joues passer par tous les stades du rouge. Je n'avais qu'une envie : mourir.

— Merci. Mais tu devrais vraiment partir, tu sais. Je ne veux pas me donner en spectacle devant tout le monde, ou je risque de ne jamais trouver de coloc'.

— Écoute, je sais que j'ai mal choisi mon moment. Je ne savais pas que tu... que tu... Je repasse demain, d'accord ?

Il me fixait avec ses yeux bleu marine et j'avais dû faire un effort surhumain pour que mes genoux ne plient pas sous mon poids.

— Ce n'est pas nécessaire, vraiment, avais-je balbutié de plus en plus mal à l'aise. Après tout, si je n'ai plus de coloc', c'est à cause de toi.

— Et moi je pourrais dire que si je suis seul, c'est à cause de toi, avait-il soufflé après un bref silence, mais je ne le dis pas.

Il m'avait lancé un dernier regard long et pénétrant et s'était lentement éloigné sans remarquer un seul instant la façon dont les filles louchaient sur lui.

Mais maintenant que j'étais assise dans mon petit appartement, seule, le jour de mes trente ans, je me demandais pourquoi j'avais laissé un tel canon partir et sortir de ma vie pour toujours. Si au moins j'avais eu quelqu'un de décent à me mettre sous la dent ! Si au moins les hommes se pressaient à ma porte pour m'inviter ! Les seuls SMS que j'avais reçus ces derniers jours étaient de Dervala qui me demandait de la rappeler parce qu'elle avait épuisé son forfait. Vous imaginez-vous ce que ça fait d'avoir trente ans et pas un seul prétendant à la ronde ? Il y a plus drôle, non ? Et les seuls hommes qui s'intéressaient vaguement à moi ressemblaient bizarrement tous à Mr. Bean. Sauf, bien sûr, qu'ils n'étaient pas drôles. Et qu'ils ne passaient pas à la télé.

Je regardai dehors. Le ciel était gris. Septembre tirait à sa fin. Je redoutais déjà les longs mois d'hiver. J'avais horreur des jours courts et sombres et de mes allers et retours quotidiens jusqu'en ville dans ma vieille guimbarde qui n'avait même pas la radio. J'avais horreur de l'hiver, sauf de Noël. J'adorais Noël, sauf le repas du 25 décembre. C'était le summum de l'horreur à cause de la prise de bec familiale annuelle ». Et parce que personne n'aimait ses cadeaux. À ce sujet, quelqu'un peut-il me dire pourquoi on m'offre systématiquement un livre que j'ai déjà lu ou trois fois le même CD ?

L'année précédente, après une grosse engueulade, j'avais pris mes cliques et mes claques et j'étais allée dans la famille d'Ellie. Ils étaient tous assis près du feu en train de parler poliment. Quelqu'un jouait du piano et personne n'était saoul. C'était charmant, civilisé. Je ne voulais plus les quitter. Ma famille se complaisait à me rappeler à quel point j'avais loupé ma vie. Comme si je ne le savais pas ! Ellie avait fini par me persuader de retourner chez mes parents pour enterrer la hache de guerre au lieu de rentrer seule dans un appartement froid et de me gaver de *Christmas cake* et de Quality Street. Elle m'avait dit que je n'aurais pas forcément la chance de fêter mon prochain Noël avec les gens que j'aimais. Et elle avait raison. Mon grand-père était mort au printemps. C'était son dernier Noël parmi nous, et quand j'étais revenue de chez Ellie, on avait fini la soirée mortes de rire devant *Only Fools And Horses* [1].

Bon. Fini les pleurnicheries. Fini les anniversaires, les Noël et mon papy. Il fallait que je me dégote une nouvelle coloc' qui m'aide à payer les factures avant qu'on me coupe le téléphone et l'électricité. Chaque fois que j'ouvrais mon courrier, je redoutais que ce soit une nouvelle facture. Et chaque fois que j'en payais une, il y en avait une autre qui atterrissait dans ma boîte aux lettres. J'en étais arrivée au point où il m'aurait fallu une secrétaire à plein-temps pour gérer tout ça.

J'avais fait une liste d'éventuelles candidates pour l'appart', parmi lesquelles j'espérais en trouver une suffisamment saine et équilibrée, une qui ne risquerait pas de me poignarder en pleine nuit, de laisser

---

1. Sitcom britannique diffusée sur la BBC (NdT).

traîner du lait périmé dans le frigo ou d'écrire mon nom au rouge à lèvres sur la glace de la salle de bains.

Alors, quelles étaient les options ? J'avais vu dix personnes, plus Connor. Mais, bien sûr, il ne comptait pas. L'une des filles m'avait demandé si son copain pouvait rester quelques nuits par semaine.

— Bien sûr, avais-je répondu, en la rayant mentalement de ma liste.

Si je cherchais un couple de tourtereaux, je l'aurais précisé dans l'annonce. Pas question qu'on s'envoie en l'air chez moi.

Une très jeune fille avec des cheveux bruns et bouclés et un anneau dans le nez m'avait raconté qu'elle allait prochainement suivre des études économiques et politiques à l'UCD[1] et qu'elle avait hâte de « s'éclater ». Recalée. On s'éclate quand on a dix ou vingt ans. À trente ans, il faut lever le pied. Ou au moins partager un appart' avec quelqu'un qui lève le pied en même temps.

Un divorcé d'environ quarante-cinq ans m'avait expliqué qu'il venait de plaquer son boulot pour écrire le « grand roman irlandais ». Un autre, avec les cheveux gras tressés, m'avait expliqué qu'il adorait le yoga et voudrait, si possible, pouvoir méditer dans la cuisine. Nom d'un chien : ils avaient lu mon annonce ou quoi ? Je cherchais une jeune femme active, pas un hippie à côté de la plaque cherchant le sens de la vie entre mon frigo et le micro-ondes !

Une fille m'avait demandé si j'étais végétarienne parce qu'il était hors de question qu'elle se serve d'un frigo où pourrissaient des cadavres de poisson et autres animaux. J'étais moi-même végétarienne, mais celle-là, elle dépassait les bornes. Je la voyais déjà assise enchaînée aux grilles d'un bâtiment officiel ou errant dans une forêt pendant des semaines sans se laver dans l'espoir de sauver une branche ou, qui sait, un arbre entier !

---

1. Université de Dublin.

Une certaine Alice m'avait demandé pour combien de temps c'était.

— Le bail se termine dans neuf mois.

Ça n'allait pas. Elle cherchait quelque chose de plus durable. Quelque chose de plus *permanent*. Elle voulait se fixer, avait-elle précisé sans demander à visiter les lieux. Quoi ? Désirait-elle qu'on se marie ou quoi ?

Un type avec des dreadlocks et une guitare voulait emménager immédiatement car ça chauffait avec sa copine. Apparemment, elle l'avait viré le matin même et il ne savait où aller.

— J'ai bien peur que ça ne soit pas possible. Je préfère voir tout le monde avant de me décider.

— OK.

Il avait haussé les épaules et était sorti d'un pas tranquille, comme s'il était shooté. Je savais que je n'entendrais plus jamais parler de lui. Le lendemain soir, il serait probablement en Australie. Ou sur une autre planète.

La dernière postulante était une fille blonde très mince et très jolie qui avait trouvé mon appart' un peu petit et m'avait demandé s'il y avait une place de parking assez grande pour sa BMW. Comme ce n'était pas le cas, elle était partie dans le couloir en claquant des talons et en parlant si fort dans son téléphone que je l'avais entendue dire : « Oh non, Gabrielle, surtout pas. C'est presque un taudis. Et il y a un horrible papier à fleurs vertes. On dirait du vomi. En plus, ce n'est pas notre genre de fille. »

Ça m'avait pétrifiée. Pas notre genre de fille ? De quoi qu'elle causait, la snobinarde ? Et mon appart' n'était pas un taudis. D'accord, ce n'était pas un modèle de modernité, mais c'était confortable et chaud en hiver quand on faisait du feu dans la cheminée. Et il y avait un super... Minute. Je n'en avais rien à faire de ce que cette pétasse pensait. Je lui souhaitai bonne chance en espérant qu'un rat la morde dans le prochain appart' qu'elle visiterait et que sa BM tombe en panne sur la route. OK. OK. On respire. On se calme. Je devais être un peu stressée. J'avais simplement eu une dure journée et j'en avais assez de voir du monde.

J'étais restée dans l'entrée plus longtemps que nécessaire dans l'espoir de voir quelqu'un d'autre arriver. Non, même si au moins vingt-cinq personnes m'avaient appelée pour me demander le chemin. Pourquoi les gens faisaient-ils ça ? Ils s'ennuyaient donc tant, au bureau, ou quoi ? Tant qu'à faire, autant appeler le téléphone rose. C'est plus drôle.

J'étais remontée dans mon appart' et j'avais lavé un vieux vase légèrement ébréché pour y mettre les roses de Connor. Elles étaient très jolies. Ellie aurait apprécié. Puis j'étais allée me coucher en espérant que la nuit me porterait conseil. Mais en me réveillant ce matin-là, je compris que j'étais encore loin d'avoir trouvé la coloc' parfaite. *Damned.*

Soudain le téléphone sonna. C'était ma sœur, Gemma, qui m'appelait de Cardiff. Elle me jura avoir posté une carte, ce qui signifiait qu'elle allait bientôt le faire et accuser la poste de lambiner. Vous imaginez ? Dans un ou deux ans, elle ne m'enverrait plus rien. Vous comprenez maintenant pourquoi les anniversaires me démoralisent tant.

— Ça te fait quoi d'avoir trente ans ? C'est pas mal, hein ?

— C'est génial. Je me sens complètement différente. Ça doit être le top, la cinquantaine.

Gemma éclata de rire.

— Sérieusement, ça ne te donne pas un coup de vieux ? Il faut que tu te bouges maintenant. Le temps passe.

— Le temps passe ? Et alors ?

— Eh bien, toutes les filles de ton âge sont en train de se caser. Il faut te dépêcher, sinon il ne te restera plus que des vieux croûtons. Une fois qu'ils ont passé la trentaine, les hommes se dégarnissent et se font pousser le ventre, et les mignons sont enfermés à double tour par des petites malignes qui leur ont mis à temps la bague au doigt.

— Hum. Tant pis. Je n'ai pas le temps de me chercher un mari. C'est trop fatiguant. En revanche, il faut que je me trouve un bon job.

— Dans quoi ?

— Peu importe tant que c'est dans un immeuble où il y a plein de mecs baisables. Actuellement, mon seul collègue célibataire porte un sweat « Bienvenue à Fair Isle », économise pour s'acheter une maison et ne boit qu'aux pots de départ parce que c'est gratuit. Je veux trouver un travail qui me plaise vraiment. Et être entourée de gens talentueux.

— Tout le monde veut ça. Tu crois que ça me plaît de regarder des zizis à longueur de journée ? Toi, au moins, tu peux t'asseoir et surfer sur le Net.

Petite explication rapide : ma sœur est urologue, c'est-à-dire qu'elle gagne sa vie en matant des zizis, quand elle ne se plaint pas de ses horaires de dingue, bien sûr. Gemma est la championne du monde de la râlerie. Elle se plaint aussi des histoires de fesses entre toubibs, mais, à mon avis, c'est parce qu'elle est jalouse de ne pas y participer. Mais elle, au moins, gagne suffisamment d'argent pour avoir un chouette appart' près de Charlotte Church, ou un nom de ce genre, et pour se payer un abonnement dans le club de gym hypersélect du St. David's Hotel.

Moi, en revanche, je gagne des clopinettes, je vis à Booterstown dans un appart' riquiqui avec une horrible tapisserie verte. Et pour ne rien arranger, je vais devoir le partager avec une inconnue avec qui je ne suis pas sûre de bien m'entendre. Je déteste tellement mon boulot que dès le samedi après-midi, j'angoisse en pensant au lundi et je passe mon temps à regarder le calendrier et à compter les jours jusqu'aux prochaines vacances. En plus, aucun de mes collègues ne me respecte. Pas même le concierge portugais qui continue à me demander une pièce d'identité alors que je suis là depuis presque un an !

J'en ai assez qu'on me traite comme une moins que rien. Au moins, ma sœur, on la respecte. Elle sauve des vies, elle, et donc elle a sa place dans la société. On veut la connaître. On l'invite à des dîners… Et moi ? Moi, je colle des timbres sur des enveloppes, je photocopie des documents dont je ne comprends pas un traître mot et je parle à des gens qui me raccrochent brutalement au nez. Je ne me souviens même pas de la dernière fête à laquelle je suis allée. À part celle qu'on a donnée chez moi, bien sûr, mais ça ne compte pas quand on s'invite soi-même, n'est-ce pas ?

Une vague de tristesse me submergea. J'étais comme une gamine qu'on ne prend jamais dans l'équipe de hand. Ou la boulotte qui rêve que le bellâtre de la boîte locale l'invite à danser parce qu'il a invité toutes les autres filles et que ce serait trop la honte d'être la seule à rester sur le carreau. Oui, j'avais une vie merdique. Mais maintenant, je voulais m'amuser. En être. Je voulais être une de ces filles qui sont obligées de refuser des invitations au lieu de remercier pathétiquement une vague copine qui appelle au dernier moment pour aller prendre un verre et qui me prend la tête avec ses histoires de mecs. Je me rappelai tout à coup que j'étais en ligne avec ma sœur.

— Ça me fatigue de surfer sur Internet pendant des heures. Ce n'est vraiment pas marrant de bosser dans un bureau. Je grossis à vue d'œil. Chaque fois que quelqu'un sort acheter un truc, je lui demande de me rapporter du chocolat, des chips ou un sandwich américain. J'ai toujours faim.

— Il faut te reprendre en main.

— Je sais, je sais, mais comment ? En ce moment, je suis dans une phase Maltesers au chocolat blanc. La semaine dernière, c'était chips au fromage et à l'oignon. J'espère que la semaine prochaine ce sera bâtonnets de céleri ou un truc dans le genre.

— Tu pèses combien ?

— Soixante-six kilos et demi.

— Moi, cinquante-huit et demi. La vache !

— Merci, Gemma. Tu m'as remonté le moral direct.

— Tu sais comment faire. Arrête de manger n'importe quoi, arrête de boire et marche deux heures par jour. Et quand je dis marcher, c'est vraiment marcher, pas flâner en écoutant tes chansons préférées sur ton mp3. Je viens à Dublin dans un mois. Si tu réussis à perdre six kilos d'ici là, je t'offre un bon d'achat de deux cents euros.

— C'est très gentil, Gemma. C'est sérieux ?

— Je ne suis pas gentille. J'ai juste peur qu'on me dise : « Tiens, j'ai vu ton boudin de frangine l'autre jour. » Il faut que tu réagisses. Tu as des projets en ce moment ?

— Non.

— Je vois. C'est ça, le problème. Il te faudrait des choses qui font avancer. Tu vois quelqu'un en ce moment ?

— Tu sais bien que non.

— C'est dommage, car si c'était le cas et qu'il te larguait, tu perdrais du poids facilement.

— Ça, c'est sûr ! Quand Greg est parti sans prévenir, j'ai perdu six kilos. C'était génial. Les clubs de régime devraient embaucher des salopards de ce genre pour aider les femmes à maigrir. Ce serait plus efficace que leurs tableaux et leurs exercices à la noix.

— Et il faut que tu sortes plus, insista Gemma. Va danser, c'est bon pour la ligne. Au fait, Ellie sort toujours avec son top model ? Peut-être qu'il a des amis.

— Comment tu sais pour lui ?

— La dernière fois que j'ai appelé, elle m'a saoulée au sujet d'un type qu'elle venait de rencontrer. Elle m'a dit que vous faisiez une fête et qu'il venait avec des amis. Ça s'est bien passé ? Tu as fait des touches ?

— Euh, non... pas exactement. Écoute, Gemma. Tu devrais raccrocher. Ça va te coûter une fortune.

— Mais non, j'appelle de l'hôpital. Ne t'inquiète pas. J'ai tout mon temps.

— Oui, mais pas moi. Si je ne vais pas aux toilettes dans les deux minutes, ma vessie va exploser. Désolée d'être si directe. On se rappelle plus tard, OK ?

— Ce que tu peux être grossière, Fiona. Si tu étais un peu plus délicate, tu aurais plus de chance avec les hommes, tu sais. Je te dis ça parce que tu es ma petite sœur et que je voudrais t'aider. Bon, allez, bon anniversaire quand même. Ne te mets pas dans un état lamentable, promis ?

— Oui, oui. Salut.

Je reposai le combiné. « Ne te mets pas dans un état lamentable. » Si seulement j'avais le choix !

Cette conversation avec Gemma m'avait fichu un coup au moral. Si elle avait vraiment voulu m'aider, pourquoi est-ce que je me sentais si mal ? Ça a un côté désespérant, les anniversaires, non ? Quand on est petite, c'est la fête, on est la reine de la journée. Mais quand on est adulte, tout le monde s'en fiche et c'est comme ça qu'on se retrouve à dire à des inconnus que c'est notre anniv' et qu'ils nous répondent avec de grands yeux : « Oh, ben, bon anniversaire, alors. »

Quelqu'un frappa à ma porte. Super, c'était ma mère. Elle apportait un poisson puant pour mon chat Timmy. Mais Timmy avait disparu depuis quelques jours et je n'avais aucune idée de l'endroit où il pouvait être. Il avait la sale manie de squatter chez les voisins jusqu'à ce qu'il se fasse virer et revienne la queue entre les jambes.

— Tu veux quoi pour ton anniversaire ? mugit-elle en calant son truc nauséabond entre des cannettes de bières. Pouah ! Comment peux-tu vivre comme ça, ma chérie ? Il n'y a rien à manger ici. C'est quoi ça ?

Elle ouvrit une boîte de coulis de tomate périmé recouvert d'un léger duvet gris.

— C'est parce que je suis au régime.

Elle releva ses lunettes de soleil et m'observa de haut en bas.

— Excellente idée. Les hommes n'aiment pas les grosses. Ils ne les ont jamais aimées. À ton âge, j'étais mince. Je pesais quarante-sept kilos et demi après trois grossesses.

— Hum…

— Bon, si tu n'as rien de prévu, je t'emmène faire un tour à Dunnes Stores pour t'acheter un truc sympa pour ton anniversaire. Peut-être un truc gai pour ton appartement. Je l'ai toujours trouvé sombre, surtout avec cette horrible tapisserie verte. Au fait, où est Ellie ?

— Au travail.

C'était la vérité. Il y avait en effet de fortes chances pour qu'Ellie soit au travail – où pouvait-elle être sinon ? Et je ne voulais surtout pas avouer à ma mère qu'elle était partie. Pas encore. Pas avant d'avoir trouvé une excuse bidon. Ma mère vénérait Ellie. Si je lui disais qu'on s'était fâchées, elle croirait aussitôt que c'était ma faute. Ce qui était faux. C'était la faute de Connor. Tout allait bien avant lui.

— Jolies roses…

Elle avait repéré le bouquet.

— Tu as de l'engrais ? Qui te les as offertes ? Un gentil garçon ?

— Non. Bon, je vais prendre mon manteau et on va chez Dunnes.

Nous y achetâmes deux jolies chaises crème et deux coussins chocolat avant d'aller prendre un café et un *carrot cake*. J'étais à peine rentrée chez moi que mon portable se mit à sonner.

— Qu'est-ce qu'on fait pour ton anniv' ? hurla Dervala à l'autre bout de la ligne.

— Je n'ai pas franchement d'idées, bougonnai-je. Je suis trop vieille pour aller en boîte et, de toute façon, je ne veux pas aller dans un endroit bruyant où l'on ne peut pas s'asseoir et où il faut se battre pour atteindre le bar.

— N'importe quoi. Tu dois sortir ! Avoir trente ans aujourd'hui, c'est comme avoir vingt ans avant. J'ai lu ça quelque part récemment.

— Ouais, c'est ça. Non, franchement, Derv, je n'ai pas envie d'aller faire la fête. Pas ce soir en tout cas. Je bosse demain.

— Depuis quand ça fait une différence ?

— Maintenant que j'ai trente ans, je dois m'investir dans ma vie professionnelle.

— OK. Je peux quand même passer avec une bouteille de vin ? Je réfléchis un instant. Ce n'était vraiment pas raisonnable...

— D'accord. Mais pas une, deux.

— À la vieillerie ! s'exclama Dervala en faisant sauter le bouchon de la deuxième bouteille. Et à l'avenir ! Que tous tes désirs se réalisent. Tu perds ton temps dans cette boîte minable, tu sais. Tu as pensé à partir ?

— Oui, j'y pense tout le temps. Mais je ne sais pas quoi faire d'autre. C'est vraiment minant. J'ai trente ans et pas un fifrelin en banque. J'en ai pris conscience brusquement ce matin : je suis complètement fauchée. C'est la méga lose, non ?

— Je ne te le fais pas dire.

— Et le pire, c'est que chaque fois que je rencontre quelqu'un de nouveau, il a un super-job, il gagne des monceaux de fric, il vient de tomber miraculeusement amoureux de la bonne personne, il nage littéralement dans le bonheur, il raconte à qui veut l'entendre que sa maison a doublé de valeur depuis qu'il l'a achetée, qu'il est sur le point de fonder une famille et qu'il change de voiture tous les deux ans.

— Pfff. On doit rencontrer les mêmes gens. C'est quoi, notre problème ? Pourquoi on n'a pas un pavillon en banlieue avec le type chauve et rigolard qui va avec ?

— Tous les propriétaires ne sont pas chauves, Derv.

— Regarde les choses du bon côté. Au moins, ta voiture ne te coûte pas la peau des fesses. La mienne me ruine.

— Je sais, mais ma vieille guimbarde tombe tout le temps en panne. Du coup, je dois prendre le bus. C'est la honte, non ? J'ai l'impression d'être revenue dix ans en arrière.

— Mais qu'est-ce que tu veux vraiment, vraiment faire ? poursuivit Dervala en remplissant à nouveau nos verres sans en mettre – ô miracle – la moitié à côté. Tu n'as pas aimé être nounou, ni réceptionniste, n'est-ce pas ?

— N'exagère pas. C'était quand j'étais étudiante. Mais franchement, je ne pourrais plus le faire.

— Et donner des cours d'anglais à des étrangers ?

— Non, c'était crevant. Et aucun de mes élèves n'avait l'air normal. Ils voulaient tous m'épouser pour avoir un visa et vivre en Irlande.

— Au moins, on t'a demandé ta main. Moi, je crois que j'ai plus de chances de me faire écrabouiller par un tram que de me faire demander en mariage. Mais assez parlé de moi. Parlons de ton avenir. Tu aimais bosser à *Gloss Magazine*, non ?

— Oui, plutôt.

— Tu semblais adorer le monde de la presse.

— C'est vrai que c'est probablement le meilleur boulot que j'aie jamais eu. Ça m'aurait vraiment plu s'il n'y avait pas eu cette saleté de Faith, la rédactrice en chef, qui se gardait tous les produits de beauté et allait seule aux soirées VIP. À la fin, je n'en pouvais plus de répondre au courrier du cœur, d'écrire l'horoscope et de donner « les conseils sexuels du mois ». Et la seule célébrité que j'aie interviewée, c'était Daniel O'Donnell. Tu imagines !

— Peut-être que si tu y étais restée, tu aurais fini par interviewer des gens plus intéressants. Comme… je ne sais pas, moi…

— Oui, mais ça, je ne le saurai jamais. Je n'aurais sans doute pas dû boire comme un trou à la fête de Noël…

— … et choper le Père Noël.

— Oui, ce n'était pas très malin. Mais comment pouvais-je savoir que c'était le mec de Faith ? Il était méconnaissable avec sa barbe blanche.

— Il faut toujours se méfier des hommes avec un bonnet rouge et une barbe blanche…, professa Dervala en finissant son verre d'un trait.

— Il n'y en a plus ?

— De quoi ?

— Du vin. On a presque tout bu. Mince alors !

— *No problemo.*

Dervala dégaina son portable et se mit à pianoter dessus.

— Tu appelles qui ?

Je sentis comme un vent de panique en moi.

— Tu n'as pas intérêt à appeler Peter Andre. Il ne faut jamais appeler un mec quand on est bourrée.

— Qui est bourrée ? J'appelle un taxi pour aller chez Spar acheter une nouvelle bouteille. Et un gâteau d'anniversaire ! Oui, c'est ça ! Il nous faut un gâteau d'anniversaire ! De toute façon, on n'est pas encore assez saoules. On n'a trente ans qu'une fois dans sa vie, tu sais !

— Dervala, au cas où tu l'ignorerais, je vais avoir trente ans pendant un an.

Le taxi arriva et Dervala fila chez Spar « faire le plein chez son voisin » quand j'eus finalement convenu qu'on n'avait qu'une seule vie. Quelques minutes plus tard, on sonna à la porte. Dites donc, c'était une rapide !

J'ouvris le battant de la boîte aux lettres et lançai, goguenarde :

— Fiche le camp, sale traînée !

D'accord, ça n'avait rien de drôle, mais c'est fou comme l'alcool peut faire ricaner pour un rien. On sonna de nouveau.

— Dehors, sale arsouille !

Silence radio, hormis une nouvelle et longue sonnerie. Elle aurait quand même pu jouer le jeu ! J'ouvris la porte et me figeai, horrifiée. Ce n'était pas Dervala. C'était une jeune fille d'une maigreur affolante avec de longs cheveux châtains et des lunettes couvertes de buée. Mon Dieu, pourquoi n'avais-je pas vu qu'il pleuvait ? C'était le déluge dehors.

La fille me regardait trop intensément à mon goût.

— C'est trop tard ?

Je scrutai cette drôle de petite chose trempée jusqu'aux os qui se tenait dans l'encadrement de la porte.

— Trop tard pour quoi ?

— Je me suis trompée d'adresse ? Vous n'avez pas de chambre à louer ?

— Hein ? Non. Enfin, les visites, c'était hier.

La fille se décomposa.

— C'est pas possible. J'ai dû mal lire l'annonce. Je suppose que vous avez trouvé.

— Eh bien, en fait…

Mince, que faire ? Si je la faisais entrer, elle risquait de voir les bouteilles de vin vides sur la table et de me prendre pour une pochtronne. Et si je lui expliquais que c'était mon anniversaire, elle allait peut-être trouver ça nul que je fête ça chez moi et pas dehors ! Dieu, aidez-moi !

Maintenant.

— Non, pas encore.

Son visage se fendit d'un large sourire.

— Oh, Dieu merci. Je prospecte depuis ce matin et j'ai vu des trucs pas possible. Des trucs même pas vivables pour des animaux. Vous vivez seule ?

— Euh… oui. Je vis seule. C'est un peu en désordre en ce moment car je n'attendais pas de visite ce soir. Je passe la soirée avec une amie. En fait… elle vient de partir acheter du… euh… faire des courses.

— Puis-je voir la chambre maintenant ?

— Bien sûr. Entrez.

Je reculai en espérant ne pas trop sentir l'alcool. Je ne voulais pas qu'elle me prenne pour une ivrogne.

— Oh ! c'est super mimi, s'exclama-t-elle en voyant le salon. C'est super chaleureux !

Elle me plut sur-le-champ. Elle paraissait même agréablement surprise et ne tiquait pas sur la tapisserie verte. Pas comme cette horrible fille à la BMW. Un bon point.

— Venez. Je vais vous montrer la chambre.

Je la précédai. Elle ne fit aucun commentaire sur les bouteilles. Peut-être ne les avait-elle pas vues. Ou peut-être pensait-elle que je m'en servais comme de vases.

— Vous avez un chat ? demanda-t-elle en manquant d'écraser une souris en plastique.

— Plus ou moins. Je le partage avec les voisins. Il ne passe ici que de temps en temps, quand il s'ennuie.

— Il a quel âge ?

— Environ deux ans. Je l'ai depuis qu'il est bébé. Quelqu'un l'a balancé dans la cour d'un ami. Il était grièvement blessé. J'ai dû donner au vétérinaire tout l'argent que j'économisais pour me payer un spa. Il me coûte plus cher que moi.

— Il y a vraiment des gens cruels !

— Oui, on devrait éliminer tous ceux qui font du mal aux animaux.

— J'adore les chats. Ils sont si intelligents !

Deuxième bon point ! Si elle aimait les chats, elle nourrirait Timmy quand je partirais en vacances.

— Intelligents, oui, mais pas toujours fidèles.

— Comme les hommes.

— Exactement.

J'adorais cette fille !

Je lui montrai la chambre. Elle était minuscule et ses murs étaient constellés de trous laissés par les anciens cadres d'Ellie. Mais ma visiteuse l'aima aussitôt.

— C'est parfait. C'est génial. Ça m'intéresse vraiment. Quand puis-je m'installer ? De combien est le loyer ? J'ai plein d'espèces sur moi. Je peux vous verser un acompte maintenant.

— Eh bien…

— Oh, je vais trop vite ! Vous voulez prendre le temps de réflé-chir, n'est-ce pas ? Je peux vous passer un coup de fil demain ? Je ne veux surtout pas vous mettre la pression. Je vais faire d'autres visites en attendant que vous preniez une décision.

J'imaginai soudain cette jolie fille nature trouvant un autre appartement et une autre colocataire et disparaître à jamais de ma vie, m'obligeant du coup à passer une autre semaine à questionner une bande de cinglés. Soudain, je m'entendis répondre :

— Non, c'est bon pour moi. Le loyer est de quatre cents euros et l'acompte pareil.

— C'est très raisonnable. Je peux tout vous donner maintenant, si vous voulez. Vous avez un contrat à signer ?

— Non, si vous voulez partir, prévenez-moi quatre semaines à l'avance. Et *vice versa*. Euh… vous avez d'autres questions ?

En entendant la sonnette, je manquai défaillir. Il ne fallait surtout pas que ma nouvelle coloc' voie Dervala. Ça pourrait la faire changer d'avis. Le problème, c'était que je ne pouvais pas vraiment la laisser sous la pluie battante. Bah… Tant pis.

J'ouvris la porte et Dervala, les bras chargés de sacs plastique, entonna *Joyeux Anniversaire* d'une voix de stentor. Elle s'arrêta net en voyant la fille :

— Bonsoir, souffla-t-elle en ayant le bon sens d'avoir l'air gêné. Fiona ne m'avait pas dit qu'elle avait invité quelqu'un à sa fête.

— C'est une fête ?

— Je vous présente mon amie Dervala. Et Dervala, je te présente… Euh… c'était quoi, son nom, déjà ?

— Ma nouvelle colocataire.

Devant le regard abasourdi de Dervala, je me sentis grotesque.

— Je m'appelle Bunny, fit la fille.

Bunny ? OH MON DIEU !

— Enchantée de faire ta connaissance, Bunny, fit Dervala avec un petit sourire. Fiona ne m'avait pas parlé de toi.

— C'est parce qu'on ne se connaissait pas.

Je me rendis compte subitement de l'étendue de ma bêtise : je ne savais absolument rien de cette fille.

— Tu bosses dans le coin ? demanda Dervala.

— Oh non. Pas du tout.

— Tu travailles où ?

— Eh bien, en fait, je ne travaille pas.

— Tu ne travailles pas ? coupai-je, hyper inquiète.

— Non, je suis au chômage.

4

J'étais déjà montée dans une ambulance. Il y a longtemps. Le jour où je m'étais coincé un doigt dans une roue de vélo. J'avais eu beau souffrir le martyre parce que mon doigt était coupé et haché de partout, j'avais adoré entendre la sirène hurler à tout va et voir les gens s'activer autour de moi. Cette fois, c'était différent. Très différent. On aurait dit un cauchemar.

Je me trouvais avec Bunny et Dervala à l'arrière, en compagnie de deux infirmiers. Bunny était sur une civière parce qu'elle s'était évanouie dans les toilettes d'une boîte et s'était cogné la tête par terre. Dervala pleurait parce qu'elle était beurrée comme un Petit Lu. Et moi je me sentais terriblement sobre et je priais frénétiquement pour que Bunny ne meure pas.

À l'hôpital, on m'annonça gravement que je devais remplir sa fiche d'admission tandis qu'on l'emmenait toujours inconsciente, sur sa civière, donc hors d'état de me donner la moindre information sur elle. Comment remplir ce maudit papier ? Je ne connaissais même pas son vrai nom, alors en ce qui concernait sa religion ou ses antécédents médicaux… ! Comment remplir la fiche de quelqu'un que je ne connaissais que depuis quelques heures ?

La secrétaire derrière le guichet en resta bouche bée.

— Comment, vous ne connaissez pas le nom de votre amie ?

— Ce n'est pas mon amie, c'est ma coloc'.

Elle me regarda froidement en attendant la suite.

— Elle a emménagé ce soir.

— Comment ?

Elle affichait maintenant une expression mi-incrédule, mi-méfiante. Visiblement, elle pensait que j'étais encore saoule, ce qui n'était absolument pas le cas. D'accord, j'avais un peu forcé sur la bouteille, mais...

— C'était mon anniversaire. J'arrosais ça avec mon amie quand Bunny est arrivée pour visiter l'appartement. Elle a décidé de s'y installer et on a bu un coup ensemble pour fêter ça. Et puis on est allées en boîte. Après, tout s'est passé très vite. On dansait, on rigolait quand soudain elle a disparu. On s'est dit qu'elle était allée aux toilettes. Comme elle ne revenait pas, j'ai fini par aller la chercher et je l'ai trouvée évanouie par terre, avec une grosse bosse sur la tête.

— Elle n'a pas l'habitude de boire ?

— Je n'en sais rien. Apparemment non. Mais encore une fois, je ne sais rien d'elle. Je ne sais pas d'où elle vient ni où vivent ses parents. Je suis vraiment désolée.

En voyant Dervala se remettre à pleurnicher, la femme fit la moue et hocha la tête, histoire de bien nous faire comprendre à quel point elle nous méprisait.

Une infirmière apparut et nous annonça que Bunny s'en sortirait mais qu'elle devait passer la nuit en observation.

— Elle prend des médicaments ?

— Je l'ignore, balbutiai-je. Je ne sais rien d'elle sauf qu'elle a vingt-quatre ans et qu'elle est venue à Dublin chercher du travail après avoir quitté son copain. Je sais que ça peut vous paraître dingue, mais je ne sais rien d'autre.

— Ch'est la vérité. Che vous le chure, fit Dervala en aggravant considérablement notre cas.

Je lui lançai un regard glacial qu'elle ne remarqua même pas.

— Très bien, poursuivit l'infirmière avec componction. Il faut que vous me rendiez un service. Maintenant. Allez fouiller dans sa chambre pour voir s'il y a des cachets, et si vous en trouvez, téléphonez-moi pour me dire ce qui est écrit sur les flacons, même s'ils ont l'air inoffensifs. C'est très important.

— Mais elle n'a pas encore emménagé ! Elle n'a rien apporté.

L'infirmière resta incroyablement zen.

— Elle avait un sac ?

— Euh... oui. Elle a préféré le laisser à l'appart' pour ne pas se le faire voler, n'est-ce pas Dervala ?

Mais Dervala avait la tête de quelqu'un qui ne se souvenait même plus de son propre nom et elle était visiblement incapable de se rappeler si Bunny avait laissé ou non son sac chez moi.

— Je vous appelle dans dix minutes, promis-je, ravie que l'infirmière ne nous ait pas prises pour deux psychopathes qui avaient tenté d'assassiner une jeune provinciale en lui faisant boire de force des litres d'alcool.

— Elle va s'en sortir ?

Franchement, s'il lui arrivait quelque chose, je ne me le pardonnerais jamais. D'ailleurs, qui appeler ? Comment trouver sa famille ? Il faudrait prévenir la police et les journalistes fouineraient partout. Peut-être même qu'ils camperaient devant chez moi pour prendre des photos.

Fichtre ! Comment avions-nous fait pour nous retrouver dans un tel pétrin ? Dervala était juste censée passer prendre un verre et me remonter le moral pour mes trente ans. Je me sentais comme une gamine de quinze ans qui aurait fait un raid dans le bar de ses parents et aurait fait trop boire sa petite voisine. Sauf que Bunny n'était pas ma petite voisine. C'était ma nouvelle coloc'. Et en plus, elle était au chômage et probablement droguée. Mon Dieu !

En ouvrant le sac de Bunny, chez moi, je manquai de défaillir. C'était une véritable pharmacie ambulante. C'était quoi, tout ce bazar ? Il y avait au moins cinq petits flacons blancs remplis de gélules. Dervala me cria qu'elle était fracassée et qu'elle devait dormir tout de suite. Puis elle laissa tomber sa large carcasse dans le canapé et ferma les yeux. Dans le genre utile, on faisait mieux ! J'appelai l'infirmière et lui lus les indications écrites sur les flacons, après quoi elle m'expliqua que l'un d'eux contenait des gélules amaigrissantes superpuissantes et incompatibles avec l'alcool.

— C'est sans doute pour ça qu'elle s'est évanouie.

Je poussai un grand soupir de soulagement.

— Donc elle ne va pas mourir ?

— Non, mais on va la garder quelques heures avant que vous la rameniez chez vous. Au fait, êtes-vous sûre qu'elle est célibataire ?

— Oui, depuis peu. À ce que j'en sais.

— Bien.

Pourquoi cette question ?

— Bref, comme je vous le disais, vous pourrez la ramener chez vous dans quelques heures.

Chez moi ? Ah oui, j'oubliais. Elle vivait avec moi maintenant. Quelle histoire ! J'étais censée être au boulot dans trois heures, et j'allais devoir prendre un jour de congé pour m'occuper d'une nana qui se gavait de pilules. Dervala ronflait comme un tracteur sur le canapé et avait l'air de s'être endormie pour des heures.

Pfff. J'étais plus démoralisée que jamais. Et dire que la veille j'avais décidé de me reprendre en main !

5

E lle n'est pas encore levée ? demanda Dervala.

— Non, elle n'a pas bougé. Je suis allée voir dans sa chambre plusieurs fois, mais elle est toujours dans les vapes. Si seulement je savais qui appeler. Elle doit bien avoir une famille. Ils se font peut-être du souci pour elle. Elle n'a pas de téléphone, juste un portefeuille.

— Au moins, elle va s'en sortir.

— Oui, mais je suis super inquiète maintenant. Elle n'a vraiment pas l'air net et je ne peux pas partir bosser en la laissant toute seule, n'est-ce pas ?

— Ben non. Ils t'ont appelée, à ton boulot ?

— Non, c'est moi qui les ai appelés pour leur dire que je ne viendrais pas aujourd'hui. Ils n'avaient pas l'air vraiment surpris. Ils doivent penser que j'ai une méga gueule de bois.

— J'ai fait pareil. Ils n'ont pas eu l'air de me croire non plus, mais je m'en fiche.

Ah, cette Derv et son insouciance légendaire !

Le téléphone sonna. C'était un homme qui voulait parler à Ellie.

— Elle a déménagé, soupirai-je.

Punaise, j'en avais marre de tout ces appels. Ça devait faire la centième personne qui la demandait depuis quelques jours. Où était-elle ? Comment diable pouvais-je le savoir ?

— Non, je n'ai pas d'autre numéro de téléphone que son portable. Vous l'avez essayé ? Oh, je vois. Très bien. Attendez, je prends de quoi écrire.

Je notai soigneusement ce qu'il me disait, consciente de perdre mon temps. Je savais qu'Ellie n'appellerait pas pour prendre ses messages. C'était bizarre. C'était comme si elle s'était évaporée. Et dire que c'était ma meilleure amie. C'était une situation absurde.

Mon interlocuteur, qui travaillait dans une agence de voyages à Birmingham, voulait savoir si Ellie souhaitait venir visiter la ville. Si oui, « on lui fournirait des billets en première classe et une limousine l'attendrait à l'aéroport pour l'emmener au luxueux Malmaison Hotel où elle ferait un repas gastronomique en compagnie des grands pontes du tourisme ».

Je notai tout ça frénétiquement au dos d'une enveloppe. « Puis, le lendemain, un guide perso lui ferait visiter la ville avant un déjeuner dans un restaurant chic et un retour à Dublin prévu dans l'après-midi. » En écrivant, je sentis comme un pincement de jalousie. Pendant qu'Ellie allait se faire dorloter et se promener à Birmingham, je serais au boulot en train de me faire remonter les bretelles par mon boss ou sa peste d'assistante. Trop cool. Et j'allais devoir encaisser sans broncher pour ne pas me faire virer et me retrouver sans un sou. Pour ne rien arranger, une drôle de fille en écrasait toujours dans ma chambre d'amis, une drôle de fille qui était bien partie pour battre le record du monde de la gueule de bois.

— C'était qui ? demanda Dervala en me voyant raccrocher.

— Un type qui proposait à Ellie un de ces fichus voyages de presse. C'est déprimant, non ? Bon d'accord, c'était Birmingham et pas la Barbade, mais quand même, ça avait l'air super. J'aimerais être invitée à un voyage où l'on mange et où l'on boit à l'œil tout en faisant des tas de visites.

— Moi aussi, j'aimerais bien. Sinon, elle est allée où ?

— Ce serait plus simple de dire où elle n'est pas allée. Elle a passé six jours en Australie, une semaine dans un spa en Thaïlande, cinq jours à déguster du vin dans le sud de la France… Et tout ça, rien que ces derniers mois. En revanche, je ne pense pas qu'elle soit très bien payée. Elle m'a toujours dit que, bien qu'elle descende dans des hôtels cinq étoiles et mange dans les meilleurs restos du monde, elle n'avait pas des masses d'économies.

— Attends ! Il y en a d'autres qui passent la majeure partie du temps enfermés dans un bureau pour économiser de quoi partir en vacances une fois par an. Au moins, pour elle, c'est gratuit.

— Ouais. Je n'avais pas pensé à ça. Je rappelle ce type pour lui dire que c'est moi qui y vais ?

— Chiche, fit Dervala en allumant une cigarette.

— Je rigole !

— Ah bon ? Pourquoi ? Pourquoi n'irais-tu pas ? Si Ellie n'y va pas, c'est perdu.

— Et son rédacteur en chef ? Il va en penser quoi ? Je l'ai vu une fois. Il s'appelle Stuart. On s'est parlé brièvement à une fête en dansant un slow. Je ne crois pas lui avoir fait super bonne impression.

— Ah bon ?

— Un type est venu nous séparer sitôt que la chanson a été terminée et j'ai fini la bouche collée contre la sienne.

— Il n'y a pas de raison qu'il t'en veuille pour ça. L'essentiel, c'est que tu sois capable d'écrire un article convenable.

— Peut-être. J'ai écrit des trucs pour le journal de la fac, sans parler de la rubrique sexo de *Gloss* pour laquelle j'étais payée des cacahouètes. Et j'ai aussi rédigé quelques communiqués de presse à mon travail les rares fois où l'on m'y a autorisée. Je dois donc être capable de faire un article de quatre cents mots sur Birmingham. D'ailleurs, si je me rappelle bien, lors de cette fameuse soirée, Stuart m'a demandé si j'écrivais parfois. Il m'a dit qu'il était souvent en panne de pigistes.

— Eh ben voilà. Appelle-le ! Qu'est-ce qui t'arrête ?

— Et mon boulot ?

— Démissionne.

— Comme ça ?

— Tu le détestes, non ?

— Oui, mais comment je vais faire pour l'argent ?

— Ça ira. Vis un peu dangereusement pour une fois.

— Un instant. Et pourquoi ce n'est pas toi qui démissionnes et qui vas faire la fête à Birmingham ? Qu'est-ce qui t'en empêche ? En plus, je ne sais même pas si Stuart acceptera que je fasse cet article, sans parler d'Ellie qui risque de péter un câble si elle apprend que je marche sur ses plates-bandes.

— Aucun risque. Elle est super cool.

— Pas vraiment, avec moi. Déjà elle croit que je lui ai piqué son mec, alors tu imagines ce qu'elle pensera quand elle me verra faire son boulot ? Non, Dervala, c'est trop risqué.

Un petit coup à la porte me fit sursauter. Je tournai la tête : c'était Bunny.

— Ça va ? demanda Dervala.

Bunny porta lentement la main à son front et l'examina comme si elle cherchait du sang. On aurait dit qu'elle venait de se faire massacrer sur un ring de boxe et qu'elle s'apprêtait à remonter dessus. Elle était vêtue d'une de mes vieilles chemises de nuit qui avait du mal à cacher les nombreux bleus qui ornaient ses bras et ses jambes. La vache, comment s'était-elle fait ça ? Elle ne répondit rien. Peut-être n'avait-elle pas entendu.

— Bonjour, lançai-je joyeusement. Tu veux du café ou du thé ? Tu as bu l'eau que je t'avais laissée près du lit ?

Son regard hébété passa de moi à Dervala, avant de revenir sur moi. Puis elle toussa bruyamment pendant cinq bonnes minutes à tel point que je crus qu'elle allait vomir. Mais non. Elle leva enfin les yeux vers nous et dit d'une petite voix :

— Euh… je peux vous demander un truc ? Vous avez l'air super sympas et je vous suis reconnaissante de vous faire du souci pour moi. Mais…

Elle s'arrêta les yeux soudain dans le vide, l'air épouvanté…

— Si je peux me permettre… vous êtes qui exactement ?

6

J'aimerais te dire un mot en salle de conférences, Fiona.

La phrase qui tue. Celle dont on devine instantanément la suite. C'était ça, hein ? Direction la porte. Je le savais. Mon cœur fit un bond dans ma poitrine. J'avais déjà entendu Cynthia parler comme ça. Et c'était de mauvais augure !

Cynthia, comme je vous l'ai sans doute dit, était l'assistante de Joe, mon boss. Oui, oui, je sais, je n'étais même pas une vraie assistante. J'étais l'assistante d'une assistante. La honte suprême, mais bon...

Cynthia n'aimait pas qu'on lui tienne tête. Même moi, je savais ça. Elle voulait me passer un savon d'un ton condescendant et me balancer des trucs que je ne voulais surtout pas entendre. Je suivis sa silhouette maigrichonne jusque dans la salle en question. Chemin faisant, je me surpris à penser que j'étais trop vieille pour ça. À l'école déjà, je me faisais disputer par les bonnes sœurs qui me forçaient à écrire cent fois : « J'ai mal agi et je ne le ferai plus. » J'avais trente ans maintenant. J'étais une grande fille sur bien des plans. En fait, ça faisait plus de douze ans que j'étais officiellement une adulte. Et Cynthia, malgré ses grands airs, n'avait probablement pas plus d'un ou deux ans de plus que moi. Alors au nom de quoi devais-je me laisser rabaisser ?

Quand nous fûmes installées, elle commença d'une voix geignarde à me demander des comptes sur mes récentes absences.

— Ne gâche pas ta salive, Cynthia, coupai-je. Je ne suis pas d'humeur à avoir un avertissement. Et pour dire la vérité, je n'aime pas ce genre de situation et encore moins ton attitude envers moi depuis que je travaille ici. En fait, je suis presque sûre que si je relis attentivement mon bouquin sur le harcèlement moral, j'aurai de quoi porter plainte. Mais tu as de la chance, je n'ai même pas envie de le faire. En fait...

Je fis une pause, histoire de faire mon petit effet...

— En fait je démissionne, là, maintenant.

Franchement, j'ignore d'où c'est venu, mais c'était plutôt bien balancé, non ? Surtout sans m'y être préparée. J'aurais bien aimé le redire, mais Cynthia avait visiblement capté le message. Alors, je conclus l'affaire par un :

— Tu voulais me dire autre chose ?

Je vidai aussitôt mon bureau après avoir convenu avec Cynthia que c'était la meilleure chose à faire. Je partais avec deux semaines de paie pour couvrir les jours de congés qui me restaient. Et puis après... En fait, je ne savais pas très bien ce que j'allais faire de tout ce temps libre parce que je n'avais pas vraiment réfléchi à la question.

En rentrant chez moi d'un pas désœuvré, je me rendis brutalement compte que non seulement j'étais seule, sans coloc' digne de ce nom ni de boulot pour payer mes factures, mais qu'en plus je n'avais toujours pas perdu ces trois kilos en trop que je traînais depuis des années. Comme un fait exprès. Et que ça faisait un bail que je n'avais pas pris le temps de profiter de la vie. D'ailleurs, ça faisait combien d'années que je ne m'étais pas assise dans un parc pour admirer le paysage ? Vous voyez ? Je ne m'en souvenais même pas. J'étais si occupée à bosser et à draguer des hommes que je n'intéressais pas que j'en avais oublié d'apprécier les petites choses de la vie.

Soudain décidée à m'émerveiller d'un rien, j'eus envie d'aller m'oxygéner au Herbert Park. C'était dingue de pouvoir faire ça en

plein après-midi, quand tout le monde était au boulot ! Quel pied !
Je me mis soudain à plaindre tous ces gens qui faisaient semblant de
s'activer sur leur ordinateur alors qu'en fait ils envoyaient des mails
à leurs amis ou mataient en douce des sites porno. Quelle chance
de ne plus en être ! J'avais tourné la page. Oui, je ne faisais plus
partie de ce barnum. Herbert Park, me voilà.

Sur place, les canards n'eurent pas l'air ravis de me voir balancer
des morceaux de mon sandwich dans leur mare. Je n'en revenais
pas. Ils n'en avaient apparemment rien à faire de mon sandwich au
chèvre, aux tomates séchées et au basilic à 4,50 euros. C'était pourtant une classe au-dessus des croûtons de pain sec des mamies. Mais
ils ne semblaient pas faire la différence.

Les morceaux de mon festin flottaient misérablement dans la
mousse recouvrant l'eau verte. Il était clair que ces canards avaient
le melon. Ils n'étaient pas comme leurs cousins de la fac qui semblaient apprécier nos offrandes. Ils se prenaient pour qui ? C'était
peut-être parce qu'ils vivaient dans l'un des quartiers les plus chic
de la ville, où des gens payaient des fortunes pour vivre dans des
appartements grands comme des boîtes à chaussures. Je me jurai de
ne jamais y remettre les pieds. En me relevant, je m'aperçus que
quelqu'un avait laissé un vieux chewing-gum sur le banc. Super !
Je tentai de le décoller de l'arrière de ma jupe quand soudain, histoire d'enfoncer le clou, une énorme goutte de pluie vint s'écraser
sur mon nez. Je levai les yeux vers un ciel d'une jolie teinte gris
ardoise.

Tant pis pour ma balade ! Un coup de tonnerre claqua au loin.
Je me précipitai dans l'hôtel voisin. Assise au bar tandis qu'un
rideau de pluie s'abattait sur la ville, j'envoyai un texto à Ellie pour
lui dire de me rappeler de toute urgence. Je jouais là ma dernière
carte. Et si elle ne rappelait pas, j'irais peut-être jouer les princesses
à Birmingham ! L'espoir fait vivre…

Après une tasse de café et un rapide coup d'œil à *Glamour*,
voyant qu'Ellie ne rappelait pas, je composai son numéro. « Le

numéro que vous avez demandé n'est plus attribué », susurra une voix féminine hautaine. J'étais sidérée. Pire, insultée. Et bien sûr, en bonne parano que j'étais, je me dis qu'elle avait changé de numéro à cause de moi. Elle me détestait donc à ce point ? Que pouvais-je y faire ? Rien, n'est-ce pas ? Mais je ne pouvais pas la laisser me haïr de cette façon toute sa vie.

C'est une Fiona contrariée et survoltée qui partit à la gare prendre son train pour Booterstown. La pluie avait provisoirement cessé de tomber, mais je ne pouvais pas m'asseoir car tout était mouillé. Je n'avais nulle part où aller, sauf mon appart' que j'aimais beaucoup moins depuis que Bunny y avait emménagé. Je n'avais plus de boulot, aucun but dans la vie et même pas un amoureux terne et sans imagination avec qui mater des bouses hollywoo-diennes le soir. Ou un époux réfléchissant aux petits plats qu'il pourrait me concocter. Un époux. Hum… Qu'est-ce que ça son-nait mal, comme mot ! Je préférais de loin « chéri ». C'était plus doux. Bref, comme je n'avais pas d'époux, de chéri, de mari, de fiancé, de compagnon, de partenaire, d'ami « spécial » ou – un ins-tant – c'est quoi le masculin de maîtresse ? Il n'y en a pas, non ? C'est ridicule, vous ne trouvez pas ? Bref, comme je n'avais rien qui ressemblât de près ou de loin à une moitié, je devais trouver un moyen de passer agréablement le reste de la journée. Et ce n'était certainement pas en restant plantée là devant un mur nu à me demander ce que j'allais faire de ma vie.

Je me dirigeai lentement vers la gare de Lansdown, le moral à zéro. En chemin, je me fis dépasser par moult BMW et Mercedes à l'intérieur desquelles des costards-cravates empâtés hurlaient dans leur portable. Et par ces énormes 4´4 conduits par des blondes revêches, cachées derrière d'énormes lunettes de soleil, un malheu-reux petit bout d'un an sanglé sur le siège arrière. Ces femmes qui passent leur temps à trimbaler leurs gosses à gauche et à droite m'étonnent. Franchement, il y a un truc qui m'échappe. Ne me dites pas que leur mari les trouvent intéressantes quand elles leur racontent que Jilly et Pete vont avoir un autre bébé et que Ronnie et Sally ont acheté une deuxième maison dans le sud de la France. Ou que Mary et Jack ont obtenu leur permis de construire pour leur véranda. Plombés par tant de banalité, ils rêvent sans doute de ne pas rentrer chez eux le vendredi soir. Ou d'élire domicile à l'Ice Bar du Four Seasons Hotel pour payer des coups à des filles comme Dervala et ses copines, des filles deux fois plus jeunes qu'eux et qui les méprisent de tout leur être.

Franchement, je préférais mourir plutôt que d'avoir une vie qui ressemble à ça. Vous n'imaginez pas le nombre d'hommes mariés qui accusent ouvertement leur femme de les rendre malheureux. Ce sont les mêmes qui refusent de sortir dîner avec moumoune et préfèrent couvrir de cadeaux une jeunette qui « prend soin d'elle ».

Dans un bel élan d'autodestruction, Dervala venait de se faire une série d'hommes mariés dépressifs. D'après elle, ils avaient des tas de points communs. Ils buvaient trop, ils avaient du bide, ils étaient jaloux d'un collègue qui, selon eux, les jalousait et ils accusaient leur femme de « se laisser aller ». Dervala avait l'impression de tomber toujours sur le même homme. Seul le nom changeait.

Un jour, je lui avais demandé pourquoi elle s'escrimait à sortir avec des types de ce genre, en soulignant qu'ils ne quitteraient jamais leur femme pour elle. Ça avait eu l'air de la vexer.

— Mais je ne veux pas qu'ils quittent leur femme ! Je suis trop jeune pour être une belle-mère. Et si, dans un moment de folie, je devais en épouser un, quelques années plus tard, ce serait moi qu'il accuserait des pires maux.

Je n'approuvais pas son stupide penchant pour les hommes mariés dont elle semblait incapable de se guérir, mais ça ne me gênait pas. Elle aimait se faire payer à boire et à manger et passait son temps à amasser un nombre impressionnant de bijoux et de sacs. Cela avait pris subitement fin avec son dernier amant. En l'apercevant un après-midi en ville avec une autre femme, elle avait compris qu'il la trompait, et qu'il était deux fois traître, si l'on comptait sa femme.

Ça l'avait dégoûtée et beaucoup déprimée. Elle avait passé des semaines à fomenter un plan pour se venger de cet individu qui avait abusé d'elle, dans tous les sens du terme. J'avais eu du mal à la comprendre. Après tout, elle n'avait pas sourcillé quand son séducteur à deux balles lui avait annoncé qu'il ne pouvait pas quitter sa femme à cause de ses enfants. Et elle l'avait écouté patiemment quand il lui avait raconté la façon dont sa femme l'avait « piégé » en tombant enceinte, des années plus tôt. Elle avait aussi acquiescé gentiment quand il lui avait dit, avec des yeux de caniche, qu'il n'avait jamais autant aimé une femme qu'elle, mais que s'il partait, son épouse lui en voudrait à mort, lui mènerait une vie d'enfer et monterait ses gosses contre lui. Et apparemment, ça lui convenait. En revanche, elle n'avait pas supporté de le voir avec une autre jeunette comme elle.

Bref, vous serez sans doute ravies d'apprendre que Dervala, après sa phase « méchants papas », était entrée dans une phase « jeunes fous » et collectionnait les *toy-boys* à tour de bras. Elle s'en était fait pas mal ces quinze derniers jours et, bien qu'elle soit assez vexée que le sosie de Peter Andre ne lui ait guère envoyé qu'un « A + » par texto, elle continuait à s'éclater avec les autres.

C'était une drôle de fille : un goût certain pour le sexe doublé d'un caractère de cochon. Elle n'hésitait pas à montrer un ventre qui aurait mieux fait de rester caché et des cuisses qui prouvaient l'inefficacité des crèmes anticellulite. Oui, Dervala était la digne représentante de cette nouvelle génération de Dublinoises qui fumaient comme des pompiers, buvaient comme des trous, draguaient comme des hommes et semblaient vouloir dominer le monde. D'une certaine façon, j'admirais son immoralité, son égoïsme à tout crin et son mépris total pour les codes de la petite bourgeoisie, mais, parfois, ma vie me semblait quand même beaucoup moins compliquée. J'aimais la facilité. J'aimais ne pas être obsédée par les hommes. Je ne me prenais pas la tête à envoyer des textos à des types à qui j'avais parlé chez un marchand de kebabs à l'aube. À quoi bon ? À quoi bon passer des heures à analyser des messages incohérents ? À quoi bon s'exploser les neurones avec de la coke et avoir la surprise de se réveiller, un beau matin, couverte de bleus et tailladée de partout ? Je n'aimais pas ce genre de « délire », et même si parfois je rêvais de m'éclater et « d'en être », la plupart du temps je me dégonflais et je laissais les autres « en être » sans moi.

C'est pourquoi je décidai de ne rien entreprendre pendant quelques jours, histoire de faire le point… à condition, bien sûr, de ne pas trop me remettre en question. Je suis sûre que vous me comprenez. Dans le genre démoralisant, il n'y a rien de pire que l'introspection car on ne trouve jamais de réponses satisfaisantes et, pour finir, on est complètement déprimée ! Mon truc à moi, c'était d'être très occupée tout en gardant mon objectif en vue. C'est du moins la conclusion à laquelle je finis par arriver en me promenant sur le front de mer.

En rentrant chez moi, j'entendis de dehors ma télé qui hurlait. Bunny devait encore être là. Qu'avait-elle fait de sa journée ? S'était-elle au moins habillée ?

La veille, elle m'avait expliqué l'origine de ses bleus (= son ex), de ses pertes de mémoire (= elle était tombée dans les pommes lors de leur dernière dispute) et de son déménagement à Dublin (= elle n'y connaissait personne et personne ne l'y connaissait). Puis elle m'avait raconté entre deux sanglots comment ses parents étaient morts dans un accident de voiture et comment elle avait perdu le bébé qu'elle attendait avec son horrible ex.

En entendant son histoire, je m'étais dit que ma vie n'était pas si horrible qu'elle en avait l'air et que peut-être Dieu me l'avait envoyée pour m'aider à relativiser les choses. Mais pour le moment j'aurais bien aimé qu'elle soit sortie faire un tour. J'étais fatiguée et je n'avais qu'une envie : me reposer.

Je montai les marches au rythme du *Ricki Lake Show*. Mince, j'ignorais que ça passait encore à la télé ! Les chômeurs et les ménagères méritaient quand même mieux ! Franchement, on se marre plus au travail !

Une fois dans l'appartement, je fus surprise de voir Bunny allongée sur le canapé revêtue de mon nouveau survêt D & G qu'elle m'avait emprunté comme si c'était un vieux pyjama. Au lieu de l'accuser d'être entrée dans ma chambre sans ma permission, j'inspirai profondément et lui demandai comment elle allait.

— Beaucoup mieux. Merci.

— Je vois que tu es allée faire des courses, fis-je en zieutant la boîte de beignets à la crème et à la confiture sur ses genoux.

— Oh non. Je ne suis pas encore sortie. C'est une femme qui les a apportés. J'en ai mangé deux et j'en ai donné un à Timmy qui était là tout à l'heure. Il est vite reparti et la femme aussi. C'est dommage parce qu'elle était très sympa.

Oh mon Dieu ! j'aurais dû prévenir ma mère que j'avais une nouvelle coloc'. Elle allait me tuer. Quant à Timmy, il aurait au moins pu attendre pour me dire bonjour.

— Ma mère t'a laissé un message ? Il faut que je la rappelle ?

— Comment ?

Ses yeux étaient scotchés sur un gars entre deux femmes qui disait : « Je ne veux aucune de ces deux garces, Ricki. » Je reposai ma question un peu plus fort. Bunny se tourna vers moi, l'air complètement déboussolée.

— Ta mère ? Je n'ai jamais vu ta mère, n'est-ce pas ? Je l'aurais vue le soir où je suis arrivée ? Je ne m'en souviens pas.

— Tu viens de me dire que tu lui as parlé.

— Ah bon ? Certainement pas. Je n'ai pas dit que j'avais vu ta mère. J'ai vu une femme…

— Quelle femme ? Elle s'appelle comment ?

— Mince, je ne m'en souviens plus.

— Elle était comment ?

Nom d'une pipe, mais qui était cette fichue nana qui entrait chez moi comme chez elle et offrait des beignets à Bunny et Timmy ? Avais-je une bonne fée qui veillait sur moi ? Première nouvelle.

— Plutôt jolie. Plus mince que toi…

J'encaissai la critique, les lèvres pincées.

— De longs cheveux bouclés, une veste bleu clair…

Mon cœur fit soudain de grands bonds. Je sentis le sang se retirer de mon visage et ma gorge se nouer.

— Ellie ? Ellie est venue ici ?

— Oui, c'est ça. C'est son nom. Du moins, je crois qu'elle s'appelle comme ça.

Je gardai le silence, complètement déstabilisée.

— Qu'est-ce qu'elle voulait ? articulai-je enfin.

Bunny arrêta un instant de se goinfrer, essuya sa bouche tartinée de crème et fronça les sourcils.

— Eh bien, imagine-toi…, fit-elle comme perdue dans ses pensées, je n'en ai pas la moindre idée.

— Mais elle a bien dû te parler.

Là, elle commençait vraiment à m'énerver.

— Elle a demandé à Timmy s'il avait été gentil, mais il n'a pas daigné lui répondre. Tu le connais.

Je n'en revenais pas. Cette fille était une extraterrestre.

Elle se mit alors à rire, à rire, à rire tellement qu'elle dut se couvrir la bouche de la main pour étouffer ses gloussements. Je m'appuyai contre la porte en attendant patiemment qu'elle se calme. Bien que son histoire de la veille m'ait vraiment beaucoup touchée, je dois avouer qu'elle commençait à me taper sur les nerfs. Elle finit enfin par se calmer.

— Désolée. J'ai un sens de l'humour particulier. Je rigole d'un rien. Oui, la femme qui est passée voulait te voir. Elle a laissé ces beignets puis m'a demandé qui j'étais et je lui ai répondu : « Bunny. » Alors elle m'a dit qu'elle s'appelait Ellie et qu'elle voulait te parler.

— Oh mon Dieu ! Ellie est passée ?

Ouf, elle m'avait pardonné. Tout allait revenir comme avant. Quel bonheur ! J'étais perdue sans elle. Mais, minute papillon, Bunny jacassait toujours et je ne l'écoutais même pas !

— Elle avait l'air de vouloir revenir, mais je lui ai dit : « Trop tard, ma vieille, la place est prise. »

Et elle repouffa de rire.

7

— C'est vous, Stuart ? Bonjour, désolée de vous déranger. Je m'appelle Fiona Lemon. On s'est vus récemment à une fête et je voulais savoir si vous aviez le numéro d'Ellie.

— Fiona Lemon ! C'est incroyable, j'étais justement en train de parler de vous !

— Ah bon ?

— Oui, je sors d'un long déjeuner avec des copains au cours duquel on a évoqué nos plus grands moments de honte.

— Ah oui ?

Je me demandais bien en quoi ça pouvait me concerner.

— L'un d'eux nous a raconté qu'il s'était évanoui durant une fête de Noël après avoir emplafonné un Père Noël en rollers.

— Ah ?

— J'étais mort de rire et je lui ai dit que je connaissais une fille parfaite pour lui.

— Oh ? Et qui ça ?

— Mais vous, ma chère Fiona. Ellie m'a raconté que vous aviez fini au lit avec le Père Noël à votre fête de Noël, alors j'ai pensé…

— Pardon, mais je n'ai pas couché avec le Père Noël ! Je l'ai juste un peu embrassé. Bon, de toute façon, je ne vous appelle pas pour parler de mon plus grand moment de honte, mais pour savoir si vous avez le nouveau numéro de portable d'Ellie.

J'avais envie de lui raccrocher au nez. Quel sale type ! Ellie m'avait bien dit que c'était une commère, mais franchement, il pourrait se surveiller un peu. Je crus aussi me rappeler qu'à une époque Ellie semblait en pincer pour lui. Je me demandais bien ce qu'elle pouvait lui trouver.

— Je suis moi-même sans nouvelles d'Ellie depuis quelques jours. Elle ne répond pas au téléphone, c'est ça ?

— Oui, je ne parviens pas à la joindre. Elle est passée à l'appart' cet après-midi, mais je n'y étais pas. Il faut vraiment que je lui parle car un type a cherché à la joindre pour un voyage de presse à Birmingham.

— Oui, je sais, il a aussi appelé ici, mais Ellie n'était pas là. Elle bosse chez elle la plupart du temps, vous savez. Elle a déménagé, c'est ça ?

Il voulait visiblement connaître les tenants et les aboutissants de l'affaire. Quel concierge, ce mec ! Il fantasmait peut-être sur elle. Je me demandais s'il était marié. Ellie en parlait rarement, sauf pour vanter ses qualités de skieur. Apparemment, il lui avait donné quelques leçons de ski dans les Alpes, lors d'un déplacement professionnel. Mais à part ça, je ne savais pas grand-chose de lui.

— C'est une longue histoire !

Je regrettais profondément d'avoir appelé. S'il y avait un truc que je ne voulais pas faire, c'était parler de notre « grosse dispute » avec le boss d'Ellie.

— Bref, c'est important qu'elle ait ce message pour qu'elle puisse y aller.

— Franchement, Fiona, je doute que ça l'intéresse. Ça ne dure que deux jours et Ellie a fait tant de voyages éclairs comme ça qu'elle ne veut plus en entendre parler. De toute façon, elle ne répond pas non plus à mes messages. Allez savoir pourquoi.

— Ça va donc être perdu ?

— Pourquoi ? Ça vous intéresse d'y aller ?

Je déglutis péniblement avant de respirer un grand coup. Mon cœur se mit à battre la chamade. C'était exactement ce que je voulais entendre. Waouh ! Je ne pensais pas que cela serait si facile.

— Pourquoi pas. Mais… mais vous êtes sûr de le vouloir vraiment ?

— C'est une broutille pour moi tant que vous vous tenez bien et que vous ne vous faites pas virer ivre morte de l'hôtel pour tapage nocturne ! s'esclaffa-t-il.

J'étais mortifiée. C'était comme ça qu'il me voyait ? La honte !

— Je vais vous faire un super papier sur Birmingham, promis-je. J'ai déjà fait des piges pour différents journaux.

Mais Stuart avait l'air de s'en ficher comme de sa première chemise. Il me demanda de rappeler le type de Birmingham toutes affaires cessantes pour lui dire qu'Ellie était injoignable et que, comme je travaillais aussi pour *Travelling Around*, je la remplacerais.

Remplacer Ellie… Hum. C'était brutal, non ? Je n'aimais pas trop cette formulation, mais je ne dis rien. Après tout, c'était la chance de ma vie, l'occasion d'être traitée comme une star dans un pays étranger (même si ce n'était qu'à quarante minutes d'avion !). Et, comme me l'avait dit Stuart, Ellie en avait assez de ce genre de plan. Elle était folle ou quoi ? Elle devrait aller bosser dans un bureau où soit on bout, soit on pèle, un bureau où l'on n'ose pas tourner le dos à ses collègues de peur de se prendre un couteau de cuisine dans la moelle épinière !

Je raccrochai en poussant un cri de joie, le visage rayonnant. Bunny passa la tête par la porte de la cuisine.

— Ça va ?

— Oui, oui, tout va bien.

— Tu as les yeux qui brillent.

— Vraiment ? C'est normal. Je n'ai plus de boulot.

— Oh ?

— En fait, j'ai démissionné. J'en avais marre de travailler dans cette boîte de nuls. C'est mieux comme ça.

— C'est vrai. Moi aussi, j'ai quitté mon boulot. Je travaillais dans une fête foraine. C'était épuisant.

— Une fête foraine ?

— Oui, je bossais dans un stand de pêche à la ligne où les gens payaient pour attraper des canards avec des bâtons munis d'un petit crochet. Il y avait un chiffre écrit sur les fesses des canards et quand les clients en prenaient un impair, ils avaient droit à un cadeau.

— Non ! Vraiment ?

Je n'en croyais pas mes oreilles. Quelle drôle de vie elle avait eue !

— Pourquoi mentirais-je ? fit-elle en me flinguant des yeux.

— Euh… tu ne mens pas, ce n'est pas ton genre. Je te crois, mais… c'était marrant ?

— Bien sûr que non ! C'était un job d'été en attendant de passer mes exams. Les gens qui venaient dans cette foire étaient des gros ploucs. Surtout les hommes. Quand je leur demandais s'ils voulaient pêcher des canards, ils disaient : « Non, mais je veux bien vous pêcher, vous. » Tu imagines ! Devant leurs enfants ! Quels sales porcs !

— C'est les hommes !

— À qui le dis-tu… On est mieux sans eux, hein ?

— Hum. Et tu as eu tes exams ? Tu étudiais quoi ?

— Voyage et tourisme.

— Super.

— Bof, en fait c'était nul.

— Ah bon ? Donc tu ne vas pas faire carrière dans le tourisme.

— Le tourisme, ça me plairait. C'est le mot « carrière » qui me pose problème.

— Mais il faut bien que tu fasses quelque chose. On préférerait tous ne rien faire et s'amuser, mais on n'a pas le choix.

— Eh bien, moi, je veux m'amuser, fit-elle avec une moue. Je ne veux pas passer mes journées assise dans une agence de voyages à dire à des clampins quels pubs fréquenter ou éviter à Majorque. Ou à rassurer des gens qui ont les pétoches d'aller en Égypte.

Je ne la comprenais que trop bien. Il n'y a rien de pire que de répondre à des questions idiotes à longueur de journée. Mais je ne voulais pas aller dans son sens. Il était hors de question que j'aie une coloc' qui passe ses journées, les fesses sur mon canapé, à se demander comment elle pourrait s'amuser.

— Je vais à Birmingham demain soir, lui annonçai-je, histoire de changer de sujet.

Elle eut l'air surprise.

— Vraiment ? En quel honneur ?

— Travail, répondis-je avec un soupir blasé. Je n'ai pas vraiment envie d'y aller, mais…

— Mais je croyais que tu avais démissionné ? Tu vas y faire quoi ?

— Oh, me taper des réunions non-stop et Dieu sait quoi d'autre… Franchement, ce n'est guère excitant.

Elle avait quand même l'air impressionnée.

— Tu y vas en avion ?

— Non, à vélo ! m'esclaffai-je.

Mais ça ne la fit pas rire. Elle n'esquissa pas même un sourire.

— Je n'ai jamais pris l'avion. Ça doit être top.

— Tu n'as jamais pris l'avion ?

— Non.

— Pas possible !

— Pourtant c'est vrai. Quand mon oncle de Manchester est mort, on devait tous aller à l'enterrement, mais comme ça coûtait trop cher, seuls mon père, ma mère et mon frère y sont allés.

— Oh !

— Oui… Mais c'est super pour toi, non ?

Je n'osai pas lui dire que ça ne m'éclatait pas plus de prendre l'avion que le train. Et qu'il n'y aurait ni film ni champagne à gogo durant le vol pour Birmingham. Mais je ne voulais pas me la péter.

Bunny avait beau être une drôle de fille et avoir la sale manie de dire tout haut ce qui lui passait dans la tête, elle avait l'air d'avoir bon cœur.

— Tu vas préparer tes affaires ?

— Plus tard. Je n'ai pas besoin de grand-chose, juste un petit sac de voyage. Ça va être très calme. Oh, merci, ajoutai-je en acceptant avec plaisir une tasse de café bien chaud. C'est exactement ce qu'il me fallait. Cette histoire de voyage est très bizarre. C'est Ellie qui devait y aller, mais je n'ai pas réussi à la joindre. C'est vraiment dommage qu'elle n'ait pas laissé de numéro de téléphone.

— Oh, ça me revient. Elle m'a dit qu'elle avait perdu son portable mais qu'elle donnerait de ses nouvelles.

— Ah ! Bunny, tu aurais dû lui demander son nouveau numéro !

— Désolée, je n'y ai pas pensé. Tu n'auras qu'à le faire quand tu la verras. Ce n'est pas si grave que ça.

Elle avait peut-être raison. Je regardai ma montre. Il était tard. Même si j'avais le nouveau numéro d'Ellie, il était trop tard pour la prévenir de mon départ à Birmingham le lendemain. Peut-être que Stuart avait raison. Peut-être qu'Ellie s'en ficherait complètement. Je décidai de ne plus y penser car tout était organisé maintenant. Je demandai à Bunny ce qu'elle prévoyait de faire les jours suivants. Elle haussa les épaules et me répondit qu'elle n'en avait pas la moindre idée.

— Mais… et tes vêtements ? Il faut que tu ailles chercher tes affaires.

— Toutes mes affaires sont chez mon ex. Si je le contacte, il saura où je suis.

— Tu n'as pas peur qu'il appelle la police pour signaler ta disparition ?

Bunny lâcha un petit rire amer en remontant ses manches pour me montrer sa collection de bleus.

— Tu crois vraiment qu'il a envie d'aller voir les flics ?

— Et toi, pourquoi tu n'y vas pas ? Il a toutes tes affaires. Il ne peut pas s'en tirer comme ça. Et tu ne peux pas te cacher toute ta vie. Et pour l'argent, tu vas faire comment ? C'est vrai, quoi, sans vouloir te mettre la pression, il faut bien que tu vives !

— Oh, l'argent n'est pas un problème… Mon problème, c'est Shaney, mon ex. Il tuerait pour mettre la main sur mon magot.

Là, j'étais intriguée. Pourquoi Bunny était-elle si mystérieuse et ne parlait-elle que par énigmes ? Que cachait-elle ? Pourquoi avait-elle tant d'argent ? L'avait-elle volé ? Était-elle impliquée dans un truc illégal ? Je n'avais pas spécialement envie de la soupçonner de quoi que ce soit, mais il était hors de question que j'héberge une criminelle chez moi.

— Bunny, regarde-moi dans les yeux et dis-moi d'où vient tout ce soi-disant magot.

Elle planta ses yeux vert métallique dans les miens.

— Je ne l'ai dit à personne, alors pourquoi je te le dirais à toi ?

— D'où vient cet argent ?

C'était décidé. Soit elle me le disait, soit j'appelais la police.

— OK, mais si tu en parles, tu es morte…

J'attendis patiemment la suite même si ça commençait sérieusement à m'énerver. Alors, ça venait ou quoi ?

— Eh bien, susurra-t-elle, tu ne me croiras jamais, mais j'ai gagné au loto !

8

J'avais un trac de folie. J'avais les intestins tellement noués que j'en avais mal au ventre. Des perles de sueur se formaient à la base de mon cou et mon tee-shirt en coton me collait à la peau.

J'étais dans la salle d'embarquement en train de chercher d'éventuels « collègues » en partance pour Birmingham. J'étais terrifiée à l'idée de me faire démasquer. Ils devaient tous être de vieux briscards pleins d'assurance, alors que moi, je n'étais (ou n'avais été) que l'assistante d'une assistante et que c'était déjà trop pour moi.

Je marchais comme si j'avais un but précis alors qu'en fait j'étais aussi perdue que la moitié des gens qui tournaient en rond, l'air désœuvré, autour de moi. Quelqu'un pourrait m'expliquer pourquoi, quand on met les pieds dans un terminal d'aéroport, on se met à vaquer aussi intelligemment que des poules ?

Je finis par repérer le comptoir de MyTravelLite où j'allai m'enregistrer. En revenant, je ne vis toujours aucun signe d'autres journalistes. Personne non plus au guichet, avec une pancarte ou un truc de ce genre. Mais je ne paniquais pas. Pas encore. Je devais rester zen, d'autant plus que, c'était certain, quelqu'un devait m'attendre quelque part.

J'espérais comme une dingue qu'il n'y aurait personne de *Gloss* dans ce voyage. Je ferais un infarctus si Faith, mon ancienne rédactrice en chef, se pointait. Mais ce n'était pas le genre à avoir envie de faire un séjour culturel à Birmingham. Elle n'allait qu'à des événements sélects comme la Fashion Week à Londres, ou à des weekends thalasso dans des hôtels branchés. S'il y avait un truc qu'elle détestait, c'était travailler. Je n'avais tenu que deux mois à *Gloss*, deux mois de frustration au bout desquels j'avais démissionné. Au lieu de faire ma belle dans les soirées VIP à rencontrer des gens célèbres et de mener une existence de rêve, je m'étais retrouvée coincée derrière un bureau à répondre à des attachés de presse avides de pub *gratis* pour leurs stars de seconde zone.

On apprend vite à différencier les bons attachés de presse des mauvais. Les bons envoient des caisses de champagne ou les derniers parfums à la mode. Malheureusement, Faith se servait la première et me laissait gratouiller les miettes, comme une pauvre orpheline. Mais j'étais quand même plutôt fière de ma collection de mascaras bleu électrique, de mes portemanteaux parfumés, de mon vernis à ongles orange et de mon huile scintillante pour le corps. Je savais que je ne m'en servirais jamais, mais c'était gratuit et c'était ça l'important.

En repensant à l'ambiance à *Gloss*, je me rendis compte à quel point c'était pourri. Mes collègues auraient mendié, emprunté, volé pour être bien habillées, et n'imaginaient même pas entrer dans une parfumerie ou un institut de beauté pour s'acheter quelque chose. Si elles avaient un mariage, pas question de s'acheter une robe. Non, non, non. Elles demandaient aux stylistes en vogue de leur envoyer des protos par coursier. Et qu'obtenaient ces fameux stylistes assoiffés de pub en retour ? Eh bien, un bref paragraphe sur leur dernière collection dans le prochain numéro de *Gloss*, dans lequel on préciserait que J-Lo l'avait adorée. Et tout le monde serait content. Sauf Jennifer Lopez, bien sûr, qui tomberait des nues.

Toujours personne en vue. Je me dirigeai vers le point de contrôle de sécurité. Normalement, quand je prenais l'avion, j'arrivais toujours ventre à terre et en nage après avoir entendu une voix annoncer dans le haut-parleur : « Dernier appel pour Fiona Lemon. » Mais cette fois, grâce au ciel, j'étais à l'heure et j'avais le temps d'aller faire un tour du côté des parfums. Je glissais entre des rangées et des rangées de somptueux flacons en verre, incapable de me décider, parce qu'ils sentaient tous divinement bon. Et puis je n'étais pas certaine que le prix soit si intéressant… – il faut dire que je ne m'achetais jamais de parfum plein pot.

Plus j'y pensais, plus j'enviais Bunny, avec son loto. La seule chose que j'avais gagnée dans ma vie, c'était une bouteille de whisky quand j'étais petite. Je l'avais eue à une tombola à la kermesse de mon école. Mon père avait hurlé au scandale en voyant une gamine rapporter ça de son école et il me l'avait confisquée. Le lendemain matin, on l'avait retrouvé ivre mort sur le canapé, la bouteille vide renversée par terre. Mais à part ça, je n'avais jamais rien gagné.

Bunny m'avait avoué qu'elle avait encore du mal à y croire et qu'elle ne savait pas si ça viendrait un jour. Elle avait peur que tout cet argent lui gâche la vie, c'est pourquoi elle préférait vivre le plus normalement possible. Je trouvais ça complètement dingue. J'avais travaillé toute ma vie sans jamais réussir à être dans le vert. Si j'avais eu un euro à dépenser, ça aurait été le bonheur total.

Parfois, quand on allait dans un endroit chic, Dervala demandait la carte des cocktails et commandait un truc bizarre sans même regarder le prix. C'était l'avantage d'être encore chez papa-maman… Moi, je devais toujours vérifier que j'avais de quoi me payer un taxi pour rentrer. Ça faisait bien de se siffler un Sex on the Beach, mais pas si ça signifiait rentrer à pied des heures plus tard sous une pluie torrentielle, les pieds engourdis par le froid.

Bunny m'avait raconté que le jour où elle avait encaissé son chèque, elle était folle de joie, mais elle avait décidé de garder ça secret de peur que les gens de son village voient sa photo dans les journaux et de recevoir des déclarations d'amour du premier idiot venu. Elle avait lourdement insisté sur le fait que si elle était venue à Dublin, c'était pour que son ex ne la retrouve pas. Elle était en effet persuadée que s'il apprenait sa bonne fortune, il lui demanderait la moitié de son argent, ce qui était hors de question. Apparemment, c'était un type ultra-violent. Elle n'avait pas eu vraiment de mal à m'en convaincre. Il n'y avait qu'à voir ses bleus pour comprendre que c'était une grosse brute. Pas étonnant que l'infirmière à l'hôpital m'ait questionnée sur sa vie sentimentale. Je comprenais maintenant.

Au début, elle avait pensé faire une croisière, mais elle y avait finalement renoncé en s'imaginant coincée pendant des semaines sur un grand bateau dont la piscine serait squattée en permanence par une bande de retraités faisant de l'aquagym. Après avoir surfé sur des sites de ventes immobilières sur Internet, elle s'était dit qu'elle n'avait pas la moindre idée d'où elle voulait s'installer et avait finalement décidé de commencer par louer quelque chose à Dublin pour prendre le temps de découvrir les différents quartiers.

Elle aurait pu s'acheter une voiture, mais elle ne savait pas conduire, et, en mode, c'était une buse totale. J'avais gentiment opiné de la tête tout en notant le côté irréel de la conversation. J'en avais eu, des discussions de ce genre, des tonnes même, avec des gens comme Ellie, Dervala et ma sœur Gemma, mais elles étaient généralement ponctuées de « et si » et de « mais ». Et, bien sûr, comme aucune de nous n'avait jamais gagné, on gaspillait de la salive pour rien. Mais maintenant, je connaissais vraiment quelqu'un qui avait gagné au loto. Avant ça, ce n'étaient que des anonymes qui gagnaient des sommes faramineuses et souriaient à pleines dents dans les journaux.

— Mais pourquoi as-tu choisi de t'installer chez moi ? Tu aurais pu t'installer autre part. Tu aurais pu vivre pendant un mois dans un hôtel cinq étoiles !

— J'ai trouvé ton annonce marrante. Et je voulais me faire des copines et sortir. À quoi ça sert de vivre dans un endroit classe si on n'a personne à qui parler, excepté le personnel ? Quand je suis entrée ici et que j'ai vu les bouteilles vides posées sur la table, je me suis dit que tu devais aimer faire la fête.

Le rappel de cette soirée me fit frissonner. Je gardais un souvenir horrible de cette fin de nuit à l'hôpital et du reste. Je n'avais quasiment pas bu une goutte d'alcool depuis. Tous ceux qui veulent arrêter de boire devraient passer une nuit aux urgences avec Bunny. Après ça, croyez-moi, on a moins envie de picoler !

Mon vol fut soudain annoncé. En bonne stressée des familles, je filai en zone C où je pris un siège et fis semblant de lire un journal gratuit en relevant la tête de temps en temps pour voir si l'embarquement avait commencé. Et pour voir aussi s'il n'y avait pas une bande de journaleux chahuteurs. Mais non. Ils devaient tous être au bar. Typique. Un jour, Ellie m'avait raconté que la seule chose qui intéressait les journalistes dans ce genre de déplacement, c'était de se prendre une cuite mémorable.

Gardant ce précieux renseignement en tête, je passai la salle au scanner en quête d'un groupe qui aurait l'air d'être en partance pour une grosse fête. Mais les seuls qui auraient pu faire l'affaire étaient une famille qui semblait plutôt aller à un enterrement.

— C'était un homme merveilleux, se lamentaient-ils. Une des plus gentilles personnes qu'on connaisse.

C'était bien ça. Ils allaient vraiment à un enterrement !

Bon. Il était temps d'embarquer. Je fus ravie de voir que j'étais côté couloir. Comme j'étais arrivée tôt, j'avais eu le choix entre la place côté couloir et la place côté fenêtre. Enfant, j'aurais pris d'office la place côté fenêtre pour regarder par le hublot. Mais maintenant que j'avais pris de l'âge, je préférais le côté couloir pour ne pas déranger mon voisin quand j'allais aux toilettes. Bref, tant que je ne me retrouvais pas coincée entre deux mastodontes qui fouettaient des aisselles, ça allait.

Je fus l'une des premières à être installée. Le reste de ma rangée était vide. Je me demandais s'ils n'avaient pas regroupé tous les journalistes dans un coin. Je regardai les passagers se disperser lentement dans l'avion. C'était très instructif. Vers la rangée six, par exemple, il y avait un type qui avait l'air complètement à la masse. Il empêchait tout le monde de passer en essayant de mettre son ordinateur portable dans le compartiment à bagages. Apparemment, il se fichait pas mal de bloquer la moitié des passagers dehors, sur l'escalier, dans un froid glacial. Il ôta ensuite lentement sa veste et la plia soigneusement pour ne pas la froisser. Puis… Oh non, incroyable, il enlevait son pull maintenant ! Mince alors, il allait nous faire un strip ou quoi ? L'une des hôtesses s'approcha de lui et lui demanda gentiment de s'asseoir pour permettre aux autres passagers d'embarquer. Visiblement agacé, il s'exécuta, libérant ainsi le passage. Je vis une fille immense et étonnamment mince se diriger vers l'arrière de l'avion où je me trouvais. En fait, elle était si grande que sa tête brune touchait presque le plafond. Elle avait la classe d'une aristocrate, mais son visage était dur comme celui d'une femme toujours sur la défensive. Je priai pour qu'elle ne s'installe pas près de moi. Ouf ! Elle s'assit pile derrière. Je sentis ses genoux s'enfoncer dans mon dos et une bouffée de parfum fort et entêtant flotter au-dessus des rangs. Son odeur m'était inconnue mais elle était si forte que j'en suffoquai.

J'espérais que les deux sièges à mes côtés restent libres pour avoir la rangée rien qu'à moi. Mais pas de bol : le dernier couple qui venait d'embarquer vint s'y asseoir et, sitôt installé, il commença à se chamailler. Au départ, c'était pour savoir qui s'assiérait à côté du hublot et qui prendrait le siège du milieu. Puis ils se disputèrent au sujet de l'*Irish Examiner*. Renversant. En fait, le type disjonctait parce que sa femme avait acheté un exemplaire déchiré.

— J'y peux quoi, moi ? aboya-t-elle. C'est trop tard pour le rapporter maintenant. À moins que tu fasses retarder le vol…

— Vraiment, ça me dépasse, s'entêta-t-il. C'était le premier exemplaire de la pile ? Combien de fois t'ai-je dit de ne jamais prendre le premier exemplaire, de prendre le deuxième, celui qui est en dessous ?

— Bon, écoute, on va demander du Scotch à l'hôtesse pour le réparer. Ça te va comme ça ?

Je me ratatinai dans mon coin et fis semblant d'être absorbée par la lecture des consignes de sécurité. Que faisaient-ils ensemble ? Pourquoi les gens s'escrimaient-ils à rester en couple quand il n'y avait plus rien entre eux ? Et pourquoi, une fois mariés, se balançaient-ils des horreurs à la figure ? C'était dingue ! Et dire qu'on me plaignait d'être célibataire !

On avait commencé à rouler et l'avion accélérait dans un grondement de tonnerre. Je ne sais pas pourquoi, mais j'ai toujours adoré décoller. Et même si cette fois ce n'était que pour aller à Birmingham, j'étais aussi excitée que si je m'envolais pour la Lune. C'est difficile à expliquer, mais à chaque fois que les roues d'un avion quittent le sol, c'est comme si je laissais tout derrière moi. Et dans ce cas précis, c'était le désagrément d'avoir perdu, en quelques jours, ma meilleure amie, mon travail et presque toute ma raison (grâce à Bunny). Mais dorénavant, tout irait bien et, forte de cette pensée positive, je demandai à l'hôtesse une minibouteille de vin.

Ça y est, on redescendait. Ça avait été super vite ! J'avais à peine eu le temps de commencer à savourer mon vin que l'hôtesse m'avait arraché la bouteille des mains. Une douce et euphorique chaleur m'avait envahie. J'étais presque triste d'être déjà arrivée. Pourquoi les avions ne prennent-ils jamais de retard quand ça nous arrange ? J'aurais bien aimé tourner au-dessus de Birmingham le temps de finir ma bouteille, moi.

Dans un grand rugissement, l'avion toucha la piste et se mit à ralentir. On nous souhaita la bienvenue à Birmingham en nous rappelant qu'il était strictement interdit de fumer dans l'aéroport, etc., etc., etc. Personne n'applaudit. Soit, on n'avait pas atterri aux îles Féroé, ni à Palma de Majorque, il n'y avait donc pas vraiment de quoi de s'exciter.

L'avion roula pendant ce qui me sembla être une éternité avant de s'arrêter. Quand le signal « attachez vos ceintures » s'éteignit, tous les passagers se levèrent d'un bond. Pourquoi les gens font-ils toujours ça ? On ne peut pas sortir tant que les portes sont fermées, non ? Et une fois qu'on est sorti, on doit attendre dans une navette que tout le monde soit là. Alors à quoi bon se presser ?

Je restai assise et me mis à observer les autres qui luttaient pour ne pas perdre l'équilibre. Heureusement, les deux « tourtereaux » à mes côtés n'avaient pas bougé et ne m'avaient pas forcée à me lever, comme d'autres l'auraient fait. Ils n'avaient pas échangé un mot depuis qu'on était partis. J'aurais bien voulu savoir ce qu'ils venaient faire à Birmingham. Peut-être un week-end en amoureux !

Dans le terminal, j'avisai une pancarte avec mon nom. Mon cœur fit un petit bond. Depuis toutes ces années où je prenais l'avion, je voyais des gens faire patiemment le pied de grue, une pancarte à la main. Surtout à Heathrow. Moi, les seules qui m'avaient jamais attendue, c'étaient ma mère et ma sœur, et elles étaient rarement à l'heure. Donc non seulement personne n'avait jamais brandi une pancarte avec mon nom, mais personne ne m'avait accueillie à bras ouverts. Le plus souvent, j'avais juste droit à des plaintes au sujet des bouchons et à des « grouille-toi » parce que le parking d'Aer Rianta coûte horriblement cher.

En fait, aussi étonnant que cela puisse paraître, la seule fois où l'on m'ait chaleureusement accueillie, c'est le jour où une femme d'un certain âge avait poussé un cri de joie en me voyant pousser la porte de la salle de débarquement. Devant mon air surpris, elle m'avait confirmé qu'on ne se connaissait ni d'Ève ni d'Adam, mais qu'elle avait tilté sur l'autocollant « Australia Airlines » sur ma valise.

— C'est tellement loin, n'est-ce pas ? Toute ma famille vit là-bas.

— Désolée, mais je suis seulement allée skier à Salzbourg. Vous voyez ? C'est un autocollant d'Autriche, pas d'Australie.

J'ignore laquelle de nous deux avait été la plus embarrassée.

Bref. Je m'approchai du type à la pancarte et me présentai.

— Vous êtes une des journalistes ? me demanda-t-il en me serrant la main avec un grand sourire.

— Tout à fait, répondis-je fièrement. Je suis une des journalistes. Je travaille pour *Travelling About*.

C'était la première fois de ma vie qu'on me qualifiait de « journaliste », et je dois vous avouer que ça le faisait ! C'est vrai, quoi. La veille, j'étais encore l'assistante d'une pauvre assistante. C'était tout bonnement incroyable !

L'homme, qui s'appelait Terry, me demanda si j'avais eu l'occasion de rencontrer les autres journalistes.

— Euh… non, pas encore. Il y en a beaucoup ?

— Vous, Angela-Jean Murray et Killian Toolin.

Killian Toolin. Hum. J'avais déjà entendu ce nom quelque part. J'en étais certaine. Mais où ? Ah mince…

— Bonjour. Je suis Angela-Jean.

Elle avait une voix cristalline quoiqu'un brin hautaine. Je fis demi-tour et me retrouvai, à ma grande surprise, face à l'immense fille qui était assise derrière moi dans l'avion.

— Bienvenue à Birmingham, Angela-Jean, Vous connaissez Fiona Lemon ?

— Fiona Lemon. D'où ça ? fit-elle en me tendant une main aussi molle qu'un filet de limande.

— De Booterstown à Dublin.

— Je veux dire, de quel journal ?

— *Travelling About*.

— Connais pas, lâcha-t-elle en farfouillant dans son sac Burberry (un vrai de vrai, je vous le jure !!!).

— Le voyage s'est bien passé ? me demanda gentiment Terry.

— Très.

— Peut-être pour vous, coupa Angela-Jean, parce que vous êtes minuscule. Moi, j'ai de très, très longues jambes. J'ai toujours des crampes en avion, sauf quand j'ai une place dans la première rangée ou près de la sortie de secours.

— C'est vrai que vous êtes grande, confirma Terry en levant vers elle des yeux un peu trop admiratifs à mon goût. Vous auriez pu être mannequin.

— Oui, soupira-t-elle comme si on lui disait ça tout le temps. Mais je suis beaucoup trop intelligente pour ça.

— Vous travaillez pour qui ? tentai-je.

— Pour *Irish Femme*.

— Vraiment ?

Angela-Jean me lança un regard las.

— Vous ne me lisez pas ?

— Euh… non. Je l'ai feuilleté une ou deux fois chez le coiffeur, mais je croyais que *Irish Femme* était pour un… euh… je ne sais pas, moi, pour un public plus âgé.

À voir sa réaction, on aurait dit que je lui avais demandé si elle bossait pour *Notre temps*. Elle avait l'air outrée. Deux taches violettes étaient apparues sur ses hautes pommettes.

— Excusez-moi, siffla-t-elle entre ses dents. Je vais fumer une cigarette.

— Oh non, j'espère que je ne l'ai pas vexée, demandai-je à Terry en la voyant s'éloigner en fulminant.

Mais il ne m'entendit pas car il était en train de saluer un homme grand… plutôt mignon… hum… potentiellement intéressant… brun… belle allure… Tourne-toi maintenant ! Seigneur ! C'était le gars que j'avais paluché à la fête chez moi. Oh non ! Pitié, non !!!

9

Une fois retranchée dans le minibus, je fonçai à l'arrière pour ne pas avoir à m'asseoir à côté de Killian. Les autres prirent place dans les six ou sept premières rangées, me laissant seule comme une idiote au fond. J'étais si loin que Terry dut utiliser un micro pour que je puisse l'entendre.

J'étais affreusement gênée d'être tombée sur Killian. Il fallait quand même avoir une sacrée poisse pour retrouver justement, au cours d'un voyage professionnel, le type qu'on avait bécoté juste avant de tomber dans les vapes ! Pourquoi ce genre de truc m'arrivait-il tout le temps ? On m'avait jeté un sort ou quoi ? Il m'avait bien sûr tout de suite reconnue et on s'était serré la main, un brin gênés. Franchement, je ne sais pas qui avait piqué le plus beau fard quand Terry nous avait demandé si on se connaissait. Ça devait être kif-kif.

Terry, en grand professionnel, n'avait pas bronché.

— Vous vous appelez comment ? avais-je balbutié. Je ne crois pas vous l'avoir demandé l'autre fois.

— Killian. Vous avez raison, on n'a pas eu le temps de se présenter la dernière fois que... euh... qu'on s'est vus.

Tout ça avec un grand clin d'œil complice. L'horreur ! Vous imaginez ? On s'était échangé des tonnes de salive mais pas un mot. Je me demandais bien pourquoi. Ah oui, j'étais tombée dans les pommes avant qu'il puisse me demander ce que j'aimais faire dans la vie et quel genre de musique j'écoutais. Il fallait vraiment que je grandisse. Je n'avais plus dix-sept ans. Je maudis mentalement le punch et me promis de ne jamais recommencer.

Il n'y avait que huit journalistes dans le minibus en dehors de moi. Deux vieux briscards de deux grands quotidiens, trois journalistes anglais originaires de trois villes différentes, un Irlandais qui bossait pour un magasine people (un type bien charpenté, plutôt pas mal, avec un ventre de buveur de bière et une drôle de casquette sur la tête), et Angela-Jean, qui essayait de nous empoisonner avec l'odeur de son vernis à ongles, odeur qui parvenait jusqu'à mes narines. Et puis il y avait Killian.

Les deux vieux briscards allaient probablement se coucher à peine arrivés à l'hôtel. Ils devaient être crevés. Et moi, je ne boirais qu'un verre avant d'aller manger et de me coucher avec un bon livre. Quant à Angela-Jean, elle avait une tête à se faire un masque d'argile tout en sirotant une tisane. Bref, ça m'aurait étonnée que ça dégénère car on devait tous se lever de bonne heure le lendemain pour visiter la ville.

Je me demandai avec qui j'allais devoir partager ma chambre. Sans doute avec Angela-Jean. Ils n'allaient quand même pas me mettre avec un homme, non ?

★
★　★

Vous vous dites que je suis la fille la plus naïve de la planète, n'est-ce pas ? Ça devait se voir à plein nez que je n'étais pas une vraie journaliste. D'abord, on a tous eu une chambre perso. Quand j'avais évoqué la possibilité de cohabiter avec elle, Angela-Jean m'avait regardée comme si j'étais une lesbienne refoulée. Comment pouvais-je savoir, moi, que les journalistes ont tous leur propre chambre dans les voyages de presse ?

Ensuite, personne ne s'était couché de bonne heure. Et quand je dis personne, c'est vraiment personne. Quand j'avais bêtement demandé aux autres s'ils faisaient relâche, ils m'avaient regardée comme si j'avais un deuxième nez qui était en train de pousser.

J'avais vite compris que si je les snobais et refusais d'aller écumer les bars avec eux, je serais grillée. J'avais donc accepté de les suivre, contrainte et forcée... enfin, presque.

C'était open bar et on en avait plus que profité. À nous voir tant boire, on aurait dit que l'alcool était interdit en Irlande. Même Angela-Jean s'était approprié une bouteille de vin au restaurant ultra-chic où nous avions dîné. Elle l'avait vidée quasiment d'un trait et, comme elle n'avait rien mangé, ça lui était monté à la tête encore plus vite qu'à nous. En fait, plus elle buvait, plus elle nous parlait avec emphase de l'importance de son travail comme responsable de la rubrique people d'*Irish Femme* et à quel point elle en avait marre de se faire tanner par les attachés de presse et de devoir interviewer des people de seconde zone pour sa rubrique hebdomadaire « A-J en ville ».

Elle avait fini par faire une pause, le temps de filer aux toilettes pour vomir un bon coup. Elle était revenue parmi nous quinze minutes plus tard, après une petite toilette et un remaquillage total (qui, il faut bien l'admettre, était moins parfait qu'avant), histoire de goûter les liqueurs qu'on avait posées devant nous. Au lieu d'être morte de honte, A-J semblait vraiment soulagée d'avoir tout rendu, à tel point que je m'étais demandé si elle n'était pas boulimique...

La nourriture était trop classe, trop bonne pour qu'on la vomisse. Et la compagnie plutôt plaisante. Je n'avais pas vraiment adressé la parole à Killian car, Dieu merci, nous n'étions pas assis côte à côte. D'ailleurs, il était déjà bien chargé avant d'arriver au resto car, comme il nous l'avait expliqué, il s'était enfilé deux verres à l'aéroport de Dublin, deux autres pendant le vol, deux autres au bar du Malmaison et, bien sûr, beaucoup plus de deux autres au resto. En fait, tous les journalistes irlandais étaient passablement défoncés. À tel point que je me demandai ce qu'en pensaient les autres. Mais les journalistes anglais, gallois et écossais qui nous avaient rejoints à l'aéroport n'avaient pas eu l'air de le remarquer. Et quand l'un d'eux était tombé de sa chaise après avoir ri d'une blague qui n'était pas même drôle, je m'étais dit qu'il fallait que j'arrête de me faire du mouron pour la réputation des Irlandais.

On était ensuite allés dans une boîte branchée, à l'exception des deux futurs retraités qui avaient préféré aller boire un dernier verre à l'hôtel avant de se coucher. La boîte était très sélecte et on nous avait reçus comme des princes, avec une table spécialement réservée pour nous et boissons *gratis* à gogo. Comme on était parqués derrière un cordon rouge, les autres clients n'arrêtaient pas de nous mater dans l'espoir de nous reconnaître et étaient manifestement déçus de voir qu'on n'était que d'obscurs inconnus. Mais je m'en fichais. J'étais vautrée sur une banquette, un verre de champagne à la main, en train de penser : « C'est ça, la vraie vie. » A-J, elle, pétait toujours la forme.

— J'ai l'habitude de ce genre de truc, blablatait-elle d'un ton qui se voulait blasé, alors qu'en fait on voyait bien qu'elle prenait son pied. Je rencontre des people TOUT LE TEMPS. C'est d'un barbant ! Je n'en ai rien à faire qu'ils sortent un nouvel album et je ne veux surtout pas en avoir un exemplaire dédicacé. Je manque de place chez moi.

Heureusement, la musique était si forte qu'on ne pouvait pas vraiment s'entendre. Au début, je l'avais trouvée d'une rare prétention. Ça devait quand même être plutôt agréable d'être payée pour rencontrer des stars, non ? Ça devait être marrant d'être invitée à des défilés de mode et de repartir avec des tonnes de cadeaux. Comment pouvait-on se lasser d'être sans cesse invitée au lancement de nouveaux produits ou à l'ouverture d'une nouvelle boutique avec du champagne à gogo ? Comment osait-elle se plaindre ? Avait-elle une idée de la façon dont les gens normaux vivaient ?

— Mais tu as de la chance, la coupai-je. On a rarement l'occasion de se marrer au travail. Toi, au moins, il y a des gens qui te lisent chaque semaine...

— Pas toi ? me balança-t-elle dans les gencives.

— Non, mais je vais m'y mettre. Il faut voir le bon côté des choses, Angela-Jean. Tu vas dans des endroits où les gens qui bossent dans des bureaux rêvent d'aller. Tu fais le tour du monde pour ton métier. Tu reçois des échantillons de maquillage avant qu'ils soient commercialisés. Tu rencontres des gens que le clampin de base ne voit qu'à la télé. Penses-y...

— Je ne veux pas y penser, meugla-t-elle en finissant d'un trait sa vodka-limonade et en aspirant d'un coup de paille les gouttes tombées sur la table. Je déteste ma vie. Je veux m'amuser. Je veux voyager. Pas en voyage de presse avec des gens comme vous, mais toute seule. Et je ne veux plus croiser le moindre people égocentrique de ma vie. Ils sont si bêtes et si inintéressants !

Sur ce, et à mon grand désarroi, elle éclata en sanglots. Je fis le geste de poser mon bras sur son épaule pour la réconforter, mais elle me repoussa. Je ne savais pas quoi faire. J'étais très, très embêtée. Comment une femme aussi sophistiquée et aussi bêcheuse pouvait-elle se transformer en une masse informe et hoquetante en quelques heures ?

— Laisse tomber, me dit quelqu'un. C'est juste pour se faire remarquer.

C'était Killian. Il s'était assis à côté de moi avec un verre qui semblait contenir du whisky. Mais comment ces gars faisaient-ils pour tenir le choc ? Moi, j'étais passée au Sprite pour limiter les dégâts. Et, pour être honnête, je préférais me tenir à carreau pour que Terry n'aille pas se plaindre de mon comportement à Stuart et me griller définitivement dans la profession.

— Je ne peux pas la laisser comme ça. Elle est trop mal, répliquai-je en lançant un regard à Angela-Jean par-dessus mon épaule.

Killian, lui, n'avait absolument pas l'air préoccupé de la voir ainsi penchée en avant, la tête dans les mains.

— Elle nous fait le coup à chaque fois, m'expliqua-t-il en levant les yeux au ciel.

— Vraiment ?

— Oui, elle aime se donner en spectacle. Elle est connue pour ça. Un de mes amis est sorti avec elle et m'a dit qu'elle était super galère. Il n'avait qu'une hâte : la quitter.

— Non ! Sérieux ?

— Bien sûr que c'est sérieux. C'est vrai qu'il y a plus moche, mais aucun homme normal ne peut la supporter. Elle exigeait qu'il la trimbale en voiture en ville pendant qu'elle sifflait du champagne à l'arrière avec ses tarées de copines. Il ne lui manquait plus qu'une casquette pour avoir l'air d'un chauffeur. Bref, elle vendrait sa grand-mère pour avoir une bonne histoire.

Soudain, A-J releva la tête et nous fixa avec des yeux vitreux.

— Hé ! Vous parlez de moi ?

Je me figeai. Oh, oh. Je ne m'étais pas rendu compte que Killian parlait si fort.

— Non, rétorqua-t-il. On parle de quelqu'un d'autre. D'une salope.

— De qui ?

— Amy Whittle.

— Oh, c'est vrai. Quelle pute, celle-la !

Sur ce, elle reposa la tête dans ses mains.

— C'est qui ? demandai-je.

— Amy ? Oh, elle tient une rubrique people pour un magazine concurrent. C'est la pire ennemie de A-J. Tout le monde le sait. Mais il n'y en a pas une pour rattraper l'autre.

J'étais intriguée.

— Comment sais-tu tout ça ?

— Dublin est un petit village. Tout le monde se connaît.

— C'est si petit que ça ?

— Oh que oui ! Comme un bocal de poissons rouges. À ton avis, pourquoi elle craque, A-J ? Il y a si peu de gens célèbres en Irlande qu'elle n'en peut plus d'interviewer les mêmes à longueur de temps. C'est pour ça qu'ils font des émissions comme la *Nouvelle Star*, pour avoir un nouveau contingent de people sur lesquels écrire pendant des mois.

— C'est gai !

— Je ne te le fais pas dire.

— Mais toi, tu écris sur quoi ? demandai-je imprudemment.

— Un mélange d'infos et de chroniques mondaines. Ça me va bien. Je détesterais rester scotché à mon bureau à répondre au téléphone. Et si je n'écrivais que sur le show-biz, je péterais un câble. Personne n'y résiste longtemps. Tout le monde finit un jour où l'autre par craquer, comme Angela-Jean. Mais bon, arrêtons de parler boulot. Les journaleux ne parlent que boutique et je déteste ça. Allons danser.

Il me prit le bras un peu trop énergiquement à mon goût et me regarda avec insistance. Je lui décochai un regard surpris car je n'avais pas vu le coup arriver. Alors comme ça, il me draguait depuis le début de la soirée sans que je m'en sois aperçu ? J'étais idiote ou quoi ? Visiblement, il semblait espérer reprendre les choses là où on les avait laissées l'autre soir. Au secours !

— Angela-Jean va surveiller nos verres et nos affaires, m'affirmat-il.

La tête de ladite Angela-Jean reposait comme un poids mort sur la table en marbre. Franchement, à la voir ainsi, elle n'avait pas l'air de quelqu'un à qui on pouvait confier ses affaires.

— Allez !

Killian me prit par la main. Il n'était manifestement pas prêt à essuyer un refus.

Un peu étourdie, je le suivis sur la piste de danse où il m'enlaça. Allait-il attaquer ? Telle était la question ! J'étais à peu près sûre de ses intentions, mais ce dont j'étais moins sûre, c'était la façon dont je réagirais. D'accord, il était mignon, et ça ne m'aurait pas du tout dérangée de l'embrasser, mais c'étaient les conséquences d'un tel geste qui m'inquiétaient. Qu'en penseraient nos collègues ? Seraient-ils choqués ? J'étais nouvelle et je ne voulais pas me griller dès la première soirée. Vous comprenez ?

Je sentis soudain sa main caresser mes cheveux. C'était agréable. Son corps était chaud et tonique. Ça m'émoustillait de le sentir collé contre le mien.

En levant les yeux, je plongeai mon regard dans le sien. Il se baissa et ses lèvres frôlèrent les miennes. Incapable de résister, je commençai à l'embrasser. Tant pis pour les autres ! De toute façon, on ne connaissait personne hormis A-J qui était complètement H.S. Et puis, on ne faisait de mal à personne, non ?

Hum. Il embrassait super bien. C'était important. Tout à fait. C'était *extrêmement* important. Je déteste les hommes qui bavent partout. Il n'y a rien de plus répugnant que les baisers mouillés. Avec certains mecs, on a l'impression de plonger la langue dans un grand pot de confiture qui n'a pas bien pris – beurk ! Killian, lui, s'en sortait admirablement bien. Ça valait au moins un huit ou un neuf. Hum. On fit un break pour respirer.

— Waouh, murmura-t-il à mon oreille. Tu embrasses super bien, tu sais ?

— Merci, toi aussi.

J'avais certainement trop bu car, en temps normal, je ne suis pas aussi fleur bleue.

— Le seul problème, c'est…, poursuivit-il. Le seul problème…

— Oui ?

— Rien.

— Quoi ? C'est quoi, le problème ? Allez, tu ne peux pas me faire ça. Sois cool. Qu'est-ce que tu allais dire ? Allez, accouche.

— Eh bien, le seul problème... Le seul problème, c'est que Connor va vouloir me tuer quand il saura ça.

— Connor ?

Mon cœur fit un bond.

— Le copain d'Ellie ? Connor Kinnerty ?

— Bien sûr, à moins qu'il y en ait d'autres que je ne connais pas.

Oh non, qu'avais-je fait ! C'était une très, très mauvaise idée. Pourquoi avais-je bu ? Pourquoi avais-je embrassé Killian ? Il allait foncer voir Connor pour tout lui raconter et ternir ma réputation à tout jamais. Mais, au fait, qu'est-ce que ça pouvait me faire ? Oui, en quoi ça me gênait ? Après tout, ce n'était pas comme si Connor et moi... Connor et moi... Oh ! mon Dieu, j'étais complètement perdue. Vite, un verre d'eau. Il fallait que je dessaoule pour pouvoir réfléchir correctement.

— Et pourquoi te tuerait-il ?

— Oh, tu le sais bien. Parce qu'il t'aime beaucoup.

— Ah bon ?

Mon cœur s'emballa de plus belle.

— Il ne m'en a pas vraiment parlé, mais il a eu un gros coup de cafard après être passé te voir et s'être fait jeter dehors. Je le connais mieux que personne et je peux te dire qu'il était très mal.

— Mais je ne l'ai pas jeté dehors ! J'étais en train de faire visiter mon appartement à des gens et je ne voulais surtout pas qu'on s'explique en public. Je pensais qu'il comprendrait.

— Peu importe qu'il ait compris ou non. Parlons d'autre chose. Parlons de toi et de moi, ma belle. De toute façon, je suis sûr qu'il t'a oubliée maintenant.

J'étais complètement déstabilisée. Mais je ne voulais pas donner l'impression à Killian que Connor m'intéressait. C'est vrai, quoi, je le connaissais à peine. D'accord, il était super mignon, sexy et... Un instant. Peut-être en fait m'intéressait-il vraiment. Peut-être que depuis tout ce temps je l'aimais en secret mais que je ne voulais blesser personne, surtout pas moi.

— Je suis sûre qu'il m'a oubliée, lançai-je d'un ton de défi, le visage le plus inexpressif possible. Il me connaît à peine. Je ne l'ai vu qu'une fois. Et c'était à une fête que je donnerais tout pour oublier.

— Exactement. Donc même s'il pique une crise pour nous deux au début, il s'y fera.

Nous ? *Nous* ? Oh, mon Dieu !

— Bref, poursuivit Killian. Assez parlé de Connor. Il est retourné avec Ellie, donc tout va bien pour lui.

— Vraiment ?

Les mots restèrent coincés dans ma gorge et j'eus soudain l'impression que les murs de la boîte se refermaient sur moi.

— Oui, ils se sont installés ensemble. Je te parie que bientôt, ils vont nous annoncer qu'ils se marient. Mais qu'est-ce qu'ils ont tous à se caser comme ça ? Tous mes amis sont devenus sérieux et chiants.

Je ne répondis rien. Je ne pouvais pas.

— C'est trop tôt pour moi tout ça. J'ai encore des années de fiesta à faire. En revanche, je pourrais très bien vivre avec quelqu'un. Quand on vit avec quelqu'un et que ça ne marche pas, on peut se barrer. Quand on est mariés, on est fichus.

J'étais toujours sans voix. J'avais la bouche complètement sèche. J'essayais tant bien que mal de digérer tout ce que je venais d'apprendre. Je me mis à mâchouiller l'ongle de mon pouce.

— Écoute, continua-t-il sans avoir pris conscience de mon long silence, si on rentrait à l'hôtel pour faire plus ample connaissance ?

10

Dire qu'on avait facilement réussi à faire bouger A-J serait exagéré.

— Che chuis bien ichi, répétait-elle en boucle. Promis. Partez, vous. Moi, che me repoche.

— Pas question que tu te reposes ou que tu restes ici toute seule, tonnai-je en agrippant son bras squelettique pour l'empêcher de tomber.

— Ne vous faites pas de chouchi pour moi. Che rentrerai avec les autres. Cha va aller.

La preuve : ses yeux commençaient à rouler dans tous les sens.

— Les autres sont partis. Il n'y a personne d'autre ici.

— Tout ce qu'il lui faut, c'est une bonne gifle, me murmura Killian à l'oreille. Allez, viens. Elle est tout à fait capable de se gérer. Laisse tomber.

Je le regardai, choquée. Était-il sérieux ? Pensait-il vraiment que j'allais laisser A-J dans cet état dans une ville inconnue ? Je ne ferais ça à personne, et surtout pas à une femme qui avait beaucoup, beaucoup trop bu.

— Allez, poursuivit-il sans remarquer mon expression outrée, je meurs d'envie de rentrer à l'hôtel avec toi. Je parie que tu as un corps magnifique. Je n'en peux plus de nous imaginer en train de nous tripoter dans un somptueux lit *king size*.

Le ton de sa voix me fit froid dans le dos. Vous est-il déjà arrivé de trouver quelqu'un très attirant et, l'instant d'après, de le trouver abominablement repoussant ? Eh bien, c'est exactement ce qui était en train de se passer avec Killian. Je n'avais soudain qu'une envie : partir de cette boîte, prendre un taxi et plonger dans mon luxueux grand lit – seule. Je regrettais déjà profondément d'avoir embrassé ce chef-d'œuvre d'égoïsme et rêvais de lui fausser compagnie le plus vite possible. Bizarrement, il était tellement sûr de lui qu'il n'avait pas remarqué que je lui battais froid. J'aidai une A-J réticente à se mettre debout, ce qui n'était pas une mince affaire avec son mètre quatre-vingts.

De retour à l'hôtel, j'aperçus nos deux confrères qui étaient rentrés boire un dernier verre. Ils en avaient visiblement éclusé plus d'un et tiraient des bords dans le hall.

Je les saluai. Ils me lancèrent un regard vide. Ils tiltèrent au bout d'un instant et se jetèrent dans mes bras en souriant. Au moment où on allait monter se coucher, l'Écossais (je ne parvenais toujours pas à me souvenir de son nom) nous proposa de faire une partie de dés avec eux.

— Vous rigolez, là, protestai-je.

Mon regard croisa par hasard celui de Killian qui haussa un sourcil, genre « tu viens ? ».

Comme je restais coite, il se pencha vers moi et me proposa de le rejoindre dans sa chambre. J'acquiesçai en silence… et m'empressai de m'asseoir avec les deux autres sitôt qu'il eut le dos tourné.

A-J sortit pour vomir à nouveau. En rentrant, elle nous annonça qu'elle allait prendre un Coca Light et qu'elle allait lever le pied le reste de la soirée. Je faillis m'étouffer sur ma paille. Lever le pied ? J'entendais des voix ou quoi ? Sur quelle planète était-on ? Je croyais avoir tout vu, mais apparemment, c'était loin d'être le cas.

Je commençais à me détendre et à m'amuser. Simon, l'Écossais, était un vrai clown et se montra désopilant avec ses tours de cartes. On était tous morts de rire. Mais si je riais tant, c'était parce que j'imaginais cet idiot de Killian dans sa chambre en train de se préparer à des galipettes qui n'auraient jamais lieu.

11

OH MON DIEU ! Ma pauvre tête. Comment arrêter ce fichu marteau-piqueur ? L'intérieur de ma bouche avait l'odeur d'une vieille moquette. J'étais en train de mourir. Vraiment. Au fait, j'étais où ? Ce n'était pas mon lit. Celui-ci était vachement plus beau que le mien. Pourquoi étais-je dans cette superbe chambre ? Paniquée, je lançai un regard vers la place d'à côté. Ouf, personne ! L'espace d'un instant, j'avais cru que… Oh oui, je m'en souvenais maintenant. Birmingham. C'était ça. J'étais à Birmingham. Et on était arrivés seulement la veille ? Pas possible. J'aurais dit une semaine.

Je me dressai dans mon lit et calai doucement ma tête contre le bord. Elle était aussi douloureuse que si un tank lui avait roulé dessus. En me frottant vigoureusement les yeux, je me barbouillai la main de mascara. Vous ne pensez quand même pas que je m'étais démaquillée, tonifiée et réhydratée à cinq heures du matin ? Mon Dieu, il était cinq heures ? Il m'avait fallu tant de temps pour boire un verre ? « Boire un verre »… C'est sans doute l'expression la plus mensongère du monde. Ah non ! il y a aussi « je te rappelle » et « je viens de le poster ».

Je jetai un coup d'œil à ma montre. Il était neuf heures. Pas étonnant que je me sente si mal. Je n'avais dormi que quatre heures. Et quatre heures de sommeil éthylique ne valent rien car le corps, en état de choc, bosse à plein régime pour éliminer tout l'alcool. Pourquoi s'inflige-t-on ça ? Hein ? Pourquoi ?

Bon. Le mieux était de bouger. La veille, Terry nous avait donné rendez-vous dans le hall à 9 h 30 où un minibus devait venir nous chercher pour nous promener en ville. Coup de bol, j'avais pris mes lunettes de soleil et je savais déjà que je ne les quitterais pas de la journée. J'extirpai ma pauvre carcasse déshydratée du lit et plongeai la tête dans le minibar à la recherche d'une bouteille d'eau. La vue des minibouteilles de gin, de whisky et de liqueurs me souleva le cœur, mais, un instant… c'était une barre choco-latée, ça ? Hum, ça aurait été trop bête de la laisser. J'avais juste-ment besoin de sucre. Je sautai sous la douche. Elle était jolie, rétro, difficile à décrire. Vous n'aviez qu'à y être. Enfin non, vu l'état où j'étais ce matin-là. Je me vidai la petite bouteille de gel douche sur le corps. Ah, ça allait mieux. Ce n'était pas si grave que ça d'avoir la gueule de bois. Après tout, c'était très ponctuel, ces choses-là. Une bonne nuit de sommeil et je serais d'aplomb.

Quand je fus enfin prête, il était 9 h 40. Mince, les autres devaient commencer à s'impatienter. Ils devaient être furieux après moi. Je mis en vrac toutes mes affaires dans mon sac et fis rapide-ment le tour de la pièce pour voir si je n'avais rien oublié. Puis je pris l'ascenseur pour descendre dans le hall. Il était vide, hormis un couple d'Américains qui partait. Je fus prise de panique. Où étaient-ils donc passés ? Ils n'étaient quand même pas partis sans moi ? Oh non ! Comment avaient-ils pu me faire ça ? Pourquoi personne ne m'avait appelée dans ma chambre pour savoir ce que je faisais ?

OK, Fiona, du calme. Tu a certainement le numéro de télé-phone de Terry quelque part au fond de ton sac. Et dans le pire des cas, tu peux prendre un taxi plus tard pour les rejoindre à l'aéroport.

J'inspirai profondément, mais je continuais à m'en vouloir. Ils avaient dû me trouver très malpolie, penser que je ne tenais pas le rythme. Bien sûr, je pouvais boire jusqu'au petit matin, mais quand il s'agissait de se lever et de bosser pour de vrai (c'est-à-dire visiter la ville pour en parler aux lecteurs de *Travelling About*), je restais au lit sans une pensée pour mes collègues. Je poussai un gros soupir mélodramatique.

— Bonjour ! fit une voix gaie et familière avec un accent anglais. Tu es la première ?

Ouf, c'était Terry. Ils n'étaient pas partis sans moi. Quel soulagement ! J'eus brutalement envie de le serrer dans mes bras, mais je me retins. Après la soirée de la veille, il devait avoir une piètre opinion de nous.

— Oui, je suis la première ! Je ne sais pas où sont les autres. Tu crois qu'ils se sont trompés d'heure ?

Terry fit non de la tête et regarda sa montre.

— J'attends qu'il soit dix heures pour les faire appeler dans leur chambre. Alors, comme ça, il paraît que vous vous êtes couchés tard ?

Je crus un instant que le personnel de l'hôtel s'était plaint de notre comportement, mais je n'osai pas le lui demander. Que savait-il exactement ? Était-il choqué qu'on se soit couchés si tard ?

— Euh… oui, assez tard.

Je ne précisai pas qu'il faisait si clair que les oiseaux devaient probablement chanter !

— Vous vous êtes bien amusés ?

— Oh oui, beaucoup !

Sauf que Killian n'avait qu'une idée en tête : m'arracher ma culotte, et que A-J m'a insultée… une bonne dizaine de fois !

Les deux papis firent leur apparition à cinq minutes d'intervalle. Ils avaient un visage étonnamment frais pour des gens qui, quelques heures plus tôt, titubaient à cet endroit même. Ils me demandèrent amicalement comment allait ma tête.

Sans doute mieux que les deux leurs réunies.

Dix minutes plus tard, on était tous là en train d'attendre nos deux vedettes, A-J et Killian. Pour parer aux éventuelles rumeurs, je jurai aux autres – sur l'honneur – qu'ils étaient aller se coucher chacun dans sa chambre. Terry appela au moins trois fois la chambre de Killian sans obtenir de réponse. J'ignore s'il était en colère (on aurait tous compris), mais il n'en montra rien. Simon proposa alors gentiment d'aller frapper à la porte de Killian pour voir ce qu'il faisait. Quelques minutes plus tard, Angela-Jean fit son apparition en nous présentant sèchement ses excuses. Elle avait les yeux cachés derrière d'énormes lunettes de soleil Chanel. Si je ne l'avais pas vue vomir au moins deux fois dans la nuit, jamais je n'aurais imaginé qu'elle avait été si mal.

Simon revint sur ces entrefaites et nous annonça que Killian déclarait forfait pour la balade et nous rejoindrait au resto à midi.

Terry et les autres ne bronchèrent pas, mais moi, j'étais sidérée. Qu'allait-il pouvoir écrire s'il ne visitait pas la ville ? Après tout, ce n'était pas mon problème et, dans un sens, j'étais soulagée à l'idée de ne pas devoir passer la matinée à l'ignorer.

C'était parti… en théorie, car la circulation était tellement dense près du centre qu'on n'alla pas loin. Notre second guide (une jeune femme avec un micro installée en haut du bus) se confondit en excuses. Mais bon, j'avais l'habitude. J'étais de Dublin. Je remarquai soudain que le Gallois dormait.

Super, on bougeait enfin et la guide, insatiable, nous indiquait toutes sortes de monuments importants. J'hésitais à prendre des notes. Personne d'autre ne le faisait et je ne voulais pas paraître trop enthousiaste, genre « première de la classe assise devant qui écrit tout ce que le prof dit ». Je décidai de profiter de la promenade tranquillement en espérant me souvenir de tout.

En voyant qu'Angela-Jean avait les mains serrées sur une bouteille d'eau, le visage bizarrement vert, je priai pour qu'elle ne soit pas malade. Ça n'aurait rien eu d'étonnant après sa performance de la veille. La guide discourait gentiment en s'arrêtant de temps en temps pour nous demander si on avait des questions. Non, personne.

On fit une première halte dans le célèbre quartier des bijoutiers de Birmingham pour visiter un petit musée où l'on fabriquait les bijoux à la main. C'était fascinant de voir toutes ces vieilles machines. C'était comme remonter le temps. Le musée était tel que les derniers ouvriers l'avaient laissé. Il y avait même une bouilloire, des tasses et une boîte de thé dans le minuscule coin cuisine. Waouh, c'était très intéressant. À côté, il y avait une petite boutique où l'on pouvait acheter de véritables bijoux artisanaux. Je craquai pour un joli petit bracelet.

De retour dans le bus, mon ventre commença à gargouiller. J'avais hâte de déjeuner car je n'avais pas eu le temps de petit-déjeuner. A-J, assise devant moi, était en train d'envoyer un texto à quelqu'un. Je me penchai pour lui demander si elle avait faim. Elle me répondit par la négative. Pas étonnant qu'elle soit si mince. Si elle était si raisonnable avec une gueule de bois carabinée, qu'est-ce que ça devait être en temps normal ?

Le bus redémarra. Tout le monde avait sorti son téléphone pour passer des coups de fil ou envoyer des messages. C'était toujours comme ça quand on enfermait des journalistes dans un bus ? Peut-être qu'ils interviewaient quelqu'un ou qu'ils traquaient le scoop. Ils ne pouvaient pas se reposer cinq minutes ? Je me sentais exclue car j'étais la seule à ne pas avoir dégainé mon portable. J'eus soudain envie d'envoyer un texto à ma mère pour lui dire à quel point je m'amusais. Le problème, c'est qu'elle ne savait pas que j'étais à Birmingham. Je décidai donc de laisser tomber.

OK, là, c'était vraiment impressionnant. Notre guide pointa du doigt le fabuleux centre commercial de Bullring. Nous descendîmes faire un tour. Waouh, ça pulsait à Birmingham ! Les gens avaient les bras chargés de sacs. Mon père n'en aurait pas cru ses yeux. Il avait travaillé quelque temps à Birmingham dans les années 1960, mais il n'aimait pas en parler. Mon père était un homme intelligent, mais tout ce que Birmingham lui avait offert, c'était un lieu de travail. Avec, en sus, une propriétaire irlandaise qui était une véritable harpie. Il avait dû commencer à boire à cette époque. Heureusement, il avait rencontré ma mère qui travaillait pour une compagnie d'assurances et qui l'avait ramené en Irlande. Ils avaient ouvert une petite boutique avec l'argent qu'ils avaient gagné à Birmingham, mais, pour être franche, c'est ma mère qui l'avait fait tourner et qui d'ailleurs continuait à le faire.

Retour au bus. J'aurais adoré pouvoir flâner un peu plus dans les boutiques, mais on n'avait pas le temps, *dixit* notre guide. Ce n'était probablement pas plus mal car chez nous, quand on passe de l'euro à la livre sterling, ça fait mal. Bunny se serait éclatée ici, pensai-je avec une pointe de jalousie. Vous imaginez, vous, si on vous lâchait dans un grand magasin avec des milliers de livres à claquer !

C'était l'heure de déjeuner. Tant mieux. Mon estomac s'était complètement affaissé. J'espérais que les autres ne l'entendait pas gronder. Le restaurant était très chic et très moderne, avec une chouette atmosphère de club privé. Des tas d'hommes vraiment classe étaient debout au bar. J'étais impressionnée. Depuis mon arrivée à Birmingham, je n'arrêtais pas de me retourner dans la rue. Non seulement les mecs d'ici étaient plus beaux, mais aussi ils s'habillaient mieux que les Dublinois. La plupart des Irlandais n'ont aucune sensibilité fashion et préfèrent le charme « roots » bas de gamme.

On nous installa à une table dans le fond, près des portes en verre. L'endroit était lumineux et spacieux. Ça bourdonnait comme dans une ruche. Je commandai une salade au chèvre en entrée suivie de tortellinis aux épinards. On nous apporta ensuite une sélection de bouteilles de vins rouge et blanc. Quel dommage, pensai-je. On était tous tellement mal que personne n'allait y toucher. Tout faux, ma vieille ! Personne ne refusa. Même pas moi ! La première gorgée de chablis frais me fit un bien fou. Voilà, je me sentais déjà mieux. Dieu que c'était bon ! Quelle joie d'être ici plutôt que dans mon horrible bureau en train de manger des sandwichs maison caoutchouteux !

Je visualisai soudain Joe et Cynthia, assis face à face dans leur minuscule et glauquissime cantine, en train de se lire des articles de presse. J'étouffai un rire. Ils devaient me croire à l'ANPE avec mon CV et une tête d'enterrement. Ah, s'ils savaient ! J'avais l'impression d'être une grande éditorialiste en train de se régaler dans un trois-étoiles.

— Regarde, fit Simon en me poussant du coude.

Je me retournai et ne vis rien d'extraordinaire.

— Quoi ?

— Tu ne le reconnais pas ?

— Qui ?

— Ce gars dans l'alcôve. C'est le gagnant du premier *Big Brother*.

— Ah oui, je le reconnais maintenant. Il s'appelle comment déjà ? On avait tous oublié.

— Craig, soupira Angela-Jean. Il s'appelle Craig. Génial.

— Tu dois être une grande fan de *Big Brother*, la taquina John, le journaliste gallois.

— Pas du tout.

— N'empêche que tu es mieux informée que nous.

De sa fourchette, Angela-Jean pourchassa nerveusement un morceau d'asperge dans son assiette.

— On m'a forcée à écrire des articles sur les quatre dernières saisons de *Big Brother*. Je n'avais pas le choix. Au début, je m'en fichais, mais la dernière saison, ça a été l'enfer. Les participants étaient de vrais sauvages. Et ça intéresse qui de savoir que Michelle et Stu sont encore ensemble ?

— Ils sont encore ensemble ? m'exclamai-je.

A-J me regarda avec un mépris total et ne daigna même pas me répondre. OK, c'était clair. Interdiction de parler de télé-réalité avec elle.

Nous fûmes soudain interrompus par un Killian faisant une entrée majestueuse. Il avait l'air d'avoir bien dormi, le salopard ! Il nous salua comme s'il était tombé sur nous par hasard. Il ne s'excusa même pas de nous avoir plantés le matin, et réussit à éviter mon regard. Pfff, comme si ça m'importait ! Il avait loupé l'entrée, mais se rattrapa en commandant un steak et en acceptant avec un large sourire un grand verre de vin blanc ainsi qu'un whisky-coca.

Par chance, je n'étais assise ni à côté, ni en face de lui. Franchement, j'aurais eu du mal. Je tentai de reprendre ma conversation avec A-J.

— Alors, contente de retourner au bureau demain ?

— Bien sûr que non. Quelle question idiote !

— Écoute, ce n'est pas la peine d'être agressive. C'est juste pour parler. Si tu ne veux pas, pas de problème.

Je me concentrai sur ma nourriture, la figure en feu. S'il y avait un truc que je ne voulais pas, c'était rentrer chez moi en m'étant fait des tas d'ennemis lors de ce voyage. Ce n'était pas vraiment le but. Mais tout de même, c'était quoi, son problème à cette nana ? Je fixai mon assiette, assez fière de l'avoir rembarrée. Elle le méritait. Et ce n'était pas comme si je lui avais fait une scène. De toute façon, personne n'écoutait.

— Désolée, murmura A-J. Je ne voulais pas te faire de la peine. Je traverse une sale période en ce moment. Je ne suis pas moi-même.

— C'est bon. Ne t'inquiète pas. On s'est tous couchés tard et...

— Ce n'est pas une excuse, coupa-t-elle en finissant son verre d'un trait. J'ai pas mal de soucis, en ce moment.

— Tu veux en parler ?

— Non, pas vraiment.

— Comme tu veux.

— Eh bien, je suis dans une impasse. Mon copain, pardon, mon ex-copain, dit qu'il est trop jeune pour se fixer bien qu'il ait trente-sept ans. Et moi, je ne rajeunis pas et, plus le temps passe, plus mon horloge biologique fait du bruit. On a eu une grande discussion avant ce voyage.

— Une grande discussion ?

— Oui, on a parlé de ces choses que les hommes aiment autant que le dentiste. Bref, comme il fallait s'y attendre, ça s'est mal passé et j'ai dû le flanquer à la porte. C'est fini maintenant.

— Oh, je suis désolée. C'est toujours douloureux, une rupture.

— Oui. Et pas pratique du tout. On allait acheter une maison ensemble car je ne peux pas m'offrir un toit décent avec mon salaire de misère. Maintenant, tous mes projets sont à l'eau. Je ne sais plus quoi faire.

— Oh, ma pauvre.

— Super, hein ?

— Hum… Je ne sais pas quoi dire.

— Bref, je suis dans une sale passe. Et je ne supporte plus mon travail. Je sais que personne ne me croit quand je dis ça, mais je jure devant Dieu que je ne supporte plus de croiser les cinq ou six losers qui squattent les soirées VIP et je vais étrangler la prochaine attachée de presse qui me suppliera de venir assister au lancement de son fichu bain moussant. Quel job de rêve, hein ? Tu parles. C'est de la merde. C'est un boulot de merde et je ne veux plus le faire.

A-J avait dû légèrement élever la voix car plusieurs personnes nous regardaient. Elle les ignora et, quand elles eurent replongé le nez dans leur assiette, elle embraya :

— Elles sont rares, les soirées où il y a de vraies stars, hein ?

— Ouais.

Je ne comprenais pas un mot de ce qu'elle me disait. Comme si j'étais payée pour rencontrer des célébrités. La seule avec qui j'avais discuté, c'était Daniel O'Donnell, et c'était au téléphone. Pas de quoi exciter les copines. Même ma mère m'avait rabâché : « Si seulement, ça avait été Sean Connery… » Comme si on m'avait laissé le choix.

— Et puis, continua A-J d'un ton théâtral, on se creuse la tête pour trouver un truc à écrire et il n'y a rien qui vient. Alors on appelle tout son carnet d'adresses. Mais quand Louis Walsh en personne n'a rien à dire, c'est la cata.

— Dis donc, fis-je en levant les yeux de la liste des desserts, j'avais bien compris hier soir que tu en avais marre de ton boulot, mais je ne savais pas que c'était à ce point. Euh... tu prends quoi comme dessert ? Ça te dit d'en partager un ?

En voyant son visage se tordre d'horreur, je n'insistai pas et me commandai une part de gâteau au chocolat. D'accord, j'étais censée me mettre le plus vite possible au régime, mais c'était un cas de force majeure : j'avais la gueule de bois. Et puis, ça aurait été offensant pour notre hôte.

★
★　★

On nous emmena ensuite au stade du Aston Villa Football Club. C'était un stade immense, très impressionnant même pour une néophyte comme moi. On nous fit voir l'immense jacuzzi dans les vestiaires, lequel pouvait contenir jusqu'à douze joueurs en même temps. Pfff... j'en rougis rien que d'y penser.

À l'étage, dans la pièce de réception, on nous offrit du café et des biscuits, et un représentant du club nous fit un topo sur le club, les joueurs et le staff. Les gars étaient captivés. Moi, j'étais assise près d'une fenêtre en train de mater dehors avec Angela-Jean.

— Tu sais, soupira-t-elle, ça m'a fait du bien de te parler. J'ai un poids en moins.

— J'ai travaillé pour *Gloss* et j'ai beaucoup souffert en rédigeant les horoscopes. Mais ce n'était rien comparé au courrier du cœur. Je ne me sentais pas assez qualifiée pour le job. Certaines lettres étaient si tristes que j'en pleurais.

— Oh ?

— Oui, ça fendait vraiment le cœur. Je voulais que *Gloss* prenne une vraie psy pour gérer les cas les plus désespérés, mais ils prétendaient qu'ils n'en avaient pas les moyens. À la fin, j'ai laissé tomber.

— C'est toujours une question d'argent, n'est-ce pas ? C'est soi-disant top glamour de bosser dans un magazine. Mais glamour de quoi ? J'aimerais bien savoir ! Bref, j'ai décidé de tout quitter. Je pars me chercher en Nouvelle-Zélande.

Je m'attendais à la voir éclater de rire, mais son visage resta de marbre. Je compris soudain que ce n'était pas une blague. J'eus alors une vision comique : celle d'A-J en train de crier son nom dans la forêt vierge.

— Tu crois vraiment que tu vas te trouver, là-bas ?

Elle haussa les épaules.

— Qui sait ? Au moins, je vais m'éclater à chercher. Ça, c'est sûr.

— Quand comptes-tu démissionner ?

— Je ne sais pas. Peut-être demain.

— Si tôt ? Tu rigoles ?

— Pourquoi ? J'ai pris ma décision. Ça ne sert à rien de tergiverser. Si j'y pense trop, je ne le ferai jamais. C'est un grand classique : à force de parler d'une super-idée, on finit toujours par y renoncer.

— Mais c'est une sacrément grande décision ! Bon, d'accord, je viens de quitter mon travail, mais je n'étais qu'une simple boniche, je ne prenais donc pas un gros risque, alors que toi… tu es réputée dans le métier. Et il faut des années pour ça. Tu devrais vraiment y réfléchir. Tu as probablement les idées embrouillées à cause de ce type…

— Ce connard !

— À mon avis, tu ne devrais pas fuir comme ça. Tu devrais prendre six semaines de vacances pour faire le point et arrêter ta décision quand ça ira mieux.

— Tu as peut-être raison.

A-J se mit à tripoter un bouton de sa manche en fronçant les sourcils.

— Mais je vais devoir trouver quelqu'un pour assurer l'intérim. Sinon, ils vont me remplacer avant même que je sois dans l'avion.

— Je suis sûre que ça sera facile. Des tas de gens rêvent de rencontrer des people et d'être aux premiers rangs des défilés de mode.

Angela-Jean me fixa alors du regard. Je me demandai soudain si… si…

Elle n'allait quand même pas me le demander. Nooooon. Pas possible. Elle ne pouvait pas le faire. Mais… mais si. Je pus presque voir une ampoule s'allumer dans sa tête.

— Ça t'intéresserait de prendre mon poste en intérim, Fiona ?

12

Bunny !

— J'en lâchai presque mon sac de surprise.

    — Oh, Bunny, Bunny, Bunny ! Qu'est-ce que tu t'es fait ?

Ma nouvelle coloc' me fixait avec de grands yeux vides. Elle ouvrit la bouche comme pour dire quelque chose, mais la referma aussitôt.

    — Tu n'aimes pas mon nouveau look ? me demanda-t-elle, la lèvre inférieure légèrement tremblante.

    — Oh, Bunny, je ne sais pas quoi dire. Je… Mon Dieu, mais qu'est-ce que tu t'es fait ?

Son visage se décomposa et, à ma grande horreur, ses yeux s'emplirent de larmes. Une énorme goutte glissa sur son visage affreusement maquillé et s'écrasa sur son horrible poncho en laine marron et orange qu'un vendeur zélé avait réussi à lui refourguer.

    — Écoute, Bunny. Je ne voulais pas…

    — Oh, si tu le voulais ! Tu le voulais vraiment. Et même si tu n'avais rien dit, l'expression de ton visage t'aurait trahie. Tu trouves que c'est raté, que je suis ridicule, n'est-ce pas ?

Sans attendre ma réponse, elle se leva, fit un virage à 180° sur ses talons aiguilles (mon Dieu, où les avait-elle trouvés ?), trottina d'un pas maladroit vers sa chambre et claqua la porte derrière elle. Je remarquai alors seulement tout le reste. Mais qu'était-il arrivé à mon salon ?

Il y avait d'abord un énorme et luxueux combiné TV/DVD. De ceux qu'on voit au dernier étage de chez Brown Thomas et devant lesquels on pense : « Waouh, trop classe, mais qui diable peut s'offrir ça ? » Il y avait aussi une magnifique chaîne hi-fi et un tapis de jogging avec des tas de boutons sur le panneau de programmation. La vache, il ne manquait plus qu'un sauna et un jacuzzi encastrés !

Mes yeux me sortaient pratiquement de la tête ! J'avais l'impression d'être une gamine qu'on aurait lâchée dans la chocolaterie de Charlie. Sans rire, je n'avais jamais vu autant de gadgets. Et, oh mon Dieu, elle avait aussi acheté un de ces minifrigos ultra-branchouilles qu'elle avait mis dans un coin, au fond de la pièce. En l'ouvrant, je me retrouvai nez à nez avec une bouteille de Bollinger qui trônait fièrement dedans. Ooooh ! Quelqu'un avait quelque chose à fêter !

Dans mon minuscule coin cuisine, je repérai un presse-agrume, une machine à cappuccino et une de ces balances ultra-hype qui se fixent au mur (Bunny avait l'intention de cuisiner ou quoi ?).

Mon Dieu, Bunny avait pété les plombs en mon absence ! Même si c'était cool d'avoir tous ces gadgets, j'étais horrifiée par ce que Bunny s'était fait. Ses cheveux avaient été peinturlurés de mèches rouge vif, une « fantaisie » capillaire (trop ringarde pour être branchée) qui ne va à personne. Son maquillage ressemblait à ceux que se font les gamines quand elles essaient les vieux produits de leur mère.

Puis quelque chose d'assez joli accrocha mon regard. Un bouquet de grands lys très simple, tenu par un énorme ruban blanc, était posé sur le plan de travail dans la cuisine. Il y avait une petite carte agrafée dessus qui disait :

Merci de m'avoir si gentiment accueillie chez toi et de m'avoir aidée à tenir le choc ces derniers jours.

Je ne te remercierai jamais assez. Au fait, le tapis de jogging est pour toi. Tu pourras le garder. Bisous, Bunny.

Mon cœur se serra. Oh non. J'étais encore pire que Cruella. Je ne pouvais croire que j'avais été si odieuse avec elle. Visiblement, elle pensait – ou plutôt avait pensé – que j'étais quelqu'un de chouette. Elle connaissait maintenant la triste réalité. Et j'étais terriblement embarrassée. Mortifiée, même. Il m'était impossible d'accepter de cadeaux aussi chers d'une fille que je connaissais à peine. Ce n'était pas mon genre.

Je mis les lys dans un vase que je posai sur le rebord de la fenêtre pour qu'ils aient un peu de soleil le matin. Ils étaient délicats, parfaits, et avaient un parfum divin. J'étais presque plus touchée par les fleurs que par le tapis de course. Au fait, sans vouloir faire de mauvais esprit, elle essayait de me faire passer un message ou quoi ?

Après être restée une dizaine de minutes assise dans le fauteuil à regarder une émission barbante sur les résidences secondaires dans le sud de la France, je compris que Bunny allait probablement restée cloîtrée dans sa chambre toute la soirée si je ne lui présentais pas mes excuses. J'inspirai donc un grand coup, préparai une longue tirade et frappai légèrement à sa porte.

Au lieu de me hurler dessus, elle répondit doucement : « Entre. » Je poussai la porte. Elle était allongée sur son lit, revêtue d'un pyjama en coton. Elle s'était fait une queue de cheval et avait ôté toute trace de son maquillage « drag queen ». Elle leva le magazine qu'elle lisait et esquissa un petit sourire triste.

— Tu vois, j'essaie d'apprendre.

— Écoute, je voulais m'excuser. J'étais à côté de mes pompes tout à l'heure. Et je voulais te remercier pour les fleurs – elles sont magnifiques. Tu n'aurais pas dû, mais merci mille fois.

— Laisse tomber. C'était un plaisir. Je voulais vraiment faire un geste.

— En revanche, je ne peux accepter le tapis de course. C'est trop.

— Tu en as pourtant plus besoin que moi, non ?

— Euh…

Elle m'insultait là ou quoi ?

— On peut s'en servir toutes les deux, poursuivit-elle pragmatique. Le type de la boutique m'a dit que c'était le top du top. Il indique combien on fait de kilomètres et combien de calories on a perdues.

— Oh ! Euh… Dis donc, tu as fait une sacrée razzia dans les magasins, cet après-midi.

Bunny haussa les épaules.

— Quand on gagne au loto, il faut bien se lâcher un peu, non ?

— Sans doute. Comme je n'ai jamais gagné, je ne suis pas la mieux placée pour…

— Mais il faut que je change de coiffure, m'interrompit Bunny. Même moi, j'en ai conscience. La coiffeuse m'a demandé ce que je voulais et comme je ne savais pas, elle m'a dit qu'elle avait une bonne idée…

— Oh non, c'est pas vrai !

— Oh si ! s'esclaffa-t-elle à mon grand soulagement. Elle m'a dit qu'elle allait me faire une tête de top model.

— Top model de quoi ? Du drapeau américain ? Tes cheveux sont pleins de bandes rouges !

— Je sais, je sais. J'irai faire arranger ça demain. Tu pourras me donner l'adresse d'un bon coiffeur ?

— Pas de problème. Au fait, qui t'a maquillée ?

— Un type dans un grand magasin. C'était gratuit.

— Et je parie qu'il t'a refourgué plein de produits après.

— Eh bien oui. Oh, je me sens vraiment gourde. Ils m'ont vue venir de loin, n'est-ce pas ?

— Ne t'en fais pas. On s'est toutes fait avoir un jour ou l'autre. On peut faire quelque chose pour tes cheveux. Mais ton poncho, tu vas aller le rendre demain.

— Il est si moche que ça ?

— Pire. Je parie que le vendeur t'a dit qu'il t'allait super bien.

— Eh bien, justement…

— Je le savais. Ces vendeurs n'ont aucune morale. Bon, on va aller faire du shopping demain, mais il te faut une styliste perso.

— Vraiment ? Ça existe en Irlande ?

— Je connais quelqu'un qui sait où acheter des vêtements et où se faire belle. Elle n'est pas vraiment styliste, mais je vais lui demander de t'aider. Et, crois-moi, quand elle en aura terminé avec toi, tu ne te reconnaîtras pas.

— Waouh ! Je vais avoir une styliste perso ! Comme J-Lo !

— Non, non, non ! Oublie J-Lo, Beyonce ou ce genre de filles. C'est beaucoup trop bling-bling pour ici. Tu dois juste changer un peu de style. Tu es maigre et irlandaise, avec le teint pâle et les yeux verts. Il te faudrait un look légèrement classique. Comme Jennifer Aniston, Lady Di ou Gwyneth Paltrow avant qu'elle adopte un style plus débraillé. Ou comme Kiera Knightley. Tu piges ?

Bunny acquiesça, les yeux pétillants d'excitation.

— Au fait, qu'as-tu fait de tes lunettes ?

— Je les ai jetées. J'essaie de m'habituer aux lentilles. Alors, comment s'appelle ma bonne fée ?

— Angela-Jean.

— C'est trop la classe !

— Pas tant que ça. Je te préviens, elle est très soupe au lait, alors tu as intérêt à faire gaffe.

13

nfin ! Je venais de mettre un point final à mon article sur Birmingham. Je croisais les doigts pour que ça plaise à Stu. Je me sentais super bien organisée maintenant. Il ne me restait plus qu'à tout finaliser avec Angela-Jean. Je décrochai le téléphone, les yeux rivés sur le bouquet de lys pour ne pas voir le tapis de course flambant neuf.

— Oui, tout est arrangé, m'annonça calmement Angela-Jean à l'autre bout de la ligne. Tu commences mardi et je reste quatre jours avec toi pour te former.

— Merci. Merci beaucoup. Tu es trop gentille. Oh mon Dieu, je n'arrive pas à croire que je vais faire ce boulot ! Dire que la semaine dernière j'étais au chômage !

— Comme quoi, il ne faut pas perdre espoir. En revanche, sache que ne je suis pas gentille du tout. Si ça ne tenait qu'à moi, je serais dans le premier avion pour la Nouvelle-Zélande, mais Cecille, ma rédactrice en chef, veut absolument que je te briefe avant de partir. Ce sont ses conditions.

— Ça ne la gêne pas que je te remplace ?

— Pas du tout. Je lui ai dit que tu étais une journaliste chevronnée, spécialisée dans le tourisme, et que tu avais aussi bossé pour *Gloss*. Et, franchement, elle a eu l'air très impressionnée par ton parcours.

— Oh mon Dieu ! Pourquoi lui as-tu dit que j'étais chevronnée ? Tu sais bien que je n'ai fait qu'un voyage de presse à Birmingham.

— Et alors ? Il t'en faut combien pour te lancer ? Un suffit. Bref, c'est ma version, et tu as intérêt à t'y tenir.

— OK, OK… Alors, qu'est-ce qu'on est censées faire, cette semaine ?

— J'ai reçu une pile d'invitations merdiques dans des endroits où je ne veux pas aller, voir des gens que je ne veux pas voir… Ce genre de trucs. Il y a notamment un défilé de mode, le lancement d'une voiture et d'un nouveau mascara, l'inauguration d'un traiteur, la sortie d'un CD, l'ouverture d'un festival de rue et le lancement d'une nouvelle marque de céréales.

— Sans blague !

— Eh oui, sans blague, chérie. On ne m'invite qu'à des lancements ou à des inaugurations… Et c'est comme ça tous les jours. À ton avis, pourquoi je rêve de me barrer ?

— Mais… Si c'est si terrible que ça, pourquoi je prendrais ta place ?

— Oh, ça ira. Au début, c'est nouveau, on s'amuse bien. Ça m'a fait ça les premiers temps, mais on se lasse vite.

— Écoute, Angela-Jean… Euh… je voudrais te demander un service.

— Accouche.

— Tu vas sans douter trouver ça bizarre, mais voilà. J'ai une amie, et cette amie a beaucoup d'argent mais aucun goût, si tu vois ce que je veux dire…

— Comme la majorité des femmes de cette ville.

— Elle a besoin d'une styliste perso et j'ai pensé à toi. Je sais que c'est beaucoup te demander de lui consacrer une journée, mais elle est prête à te payer.

Angela-Jean poussa un profond soupir.

— C'est qui, ta milliardaire ? Elle veut quoi ? Que je la suive partout comme un petit chien pendant qu'elle se pavane chez Brown Thomas en snobant tout le monde ? Si c'est ça, ça ne m'intéresse pas.

— Oh, elle n'est pas du tout comme ça. Elle est tout sauf prétentieuse. En fait, elle est tellement gentille que c'en est gênant. Elle a vraiment besoin d'aide. S'il te plaît, tu peux l'aider ?

Elle était coincée, je le savais. Elle ne pouvait pas refuser car, sans moi, elle ne pouvait pas partir en ayant la certitude de récupérer son poste à son retour. Je restai donc silencieuse en attendant son accord.

— Elle a besoin d'aide comment ? Ça va prendre combien de temps ?

— Oh juste une journée. On pourrait faire les boutiques lundi pour lui refaire sa garde-robe. Il faudrait aussi que tu lui donnes l'adresse d'un bon coiffeur.

— Bon, d'accord. Mais si elle se met à faire sa princesse, je m'en vais.

Je souris à l'idée de voir la pauvre Bunny régenter quelqu'un.

— Bon, alors, tu as hâte de commencer ? embraya soudain A-J.

— Je suis morte de trouille. Je suis sûre que tes people vont s'apercevoir que je débute.

— Ne t'inquiète pas pour ces idiots, ricana-t-elle. N'oublie pas que tu leur rends un service en leur faisant de la pub. N'oublie jamais ça. Ils devraient te lécher les pieds.

— OK, fis-je, pas vraiment convaincue.

— Au fait, tu connais une certaine Ellie Dunney ?

Je me figeai sur place. Oh mon Dieu, elle connaissait Ellie ? Qu'avait-elle raconté sur moi ? Elle savait que j'étais allée à Birmingham à sa place ? Bien sûr qu'elle le savait. C'était obligé. Stuart avait bien dû réussir à la joindre.

— Oui, je la connais bien. Euh… pourquoi ?

— Oh, c'était par simple curiosité. J'ai vu son CV sur le bureau de Cecille ce matin et je me demandais si tu la connaissais. Elle fait des chroniques touristiques comme toi et dans cette branche, on croise toujours les mêmes, non ?

— Euh…

— Mais le seul poste libre qu'on avait, c'est celui que tu prends en intérim.

— Je vois.

— Donc, elle ne l'aura pas.

Punaise, je n'arrivais pas à croire qu'Ellie avait postulé pour ce job.

— De toute façon, on n'aurait jamais pris une femme enceinte.

Je me figeai. Enceinte ? De quoi elle parlait, exactement ?

— Il faut être aguerrie pour faire ce travail. C'est dur de travailler avec le monde du show-biz. On bosse la nuit, on passe son temps à attendre une interview…

J'avais le cœur au bord des lèvres. C'était impossible. Ellie… ne pouvait pas… attendre un bébé !

14

E t ça ne l'embête pas ? me demanda Bunny tandis que
— nous attendions Angela-Jean.

— Non, elle est ravie de nous rendre ce service, mentis-je.

Pas question en effet que je lui avoue avoir recouru au chantage
pour parvenir à mes fins. Je faisais de mon mieux pour avoir l'air
enthousiaste. Hélas, ça n'avait pas été facile. Je n'avais pratiquement
pas dormi depuis que j'avais appris la grossesse d'Ellie. J'avais du
mal à voir la chose. Je n'arrivais pas à croire que Connor et elle
allaient avoir un bébé. Je me demandai si elle était déjà enceinte à
la fête. Oh, rien que d'y penser, j'en étais malade. Et Connor ? Il
le savait ? Sans doute pas, non ?

C'était peut-être pour ça qu'Ellie était passée l'autre jour ? Peut-
être voulait-elle m'annoncer la nouvelle ? Qu'avait-elle pensé en
voyant Bunny ? Elle avait dû être chagrinée de se voir si vite remplacée ? Ou avait-elle compris l'urgence dans laquelle je me trouvais ? Compris que je ne pouvais pas payer le loyer toute seule ?
J'avais la tête qui tournait comme pas possible. J'aurais tant voulu
avoir les réponses à mes questions !

Bunny regardait dehors comme une gamine attendant le Père
Noël, le 24 au soir. Je n'ai jamais vu quelqu'un s'exciter autant
pour un rien. J'espérais de tout cœur qu'Angela-Jean ne parte pas
en vrille. J'espérais qu'elle s'entendrait bien avec Bunny parce que,

malgré sa récente fortune, elle était encore très vulnérable et un peu perdue. La veille, elle m'avait confié qu'elle ne s'était pas encore vraiment faite à l'idée d'avoir gagné au loto. Que c'était comme dans un rêve. Qu'elle avait peur de se réveiller, et surtout que son ex vienne la tabasser.

Bunny poussa soudain un petit cri en voyant une Golf noire rutilante se garer dehors.

— C'est elle ?

— Oui, fis-je tandis que A-J ouvrait la portière et propulsait ses immenses jambes dehors. Puis elle prit quelques minutes pour checker son maquillage dans un petit miroir compact.

— Elle est magnifique ! s'esbaudit Bunny.

— C'est une belle fille, suffisamment mince pour être mannequin. Et si elle sait faire un truc, c'est bien prendre la pose !

La sonnette de la porte d'entrée retentit.

— C'est toi qui y vas, me supplia Bunny en courant se regarder une dernière fois dans la glace. Ça va ? Je ne suis pas trop moche ?

— Relax, Max ! A-J est là pour t'aider, pas pour te juger, compris ?

A-J embrassa l'air à deux centimètres de mes joues et fit irruption dans la pièce. Un fort effluve de parfum flottait derrière elle.

— Tu dois être Bunny. Je suis ravie de te rencontrer.

Elle lui tendit une main gantée de cuir que Bunny serra timidement.

— Fiona m'a beaucoup parlé de toi.

— Ah bon ? Et qu'est-ce qu'elle t'a dit ?

A-J ne répondit pas, trop occupée à regarder autour d'elle.

— Tu en as du bazar, Fiona. Le tapis de jogging est à toi, je suppose. Quand comptes-tu t'en servir ?

— Bientôt, bientôt, marmonnai-je en sentant mes joues prendre une jolie teinte rouge.

Voilà que je devenais parano. A-J était la quatrième personne en une semaine à me faire une remarque insidieuse sur mon poids. Si seulement il y avait un moyen facile de maigrir !

— Bon, aboya Angela-Jean en claquant des mains comme si elle allait entraîner un régiment de jeunes trouffions. Tu me montres tes fringues ?

— Mes fringues ? fit une Bunny terrifiée.

— Allez, dépêche-toi, on n'a pas de temps à perdre, éructa A-J en la poussant dans sa chambre où elle ouvrit en grand les portes de sa penderie.

Elle s'immobilisa, visiblement troublée.

— C'est quoi, ça ? Où sont tes affaires ?

— Je n'ai pas de vêtements ici. J'ai tout laissé chez moi.

— OK. On démarre donc de zéro. Bien, bien. C'est pas grave. Je voulais juste avoir un point de départ. Tu sais quoi ? Je vais te transformer en star. En fait, je vais faire croire aux gens que tu es une star. D'accord ? Ce serait amusant, non ? Penses-y. Tu serais mon petit cobaye.

Quelques instants plus tard, nous nous entassions gaiement dans la voiture de A-J.

— L'une de vous ferait bien de venir devant. Je ne suis pas un taxi, les filles !

Le doigt sur la couture du pantalon, j'allai m'asseoir à côté d'elle. A-J mit les Scissor Sisters à fond et le cap sur le centre-ville. Elle alla se garer au parking de Brown Thomas où nous allions « commencer notre virée ». Premier arrêt chez Fitzpatrick, sur Grafton Street, où les vendeurs accueillirent A-J comme une vieille copine.

Elle jeta son dévolu sur une paire d'escarpins à hauts talons en nubuck brun, une paire de chaussures plates vernies noires et deux paires de cuissardes identiques, une chocolat et l'autre noire. Nous fîmes ensuite une halte chez BT2 où les vêtements d'hommes et de femmes étaient volontairement mélangés pour obliger les gens à fouiller, au grand désarroi de Bunny. Après l'avoir regardée se déshabiller et se rhabiller pendant environ une heure, je finis par me lasser autant que ces hommes que leurs chéries traînent dans les boutiques le samedi après-midi. Je m'assis par terre en tailleur, pendant que A-J continuait à faire essayer des jeans à Bunny et à faire des essais de couleurs pour voir lesquelles lui allaient le mieux et avaient le plus de chances de faire d'elle la Sienna Miller irlandaise.

— J'ai vraiment l'air… oh, comment on dit déjà ? fit Bunny en faisant un petit tour sur elle-même devant la glace.

— Branchée, lâcha A-J avec un petit sourire.

— On n'avait pas plutôt dit classique ? demandai-je.

Le visage de A-J s'assombrit. C'était la première fois de la journée qu'elle avait baissé – même temporairement – la garde.

— Il ne faut pas l'enfermer dans un style, répliqua-t-elle sèchement. Il vaut mieux qu'elle essaie plusieurs looks pour voir lequel lui convient le mieux. Le plus important, c'est qu'elle n'ait pas l'air cheap. Les femmes qui ont beaucoup d'argent n'ont souvent pas de goût. Le but, c'est que le Tout-Dublin se demande qui elle est. Et pour y parvenir, il faut qu'elle soit différente des autres.

Devant l'air ravi de Bunny, je choisis de me taire. À la caisse, elle tendit sa carte Bleue.

— Bon, dit A-J, maintenant, on va au premier étage de Brown Thomas. Là, on est sûres de ne pas se tromper.

Nous traversâmes la route en trottinant, chargées comme des mulets. Bunny avait vraiment l'air de s'éclater. Elle avait pris des couleurs et ça lui allait bien. On était comme deux gamines avec une vraie Barbie. J'avais même du mal à croire que Bunny était une vraie personne avec du vrai argent et que ce n'était pas une sorte de jeu de rôles.

Nous grimpâmes les marches derrière A-J. Là encore, tous les vendeurs semblaient la connaître. Elle leur expliqua précisément ce qu'elle cherchait. Une heure plus tard, Bunny était l'heureuse propriétaire d'un ensemble classique crème Louise Kennedy, de deux pantalons Paul Costello et d'une jupe droite noire Gucci qui, accrochée au cintre, n'avait rien d'extraordinaire, mais qui faisait un effet bœuf sur elle. Avant de sortir du magasin, nous prîmes aussi un sac Prada et deux sacs Gucci. A-J nous expliqua que les grands sacs étaient revenus à la mode et qu'elle s'en réjouissait car, *dixit*, « les petits sacs ont beau être mignons, on ne peut pas y caser son téléphone portable ET une brosse à cheveux digne de ce nom » !

Tout ce shopping nous ayant bien épuisées, nous fîmes route vers le Westbury Hotel pour boire un café. Je mourais d'envie de grignoter quelque chose, mais je n'osais pas prendre quoi que ce soit en présence de A-J.

— On a bien avancé, constatai-je gaiement tandis que nous attendions nos cafés. Tu es une vraie pro, A-J.

— Merci, mais ce n'est rien. J'ai vu tellement de défilés dans ma vie que je pourrais dégoter des pièces canon les yeux fermés.

— Si seulement les gens de mon village pouvaient me voir ! soupira Bunny.

— Oh, ils vont te voir. Tu peux me croire, lui assura A-J.

— Comment ?

— Si on peut arranger tes cheveux, on ira à un défilé ce soir, toutes les trois. Et je te promets qu'on te prendra en photo.

— Oh non ! Je suis beaucoup trop timide pour ça.

— Bien sûr que tu peux… et tu le feras. Je ne t'ai pas fringuée comme une starlette pour rien.

— Je ressemble à une starlette ?

Bunny avait l'air secrètement ravie.

— Tout à fait. Et tu es encore mieux qu'une starlette. Tu as l'air d'une vraie star. Il ne te reste plus qu'à travailler ta gestuelle maintenant.

Angela-Jean lui serra gentiment le bras, ce qui la fit tressaillir. Oh mon Dieu, pensai-je, elle a encore mal. Ses bleus n'étaient pas encore partis. J'étais d'ailleurs surprise que A-J n'ait rien remarqué.

Les cafés avalés et payés, nous nous rendîmes chez Roccoco dans le Westbury Mall pour acheter une robe du soir à Bunny. Elle en essaya des tonnes sans parvenir à se décider. Angela-Jean décida d'en prendre deux car, comme elle nous le fit remarquer, « on ne peut pas porter deux fois la même robe du soir dans la même saison ».

Je m'éclatais vraiment à faire la tournée des magasins avec elles. Je commençais même à faire la différence entre Gucci et Prada ! Ellie aurait été fière de moi. Elle aurait adoré ça. Oh non, voilà que je me remettais à penser à elle. Une vague de tristesse me submergea. C'était dur de ne plus être en contact avec elle. J'avais désespérément envie de la voir et j'espérais vraiment qu'elle serait heureuse avec Connor… sauf que… sauf que je n'étais pas sûre de pouvoir le lui dire sincèrement. Mon Dieu, quel genre de monstre étais-je devenue ?

Pourquoi n'arrivais-je pas à être heureuse pour elle ? Pourquoi n'arrivais-je pas à me débarrasser de cette drôle de sensation ? La sensation que Connor ne lui convenait pas du tout. Je savais qu'il ne l'aimait pas. En tout cas, j'en étais quasiment sûre. Je me souvenais parfaitement de son regard quand il se tenait dans l'encadrement de ma porte. Et j'avais senti ce trouble entre nous la nuit où on s'était retrouvés seuls, à moitié nus, dans la chambre d'Ellie. Pour rien au monde je ne l'aurais admis à l'époque, mais…

— Allô ! Allô ! On demande Fiona !

A-J claquait impatiemment des doigts devant mes yeux, ce qui, à mon grand soulagement, me ramena brutalement sur terre. Je ne comprenais vraiment pas pourquoi je pensais encore à Connor et à Ellie. Ils m'avaient oubliée et je devais en faire autant. J'étais d'ailleurs certaine d'être devenue un sujet tabou pour eux.

— Et maintenant, on va où ? demanda Bunny, comme une gosse qui n'a pas encore fait les montagnes russes dans un parc d'attractions.

— Patience, mon petit.

A-J lui tapota affectueusement la tête. Apparemment, elle s'était entichée de sa jeune protégée. J'espérais que ce n'était pas au point de renoncer à son voyage en Nouvelle-Zélande… C'est vrai, quoi. J'avais hâte d'enfiler le costume de chasseuse de scoops (ou, devrais-je dire, de journaliste people). Ça allait être super excitant de voir mon nom imprimé en gros dans un magazine, non ? Dans *Gloss*, mon nom n'apparaissait jamais. Impossible, bien sûr, de le mettre sur la page de l'horoscope, et les lectrices du courrier du cœur ne me connaissaient que sous le nom de « Fifi ». Ma chef m'avait dit que c'était mieux comme ça. Qu'il y avait un tas de tarés dans la nature. Elle m'avait raconté que la nana avant moi avait eu un admirateur de quarante-cinq ans qui lui écrivait des lettres d'amour et lui envoyait des fleurs et des poèmes vraiment flippants, du genre « on est faits l'un pour l'autre ».

— Oh mon Dieu !

— Eh oui, avait poursuivi Faith, qui visiblement prenait un malin plaisir à voir mon air horrifié. Et puis, sur mon conseil, elle a rompu le contact avec lui, mais il s'est mis à lui envoyer des mails injurieux et à l'appeler en respirant fort dans le combiné.

— Doux Jésus ! Et comment ça s'est terminé ? Comment s'est-elle débarrassée de lui ?

— Eh bien, ça a été très, très difficile. Un soir, il a essayé de la suivre jusqu'à chez elle. Heureusement, elle s'en est aperçue et elle a appelé la police. Ils ont interdit au gars de s'approcher d'elle, mais ça l'a bouleversée et elle a décidé de nous quitter. Quelle triste histoire !

En fait, elle avait l'air tout sauf triste en me racontant ça. Elle avait même l'air de prendre carrément son pied à me faire peur.

— C'est pour ça que je préfère qu'on ne mette pas ton nom ou ta photo sur la page, avait-elle conclu avec un méchant sourire. En revanche, tu peux signer la rubrique Sexo, si tu veux.

J'avais décliné son offre généreuse, d'autant plus qu'à l'époque, j'avais déjà décidé de lui donner ma dém'.

J'avais finalement quitté *Gloss* quelques semaines plus tard. À quoi bon, franchement, écrire anonymement pour un magazine ? Ma mère et ma sœur l'avaient acheté à plusieurs reprises et avaient à chaque fois été déçues de ne pas y voir mon nom.

Mais je pouvais difficilement leur dire que je tenais la rubrique cul, n'est-ce pas ? J'imaginais déjà les commentaires de mes parents sur les monceaux d'argent qu'ils avaient dépensés pour mes études. Tout ça pour que je devienne une sorte de catin littéraire alors que Gemma était devenue chirurgien !

Ils avaient longtemps placé de grands espoirs en moi. Dieu seul sait pourquoi. J'étais nulle à l'école. Je m'y suis ennuyée à mourir. Je ne voyais pas l'intérêt d'écouter la prof de géo nous décrire la formation des roches dans un endroit où je savais que je ne mettrais jamais les pieds comme le pôle Nord ou l'Équateur. Je n'en voyais pas l'intérêt. Moi, j'aurais enseigné la géo autrement.

Par exemple, j'aurais parlé de la Grèce à mes étudiants, car c'est là que la plupart d'entre eux comptaient aller fêter leurs exams en septembre. À mon avis, il aurait été beaucoup plus judicieux de leur apprendre comment survivre dans les îles grecques que de les enquiquiner avec la longueur d'un fleuve africain.

J'aurais donné des conseils utiles aux plus jeunes, du genre : « Il ne faut pas boire et prendre sa mobylette, avec ou sans casque. » Ou je leur aurais expliqué pourquoi il ne faut pas frôler le coma éthylique chaque soir sous prétexte que l'alcool n'est pas cher. Ou encore pourquoi, même s'il pense ne pas en avoir besoin, tout bon Irlandais doit se mettre de la crème solaire avec un indice d'au moins 30. Et aussi que, quand on se badigeonne d'huile et qu'on s'expose au soleil à midi, on risque une insolation ou, au moins, de graves coups de soleil. Et que non, le jus de citron ne fait pas blondir les cheveux. Et que quand Gary de Manchester vous proclame son amour dans une taverne grecque sous un machin électrique violet où viennent s'électrocuter les mouches, il ne vous rappellera JAMAIS.

Oh, il fallait que je speede. Bunny et A-J étaient loin devant en train de papoter comme deux vieilles copines. À les voir ainsi, on n'aurait pas dit qu'elles venaient de se rencontrer. Je les rattrapai à l'instant où A-J faisait entrer Bunny dans un salon de coiffure. Elle demanda à voir la patronne qu'elle connaissait personnellement et lui montra les mèches de Bunny. À mon grand soulagement, tout le monde trouva ça aussi horrible que moi. Rendez-vous fut donc pris pour le lendemain en début d'après-midi, avec la promesse de métamorphoser cette chère Bunny. En attendant, ça voulait dire qu'elle ne pourrait pas venir au défilé le soir même.

Une fois dans la rue, A-J nous annonça qu'on allait acheter des bijoux.

— Je connais quelqu'un qui en crée de fabuleux. Je parle parfois d'elle dans ma rubrique. Elle devrait nous faire une bonne remise.

— Ah oui ? fit-on en chœur avec Bunny.

— Absolument. Je vais l'appeler sur son portable et lui demander d'apporter quelques protos chez vous pour que Bunny puisse choisir.

— Super.

Bunny en dansait presque sur place.

Nous traînâmes péniblement nos sacs jusqu'au parking de Brown Thomas où se trouvait la voiture, tandis que A-J passait un autre coup de fil à... oh, incroyable... une esthéticienne indépendante qui allait venir chez nous dans la soirée avec ses produits et ses lotions pour masser, épiler, teinter les cils et les sourcils et faire un soin du visage à Bunny. Il fut aussi convenu qu'elle reviendrait le lendemain matin lui faire un faux bronzage « Saint-Tropez » et lui apprendre à se maquiller.

— Punaise, je suis jalouse, lâchai-je malgré moi. Moi, pendant ce temps, je serai dans l'autre pièce en train de me mettre du vernis toute seule...

— Mais non, miss, répondit A-J. N'oublie pas, on va à un défilé, ce soir.

— Ça veut dire que moi, je n'y vais pas ? demanda Bunny.

A-J fit la grimace.

— Malheureusement pas ce soir. Cette esthéticienne est très, très prise et elle ne peut te voir que demain. Mais crois-moi, tu ne le regretteras pas.

Plus tard, en nous rendant au bel hôtel où avait lieu le défilé, A-J m'avoua qu'on n'aurait jamais pu y emmener Bunny.

— Pourquoi ?

— À cause de sa coiffure. Il faut que je l'emmène chez Tony and Guy pour arranger ça. Avec sa tête de personnage de dessins animés, les photographes auraient fait un grand tour pour nous éviter.

— Quels photographes ?

— Oh tu sais, ceux qui prennent des photos dans ce genre de soirée. Mais ils font parfois les difficiles. En fait, tout dépend de la personne à côté de laquelle on est. Par exemple, si on parle à un mec lambda, ils nous zappent car ils ne photographient que des gens célèbres.

— Ah bon ?

Grande nouvelle. Je croyais qu'ils photographiaient les dix premières personnes qu'ils voyaient avant de filer à une autre soirée.

— Oui. Ils photographient les gens censés intéresser leurs lecteurs. Ou des jolies nanas bien habillées. D'où l'intérêt de porter quelque chose de coloré. Le noir ne donne rien à l'impression.

— Première nouvelle.

— Tu dois impérativement penser à ça maintenant. Ce sont toujours les mêmes qu'on voit dans les magazines. Tu n'as pas remarqué ?

— Euh… oui. En fait, je n'y avais jamais vraiment pensé, mais c'est vrai qu'on voit toujours les mêmes têtes.

— Eh bien, c'est fait exprès. Les photographes savent qu'avec des visages connus, leurs photos ont plus de chances d'être publiées.

— C'est logique.

— Mais si on se traîne un clown qui semble avoir reçu un pot de peinture sur la tête, ils nous ignoreront.

— Les photographes ?

— Oui.

— Alors comment fait-on pour être photographiée sans arrêt ?

— C'est simple, m'expliqua-t-elle en tendant son manteau à une jeune fille intimidée dans l'entrée. Tu te pointes à l'inauguration la plus banale fringuée comme pour les Oscars, tu traînes près de l'entrée sans avoir l'air trop désespérée et tu ne te saoules pas tant que le dernier photographe n'est pas parti.

— Oh, je commence à comprendre !

Sur ce, je repérai trois fausses blondes le visage caramel, vêtues de la même minijupe, qui faisaient semblant de suivre la conversation des autres en cherchant les photographes des yeux. A-J les avait aussi remarquées.

— Un exemple type, au cas où tu n'aurais pas bien compris, marmonna-t-elle en hochant la tête dans leur direction.

— Elles sont sœurs ?

— Ouais… On les appelle les Pointer Sisters.

— Pourquoi ?

— Parce qu'elles passent leur temps à pointer du menton vers les gens et à chuchoter des trucs sur eux. Je ne sais pas ce qu'elles font vraiment dans la vie, mais elles sont de toutes les soirées. Ça doit être à laquelle se dégotera un mari en premier. C'est lamentable. Oh, salut Jason. Tu vas bien ? C'était comment, l'Afrique du Sud ? Dis donc, quel bronzage !

— Merci chérie. Ouais, c'était super, l'Afrique du Sud. C'était dur de rentrer. Je peux vous prendre en photo, mes belles ?

— Mais bien sûr, roucoula A-J avec un charme que je ne lui connaissais pas.

Le photographe, un étrange bonhomme avec des cheveux rouges en pointe et un piercing sur la langue, nous flasha tandis que A-J me prenait par la taille. Je me sentais plouc et gourde. Les Pointer Sisters nous mataient de loin, mais une seule pointait le menton dans notre direction – elles devaient le faire à tour de rôle.

Jason finit par reposer son appareil et sortit un petit carnet d'une des poches de sa veste.

— Vous vous appelez comment ? me demanda-t-il.

— Fiona Lemon.

— Ah oui, je vous ai déjà prise en photo, n'est-ce pas ?

— Euh...

— Des tas de fois, coupa A-J. Au fait, Jase, Fiona va me remplacer pendant quelques semaines à *Irish Femme*. Il y a donc des chances pour que vous vous recroisiez prochainement.

— Génial. Tu pars où ?

— En Nouvelle-Zélande me « chercher », fit-elle avec un large sourire.

— Waouh. Moi, je suis allé en Inde pour ça.

— Et ça l'a fait ?

— Quoi ?

— Tu t'es trouvé ?

— Je crois que oui, mais depuis, je me suis reperdu. Il faut pourtant que je passe à autre chose. Je n'en peux plus de ce genre de soirée.

— À qui le dis-tu ! Il y a du people intéressant, ce soir ?

Jason secoua ses pointes rouges.

— Non, toujours les mêmes. Pas encore de VIP. Il y a bien les Pointer Sisters là-bas qui me zieutent. Depuis que je suis arrivé, elles ne m'ont pas quitté des yeux. Mais je vais tout faire pour ne pas les prendre en photo. Elles vont certainement m'en vouloir, mais bon... Allez, je ferais mieux d'y aller et de faire semblant de bosser. Allez vous prendre du champagne avant qu'il n'y en ait plus, c'est gratuit. À plus, les filles.

— Il a l'air sympa, m'écriai-je en le voyant disparaître dans la foule sous le regard insistant des Pointer Sisters.

— Il est OK. Pas malin-malin, mais ce n'est pas le pire. Allez, viens boire des bulles.

Sous le regard soupçonneux de deux filles de vingt ans très, très maquillées, j'allai pointer mon nom sur la liste des invités. En voyant A-J, leur visage s'adoucit.

— Salut, les filles, lança A-J d'un ton faussement enjoué.

Après une série de baisers dans le vide, elle me présenta comme sa remplaçante temporaire à *Irish Femme*.

— Bonjour, murmurai-je.

Ces filles étaient si maquillées et si stylées que je me trouvais petite et insignifiante à côté.

— Tu te souviens de ce que je t'ai dit, me chuchota A-J à l'oreille après les avoir saluées et avoir pris la direction d'une table couverte de bouteilles de champagne frais, ils ont plus besoin de toi que toi d'eux.

Je pouffai de rire. Quelle pro, cette A-J ! Rien ni personne ne la déstabilisait. C'était incroyable qu'elle veuille renoncer à tout ça pour aller marcher dans des forêts et grimper sur des montagnes dans un pays où l'on rencontrait plus de moutons que de gens.

Le champagne coulait à flots. On le sirotait avec des pailles comme de vraies it girls. J'étais super, super excitée d'être là. Je ne parvenais pas encore à croire que j'allais côtoyer ces gens fabuleux. Tout le monde avait l'air de connaître tout le monde. J'avais peur que quelqu'un me repère, s'aperçoive que je n'avais rien à faire ici et me fasse virer.

— Pffff, qu'est-ce qu'on s'emmerde, gémit A-J. Il n'y a personne, absolument personne, n'est-ce pas ?

— Euh… non. Je ne sais pas… Moi, je trouve ça génial. Du champagne à l'œil et oh… ça a l'air bon…

— Une petite saucisse ? nous proposa une jeune serveuse avec un beau sourire et un tee-shirt noir.

— Hum, je préférerais un de ces trucs-là, fis-je en les montrant du doigt. Ça a l'air délicieux. C'est quoi ?

— Des miniquiches végétariennes. Vous en voulez une ?

— Avec plaisir.

La serveuse plaça ensuite son plateau sous le nez froncé de A-J.

— Vous désirez quelque chose ?

— Non merci, fit-elle sèchement.

— Tu n'as pas faim ? lui demandai-je en voyant la pauvre fille s'éloigner.

— Non et même si j'avais faim, je ne mangerais pas de miniquiches, de minifriands, de samossas végétariens, ni d'ailes de poulet, ni de tous ces trucs archicaloriques avec lesquels on essaie de nous gaver à ce genre de soirée. Crois-moi, au bout d'une semaine, tu ne pourras plus voir en peinture ces machins gras.

— Ça doit pourtant aider à faire de sacrées économies de bouffe.

Mais A-J n'avait pas l'air convaincue.

— On ne peut pas se nourrir exclusivement de saloperies. Il faut vivre sainement pour faire ce travail, expliqua-t-elle en finissant son verre de champagne d'un trait et en en prenant un autre sur la table tendue de blanc.

— Ça te gonfle vraiment tant que ça ?

J'avais du mal à savoir si elle était sérieuse ou non. Pour moi, c'était le paradis. Vous imaginez la petite Fiona dans une soirée aussi branchée ?

— Bof ! J'ai connu pire. Mais il n'y a personne ici.

Je regardai autour de moi légèrement décontenancée. Comment pouvait-elle dire ça ? Ça grouillait littéralement de femmes sublimement bien habillées.

— Euh… tu veux dire qu'il n'y a pas d'hommes ?

Ça devait être ça. Elle devait se chercher un mec. Je ne savais pas où elle en était avec celui avec lequel elle devait emménager. Peut-être cherchait-elle un remplaçant ?

— Bien sûr que non, ricana-t-elle. Chercher le prince charmant dans un endroit comme ça ? Les hétéros sont rares dans les défilés. Je ne cherche personne. C'est un boulot, pas une boum. J'ai besoin de noms, de noms et encore de noms. Il n'y a pas de noms ici, vois-tu ?

Constatant que je ne pipais toujours rien, A-J se lança dans une grande explication de texte.

— Tu vois, Fiona, je dois faire une pleine page chaque semaine, et toi aussi, tu devras la faire en mon absence. Ce n'est pas le boulot le plus facile du monde, contrairement à ce qu'on croit.

— Tu as sans doute raison. Vu de l'extérieur, ça a l'air marrant.

— Oui, mais ce soir, ce ne sont que d'illustres inconnus. Je ne peux pas faire un papier sur des nanas venues de nulle part qui se comportent comme si elles étaient les L5. Ces gens ne font rien d'autre que d'aller à ce genre de soirée. Et moi, il me faut des histoires, et des drôles. Je ne peux pas me contenter de recracher le baratin des attachés de presse.

— OK, mais comment reconnais-tu un bon client ?

— Oh, on finit par connaître leur nom et leur visage. Il y en a beaucoup qui viennent de la télé. Les acteurs des séries irlandaises sont pratiquement de toutes les soirées.

— Vraiment ? Mince alors. Je ne les regarde jamais.

— Eh bien, il va falloir… pour être capable de les reconnaître.

— Promis. Autre chose ?

— Bah, c'est à peu près tout. Tu connais déjà tous les gens de RTE : Gerry Ryan, Joe Duffy, Ryan Tubridy, Mary Kennedy, Anne Doyle, Marty Whelan, Pat de Late Late…

— Bien sûr, je ne viens pas d'une autre planète. Qui d'autre ?

— La gagnante de *The Rose of Tralee* et miss Irlande qui sont vaguement célèbres jusqu'à ce qu'elles soient remplacées un an plus tard et tombent dans l'oubli. Bien sûr, certaines s'accrochent et ne renoncent pas à leur couronne comme ça. Va savoir pourquoi…

— Oh mon Dieu !

— Oui, c'est gênant, hein ? Les gens devraient savoir quand partir. Surtout les anciennes reines de beauté.

— Non, non, je ne parle pas de ça. Je viens de voir mon ancienne boss, Faith.

— Oh, cette vieille vache ! J'avais oublié que tu avais travaillé pour elle.

— Je n'ai pas travaillé pour elle.

— Elle a pourtant une page people, non ?

— Oui, mais elle se la garde. Elle ne laisse personne d'autre aller aux fêtes.

— Sa rubrique est d'une nullité abyssale. Elle plagie les dossiers de presse et fait du copinage à outrance. C'est une grosse nulle.

Je souris malgré moi. Personne ne trouvait grâce à ses yeux. Une chose était sûre, la concurrence était rude entre journalistes people. Et, apparemment, ils semblaient prêts à tuer leur propre mère pour avoir un scoop !

— Bonjour !

Mon Dieu, c'était Faith. Là, devant moi ! Ses yeux globuleux lançaient des éclairs. On aurait dit une folle. Elle devait se demander ce que je faisais, un verre de champagne à la main, en grande discussion avec sa rivale. Mais je n'allais pas le lui dire. Oh que non ! J'allais la laisser mariner.

— Faith, comment vas-tu ?

À ma grande surprise, A-J fit mine d'embrasser la femme qu'elle venait juste de démolir en beauté.

— Ravie de te voir.

— Moi aussi, ronronna Faith.

Puis elle planta ses yeux dans les miens. L'espace d'un horrible instant, je crus qu'elle allait aussi m'embrasser, mais elle n'en fit rien. Au lieu de ça, elle prit une de mes mains entre ses doigts glacés.

— Tu as l'air en super-forme, mentit-elle effrontément.

Le son de sa voix me fit frissonner malgré moi. Dieu que je la détestais ! Ça me rappelait la façon dont elle me tyrannisait. « *Fiona, cours à la poste m'envoyer ça.* » « *Fiona, c'est toi qui as fait bourrer la photocopieuse et qui ne l'as dit à personne ?* » « *Tu ne t'es toujours pas trouvé de mec, Fiona ?* » « *Tu assures pour ta rubrique Sexo, surtout quand on sait que…* » « *C'est moi qui organise la fête de Noël cette année, Fiona, et je compte faire un petit speech rigolo sur toi.* »

— Merci.

Je ne lui retournai pas le compliment. Si elle croyait que j'allais être sympa avec elle après tout ce qu'elle m'avait fait, elle se trompait lourdement.

— Il y a quelqu'un d'intéressant ? demanda-t-elle en scrutant la pièce de ses yeux d'aigle.

— Non, personne, répondit triomphalement A-J. Mais ça n'a rien d'étonnant. Ils sont tous à l'inauguration du nouveau salon de coiffure de Danny Devine dans le Northside.

— Non, c'est vrai ? Je pensais que personne ne se donnerait la peine d'y aller, balbutia Faith comme si elle venait d'avaler un bol de lait caillé.

— Hum, à ta place, j'irais. Il paraît que Bono, qui est un grand ami de Danny, a promis d'y passer, mais…

A-J se plaqua la main contre la bouche.

— Oh, je n'aurais peut-être pas dû en parler. C'est top secret. On vient juste de me le dire.

Faith fit de son mieux pour cacher un sourire radieux. Mon cœur se serra. Moi qui croyais que A-J était au courant de tout, je m'étais trompée. C'était incroyable qu'elle donne ce genre d'infos à sa rivale. Pourquoi ? Mystère. Elle ne m'en avait même pas parlé. Et j'aurais adoré voir Bono pour de vrai.

Faith regarda sa montre.

— Mon Dieu, c'est l'heure ? Comme ça passe vite ! Tout compte fait, je ne vais peut-être pas rester voir le défilé. Je passe mon temps à ça en ce moment. Je ferais mieux de partir. Tu m'envoies un SMS si quelqu'un de décent se pointe ?

— Tu peux compter sur nous, n'est-ce pas, Fiona ? roucoula A-J.

J'acquiesçai bêtement.

— Je vais peut-être passer voir ce nouveau salon en rentrant, ajouta-t-elle. Ça doit valoir le déplacement.

— Oui… Je vais peut-être aussi y faire un saut, lâcha une Faith toute tourneboulée.

A-J embrassa de nouveau l'air près de ses joues, un large sourire aux lèvres. Cette fois, impossible d'y échapper. Je lui claquai à mon tour deux bises dans le vide en manquant de m'asphyxier sous l'odeur d'un parfum promotionnel. Puis elle disparut dans la foule.

— À plus ! lui cria A-J sous mon regard médusé.

— C'est vrai ce truc avec Bono ?

— Bien sûr que non, ricana-t-elle. Allez, encore un peu de champagne ?

15

— Et les mannequins, elles étaient vraiment belles ? demanda Bunny, tout émue.

— Magnifiques. Et très maigres. Trop maigres, à mon humble avis.

— Et tu as vu tout le défilé ?

On attendait que l'esthéticienne vienne lui faire son faux bronzage. Sa peau brillait des suites des soins de la veille. Elle m'avoua avoir été gênée de devoir se déshabiller pour se faire masser car elle craignait que l'esthéticienne fasse des commentaires sur ses bleus.

— Et elle en a fait ?

— Non. Mais elle a commencé à me parler d'une de ses copines qui se faisait battre. Et elle m'a donné l'adresse de l'endroit où elle va pour se faire aider…

Elle resta silencieuse un instant, deux grosses gouttes coulèrent sur son visage délicat, puis elle éclata en sanglots. Je la pris dans mes bras jusqu'à ce qu'elle cesse de hoqueter. J'en avais le cœur brisé. Bunny avait plus d'argent qu'elle ne pouvait en dépenser, mais elle n'avait pas de famille, ni de vrais amis.

— Ça va aller, ma belle, la réconfortai-je en lui caressant doucement sa tête méchée de rouge. Quand tu seras passée chez le coiffeur, tu ne te reconnaîtras plus.

Bunny s'essuya les yeux.

— Tu es adorable, renifla-t-elle. Vous êtes des anges, A-J et toi.

Je visualisai A-J à la soirée de la veille, matant d'un air mauvais les mannequins qui étaient toutes plus maigres qu'elle et la façon dont elle avait suivi une fille de bonne famille complètement défoncée jusque dans les toilettes pour voir si elle pouvait l'entendre sniffer le fric de son nouveau mari.

— A-J a des bons côtés, acquiesçai-je doucement. Mais je ne la qualifierais pas d'ange.

— Mais c'est un ange !

Peu importe, pensai-je. Ça ne valait pas la peine d'en débattre pendant des heures.

— Je l'ai appelée ce matin, poursuivit Bunny.

— Oh ? Elle ne devait pas être ravie d'avoir un appel si matinal. Elle a pas mal abusé du champagne hier soir.

— Eh bien, bizarrement, ça n'a pas eu l'air de l'embêter car elle était déjà levée et « occupée à faire des trucs », comme elle m'a dit.

Là, je dois avouer que j'étais impressionnée. Je ne pensais franchement pas qu'elle émergerait avant l'après-midi. Où puisait-elle toute cette énergie ?

— Pourquoi l'as-tu appelée ? demandai-je, curieuse.

— Je voulais m'arranger avec elle.

— Quoi ?

— Oui, connaître son prix pour pouvoir la dédommager pour hier.

— Oh, je vois.

— Mais elle n'a rien voulu savoir…

— Ah bon ?

J'étais sidérée. Complètement sidérée. Je ne pensais vraiment pas que A-J refuserait d'être payée.

— Non, elle m'a dit que c'était sa B.A. de la semaine, qu'il n'en était pas question.

— Oh !

J'en restai pantoise. Diantre. J'avais vraiment une fausse image d'elle !

Je sursautai en entendant mon téléphone sonner.

— Un instant, Bunny. Je dois répondre.

— Salut, c'est Gemma.

La voix familière de ma sœur jaillit à l'autre bout de la ligne.

— Salut, Gemma. Ça faisait longtemps !

Elle éclata de rire.

— Écoute, cria-t-elle tout excitée, ma copine Corinne vient de finir sa formation Botox. Elle me fait une injection cette semaine et elle m'a dit que si tu passais à Cardiff, elle t'en ferait une avec une ristourne d'enfer.

— Oh ! Je ne suis pas assez vieille pour me faire des piquouzes dans le front. Je ne veux pas avoir l'air étonnée en permanence.

— Ce n'est rien, juste une petite piqûre. Des tas de femmes se font faire ça à la pause déjeuner. Bref, si ça t'intéresse, appelle-moi pour que je t'organise ça.

— D'accord.

— Quoi de neuf ?

— Je bosse.

— De nouveau ? Punaise, j'ai du mal à suivre !

— Je suis journaliste people à *Irish Femme*.

— Je suis contente pour toi, mais c'est quand même comique, non ? s'esclaffa-t-elle. Je n'arrive pas à t'imaginer avec des stars.

— Pourquoi pas ?

— Je ne sais pas. Tu es trop ordinaire.

— Sympa.

— Non, je veux dire que tu es trop pragmatique pour fréquenter ce genre de personnes. Excuse-moi, mais à eux tous, ils n'ont pas un seul neurone. En revanche, si tu as des invitations, préviens-moi. Je rentrerai à Dublin pour la soirée. J'en ai marre d'aller au Hilton tous les week-ends. J'ai besoin de changer d'air.

— Pourtant c'est sympa, Cardiff.

— Tu dis ça parce que tu n'y viens que les week-ends de match ou les jours fériés. Mais parfois, c'est trop petit. Un peu comme Dublin. Je connais tout le monde ici et je ne suis là que depuis un an. Il faut que j'aille vivre ailleurs, peut-être à Londres.

— L'herbe est toujours plus verte ailleurs...

— Je sais, je sais. Je traverse une sale période en ce moment. Si j'étais à Londres, je mourrais probablement d'envie de revenir ici. Bref. Donc, pour de vrai, ça veut dire que tu vas rencontrer des stars comme Pierce Brosnan et Liam Neeson ?

— Non, ce n'est pas le genre à traîner dans les bars VIP, tu sais. Ils sont trop occupés à faire fortune à Hollywood ou ailleurs. Si je vois des people de troisième zone, ce sera déjà pas mal. Les vraies stars assistent rarement à ce genre de soirées, et quand elles le font, c'est l'événement.

— Ah, dommage. J'aurais bien aimé que tu me présentes un célèbre et riche rockeur !

— Oublie. Dis-moi, pourquoi une superstar viendrait boire du champagne chaud qui perd ses bulles dès qu'on l'ouvre ? Les vraies stars sont overbookées, tu sais. Elles ne vont pas à des soirées où l'on offre des flacons de lait hydratant et un tee-shirt avec le slogan d'une entreprise inscrit dessus.

— Oui, tu dois avoir raison. Oh non, mon beeper sonne. On se rappelle bientôt, d'accord ?

— OK. Merci d'avoir appelé.

Je raccrochai, soulagée qu'elle ne m'ait pas parlé de mon régime. Je devais faire quelque chose pour ma bouée et le reste, pensai-je en me pinçant plus de trois centimètres de gras sur le ventre. J'aurais aimé être aussi maigre que A-J, mais je n'avais pas envie de m'affamer. Il y avait quand même plus drôle à faire dans la vie.

On sonna à la porte. Dites donc, ça pulsait ce matin ! Personne ne faisait la grasse mat' ? J'ouvris la porte. A-J se tenait devant moi, les cheveux peignés en arrière, sans une touche de maquillage sur le visage. Elle paraissait plus jeune sans son rouge à lèvres vermillon, sa couche de fard à joue et son gros trait d'eye-liner.

— Tu es tombée du lit ? balbutiai-je toujours sous le coup des excès de la veille.

— Oui, répondit-elle en passant devant moi. C'est parce qu'il y a un truc qui me turlupine.

Elle m'attira dans le coin cuisine, mit la bouilloire en marche et chuchota :

— Je me fais du souci pour Bunny.

Je la fixai d'un air neutre, bien déterminée à ne pas trahir ma nouvelle colocataire. Je lui avais promis de ne rien dire et j'étais décidée à le faire.

A-J me toisa du regard.

— Je sais à quoi tu penses, mais je crains vraiment que Bunny ait des ennuis.

— L'esthéticienne t'a parlé ?

A-J fit non de la tête.

— Elle n'en a pas eu besoin. J'ai eu Bunny au téléphone ce matin et je pouvais entendre la peur dans sa voix. J'ai aussi aperçu son dos et ses bras quand elle faisait ses essayages. Ce n'était pas joli joli. Personne ne devrait vivre ça à notre époque et à son âge.

— Mais qu'y peut-on ? demandai-je d'un ton neutre. Si je pouvais faire quelque chose, je le ferais. Elle est adorable. Le problème, c'est que je ne sais pas comment l'aider. C'est la première fois que je suis confrontée à ce genre de situation.

A-J ouvrit son sac et en sortit un appareil photo jetable qu'elle me tendit.

— Je veux que tu prennes des photos.

— De Bunny ? Jamais elle ne voudra.

— Dis-lui que je veux des photos « avant » et « après » pour qu'on puisse les ressortir plus tard pour rigoler… quand on l'aura transformée en bombe sexuelle, bien sûr.

Pigé.

— Tu es un génie, Angela-Jean.

— Mais non, mais non. Voici mon plan. Je vais rentrer chez moi me maquiller et je t'appelle d'ici une heure pour te dire ce qu'on fait aujourd'hui. En attendant, fais-toi belle.

Et elle partit avant que l'eau ait eu le temps de se mettre à bouillir.

Bunny ouvrit la porte de sa chambre.

— C'était A-J ?

— Oui. Elle est passée en coup de vent me briefer sur mon nouveau job. Elle reviendra plus tard. N'oublie pas que l'esthéticienne vient dans quinze minutes, ajoutai-je en regardant ma montre.

— Oui, je sais. Je ferais mieux de filer sous la douche avant qu'elle arrive.

— Hum, écoute Bunny. J'ai un service à te demander.

— Oui, fit-elle avec un grand sourire.

— J'adorerais te prendre en photo avec ta coiffure de ouf.

— OK. On va bien rigoler.

Mince, qu'est-ce que c'était facile ! Enfin… jusque-là.

— J'ai un appareil jetable dans ma chambre. On le fait maintenant ?

— Maintenant ?

Bunny avait l'air horrifiée.

— Mais il faut que je prenne ma douche avant. Et je préférerais attendre que l'esthéticienne m'ait fait mon bronzage. J'ai une tête épouvantable.

— Mais c'est pour rigoler… juste pour moi et A-J. Comme ça, quand tu seras célèbre et que tu seras partie vivre dans les Caraïbes sur le yacht d'un beau milliardaire, on pourra les regarder en souvenir de notre bonne « vieille » Bunny.

En la voyant me lancer un regard dubitatif, je me dis que c'était fichu. Oh, pourquoi A-J n'était-elle pas restée pour prendre elle-même ces photos ? Elle s'en serait tirée beaucoup mieux que moi.

— Mais… mais… et mes bleus ? bredouilla Bunny en se frottant doucement les bras.

Oh non ! Elle n'allait pas encore se mettre à pleurer, et par ma faute en plus !

— Je ferais mieux de mettre un pull.

— Non ! On ne les voit même plus. D'ailleurs, ton débardeur est super mimi. Ce serait dommage de le cacher.

Je fonçai dans ma chambre chercher l'appareil avant qu'elle change d'avis.

— Ça ne va prendre que quelques secondes, la rassurai-je en m'asseyant à côté d'elle sur le lit.

Bunny se détendit, sourit et tira joyeusement la langue tandis que j'appuyais sur le déclencheur. Les photos faites, elle sauta dans la douche et commença à se préparer

A-J appela juste au moment où l'esthéticienne arrivait : elle était en route et, pendant que Bunny se ferait tartiner de produits, elle proposait qu'on aille dans un chouette resto fêter l'ouverture d'un festival. Elle ne savait plus vraiment de quoi il s'agissait, mais elle me conseilla de me mettre sur mon trente et un au cas où. Chouette, on allait bien s'amuser !

16

Nous étions assises dans un ravissant petit restaurant qui donnait sur Baggot Street et où un obscur politicien palabrait sur un festival qu'on venait d'importer en Irlande pour célébrer Dieu sait quoi. Bref, je n'écoutais pas un mot. Comme tout le monde d'ailleurs, me dis-je en regardant autour de moi. Certains envoyaient fébrilement des textos pendant que d'autres profitaient du bar gratuit. D'autres, enfin – il fallait oser ! –, papotaient bruyamment comme s'ils étaient seuls au monde.

Je cherchais des visages connus car Angela-Jean m'avait dit qu'il y aurait peut-être quelques people. Mais jusque-là, à moins d'être complètement miro, il n'y avait personne, ni de la télé ni d'ailleurs. L'homme politique était sans doute très connu dans sa circonscription, mais il n'y avait pas de quoi écrire des pages sur son look.

Quand il se tut enfin, les gens applaudirent avec entrain, soulagés que la partie gonflante de la cérémonie soit terminée et heureux de pouvoir enfin faire ce qu'ils étaient venus faire (c'est-à-dire s'empiffrer à l'œil).

— Il aurait mieux fait de faire son speech après le repas, suggérai-je à A-J.

Mon ventre gargouillait tellement que j'étais persuadée que le bruit était perceptible jusque dehors. A-J me fit un sourire entendu.

— C'est fait exprès, chérie. S'il avait parlé après le repas, il n'y aurait eu personne pour l'écouter. C'est à ça qu'on voit les gens d'expérience. Encore un peu de vin ?

Elle remplit mon verre jusqu'au bord puis attrapa un petit pain marron et sec qu'elle commença à grignoter en attendant l'entrée. Je faillis en avoir une crise cardiaque. C'était la première fois que je la voyais manger des glucides.

— Tu vas écrire quelque chose là-dessus ? lui demandai-je.

— Là-dessus ? s'exclama-t-elle. Non, non, sauf si je suis vraiment désespérée. Il n'y a vraiment personne ici.

— Mais… tu ne vois jamais personne.

— Oui, c'est vrai. Bon, il n'y a pas encore de quoi paniquer. Je commencerai vraiment à paniquer à la fin de la semaine si je n'ai pas de quoi écrire un article.

— Que fais-tu dans ces cas-là ?

— Oh, j'appelle des managers de chanteurs, des agents de mannequins ou des attachés de presse pour qu'ils me racontent des trucs.

— Et ils ont des trucs à te raconter ?

A-J pouffa de rire.

— Ils ont toujours des trucs à raconter, et s'ils n'en ont pas, ils en inventent. Ils feraient n'importe quoi pour qu'on parle de leurs protégés. Tiens, cela me fait penser que ne cesse de recevoir des appels d'un type plutôt barbant. Un certain Larry, au sujet d'un groupe qui fait un malheur en Allemagne.

— C'est quoi, son nom ?

— Larry quelque chose. Son groupe s'appelle Heartbreak Hell ou une bêtise de ce genre.

— H Club Heaven ?

— Oui, c'est ça. Tu les connais ?

— Non, mais j'ai eu droit au baratin sur le « malheur en Allemagne ». Ce type est un arnaqueur ! Il m'a invitée à dîner et j'ai fini devant une barquette de chinois froid.

— Tu as vraiment un problème avec les hommes, toi.

— Je sais. Je l'appelais même M. Pourquoi-Pas. Mais après ce rendez-vous, il est devenu M. Jamais-de-la-Vie.

— Tu l'as échappé belle ! Si son groupe est si célèbre en Allemagne, pourquoi ne harcèle-t-il pas les journalistes allemands ? J'aimerais bien savoir. S'il me rappelle, je lui dirai d'aller se faire voir de la façon la plus gentille possible.

Son téléphone se mit à sonner. Elle décrocha et resta silencieuse quelques minutes.

— OK. Merci de m'avoir prévenue, Les.

Elle se tourna vers moi.

— Rappelle-moi d'acheter l'*Evening Herald* tout à l'heure. Il paraît qu'on est en photo dedans.

Je me sentis pâlir d'un coup.

— Dans le journal ? murmurai-je. Il y a notre photo dans le journal ?

— Oui, lâcha-t-elle imperturbable en buvant une nouvelle gorgée de vin. Fais-moi penser à l'acheter au cas où j'oublierais.

Oublier ? Elle rigolait ? Je mourais d'envie d'aller l'acheter sur-le-champ ! Je n'avais encore jamais figuré dans un journal. Il y avait bien eu une photo de moi dans *Gloss*, mais c'était avec un masque sur la figure et deux tranches de concombre sur les yeux, si bien que personne ne m'avait reconnue. Là, c'était la première fois qu'on voyait ma vraie tête dans un journal. Oh ! la la ! Peut-être allait-on me reconnaître dans la rue. Peut-être serais-je obligée de porter en permanence des lunettes de soleil pour avoir la paix ? J'aurais voulu partir tout de suite, mais A-J était en train de commander un café au serveur. Apparemment, elle se fichait pas mal de tout ça.

J'aurais voulu pouvoir courir chez un marchand de journaux acheter l'*Evening Herald* et revenir le lire aux toilettes. Pas question en effet de le faire en public. Je ne voulais pas qu'on me reconnaisse et passer pour une grosse bêcheuse. Vous imaginez le truc ?

Après avoir attendu des plombes que A-J fasse la bise à quasiment tout le monde (ça ne la gênait donc pas, tout ce cirque ?), nous nous arrêtâmes chez le marchand de journaux le plus proche et A-J s'empara d'un *Evening Herald*, l'ouvrit et cria :

— Oh mon Dieu, je suis horrible ! En revanche, toi, tu es bien.

J'aurais voulu mourir. Vraiment. Deux personnes se sont tournées vers nous en pensant probablement que a) on était membres d'un girls band (d'un girls band très âgé), et b) on était d'odieuses pimbêches. Je sentis mon visage s'enflammer quand je vis une grande photo de nous au défilé de mode. Je ressemblais à miss Piggy. On ne voyait que mon double menton. Mon Dieu ! Combien de gens allaient-ils voir cette photo ? Je préférais ne pas y penser.

Je fis le chemin du retour le moral dans les chaussettes. J'étais complètement découragée. Pourquoi personne ne m'avait dit que j'étais si grosse ? Et comment tous ces kilos s'étaient-ils installés sans que je m'en aperçoive ? Je ne mangeais tout de même pas tant que ça et je faisais l'impasse sur le beurre et la bière. Je ne buvais que des vodkas au Schweppes light et presque tout ce que j'achetais était allégé. Je passais des heures au supermarché à lire la valeur nutritionnelle de chaque produit. Je connaissais aussi par cœur le nombre de calories de toutes les barres chocolatées du marché. Étonnant, non ? Si un jour il y avait un concours national des calories, je le gagnerais – et haut la main ! Une fois rentrée chez moi, je courus sur ma balance qui prenait la poussière depuis des mois.

J'avais horreur de me peser, mais les balances ne mentaient pas. De toute façon, j'avais encore plus horreur des régimes ! Il m'arrivait parfois d'en faire un draconien comme A-J. Je passais alors mes journées à regarder l'heure pour voir combien de temps il me restait avant d'aller au lit car les jours de régime sont très, très longs et très, très éprouvants. La presse spécialisée conseille de se faire des petits plaisirs pour oublier qu'on est au régime. Tu parles, avec moi, ça ne marchait pas. Au moment où je décidais de ne plus rien manger, je ne pensais qu'à ça. Pour tenir le coup, j'avais donc pris l'habitude de m'acheter des magazines santé avec des photos de femmes qui étaient passées du stade baleine au stade sauterelle. Je trouvais ces témoignages très motivants. Malheureusement, ils étaient accompagnés de tonnes et de tonnes de pages avec des photos de plats plus alléchants les uns que les autres. Dans ces moments-là, je ne buvais que du Coca light et ne mangeais que des fruits (sauf des bananes) et des barquettes de brocolis et d'épinards (beurk !). Et quand je rentrais chez moi, je m'arrêtais une station plus tôt pour faire le reste du chemin à pied. J'en bavais tellement que je me jurais de ne plus jamais regrossir. Peine perdue ! Les kilos finissaient toujours par revenir.

— Tu ne trouves pas que je suis grosse ? demandai-je à Angela-Jean.

— Eh bien, tu n'es pas *énorme*, fit-elle sans détacher ses yeux de la route, mais on a toujours l'air plus grosse en photo, si c'est ça qui t'inquiète. Ne t'en fais pas pour ça.

— Mais toi, tu as toujours l'air mince.

— C'est parce que je fais tout pour le rester. C'est un job à plein temps, tu sais. Ce n'est pas marrant, mais je me suis habituée à entendre mon ventre gargouiller !

Je n'étais pas sûre d'être tout à fait d'accord. Ce n'est pas bon de s'affamer, non ? C'est flippant d'entendre son estomac crier famine, de se sentir faible et de ne pas avoir la tête claire. Allez, il devait bien y avoir un moyen plus facile. En revanche, je ne voulais surtout pas devenir aussi mince que A-J. Elle ressemblait à un porte-manteau. Elle était trop androgyne à mon goût. Pas de seins, pas de hanches, juste une ligne droite avec une tête dessus, comme un panneau de signalisation. J'étais sûre qu'elle avait la cote auprès des créateurs, mais la plupart étaient gays, alors à quoi bon essayer de leur plaire ? Les hommes sont censés aimer les femmes bien en chair. Tout le monde le sait, sauf que... sauf que j'étais peut-être trop en chair, justement. J'aimais les jolies courbes, mais je n'étais pas certaine que celles qui se trouvaient au-dessus de ma ceinture soient le genre de courbes qui plaisent à ces messieurs.

— On est arrivées, m'annonça A-J en se garant devant un joli petit loft qui avait dû être un garage dans une autre vie. Il n'y a pas de jardin mais un petit balcon sur lequel, pendant le ou les deux soirs d'été qu'on a en Irlande, on peut voir tourner le monde en sirotant un verre de vin.

— Très joli, répondis-je sans prendre la peine de préciser qu'en fait de monde, elle n'avait qu'une minuscule venelle avec deux voitures garées dedans à admirer.

A-J chercha sa clé et la tourna dans la serrure. À l'intérieur, j'admirai le petit mais impressionnant salon/cuisine décoré dans un style tellement classe et minimaliste que je fus effrayée de le salir par ma seule présence. Un ingénieux mélange de meubles anciens et modernes donnait à la pièce une élégance discrète. Il y avait des tulipes fraîches dans un immense vase transparent sur le bord de la fenêtre qui donnait une petite touche féminine à l'ensemble. C'était l'intérieur d'une femme de goût. Ça crevait les yeux.

— C'est très beau ! Tu as de la chance.

— Merci.

Elle me sourit fièrement.

— J'aime cet endroit malgré sa petite taille. Tu veux boire ou manger quelque chose ? J'ai plein de fruits frais, si tu veux.

Des fruits frais ? Des fleurs ? J'aurais tant aimé être si bien organisée. Je ne suis pas le genre de fille qui s'achète des fleurs, même si j'adorerais le faire. C'est vrai, c'est agréable de s'acheter des fleurs, non ? Ça égaie un intérieur. Les lys que Bunny m'avait offerts sentaient encore divinement bon et me faisaient sourire chaque fois que j'entrais dans l'appartement. Chez moi, c'était plus vivant... plus bordélique. L'appart' d'Angela-Jean, lui, respirait la classe et l'indépendance. J'étais vraiment intimidée.

— Je veux bien de l'eau si tu en as, fis-je en ôtant ma veste et en la posant délicatement sur le siège d'une sublime chaise en bois.

— Plate, gazeuse ou au citron ?

J'étais scotchée par tant de formalités.

— Plate. Je bois de l'eau plate. En fait, ça m'est égal.

— Glaçons ?

— Non merci. Je peux aller me laver les mains ?

— C'est par là, fit-elle en hochant la tête vers un coin de la pièce.

J'ouvris la porte et pénétrai dans la salle de bains. Sur le coup, je faillis oublier la raison de ma venue ici. J'avais l'impression d'avoir été transportée dans un spa haut de gamme. Il y avait des piles et des piles de lotions, de potions, de parfums haut de gamme encore sous blister, de crèmes pour les pieds, d'huiles de bain, de gommages pour le corps, de coffrets de Noël, de coffrets de savons, de sublimes boîtes de talc et d'échantillons de grandes marques de maquillage qui montaient si haut que je n'osais les toucher de peur de les faire tomber sur moi et de périr écrasée dessous. J'étais estomaquée. J'avais l'impression d'être Alice au pays des merveilles. On ne pouvait presque pas bouger.

J'eus soudain envie de tout prendre et de tout essayer, comme une gamine qui aurait pénétré par hasard dans le boudoir secret de Barbie. C'était le paradis des coquettes. J'aurais voulu y rester la journée à me poudrer le nez et à essayer les cinquante différents tons de fards à joue. Comment faisait A-J pour s'extraire de là ? Et comment avait-elle eu tout ça ? Si, dans mon sac à main, j'en avais environ pour deux cents euros de produits de beauté, il y en avait pour des milliers dans cette petite pièce.

Je finis par rejoindre A-J qui s'était assise à une table en verre et sirotait un verre d'eau gazeuse où flottait une tranche de citron vert. Vous vous imaginez, vous, parfumer votre eau au citron vert ? Trop cool. Je décidai d'en faire autant au lieu de rincer le premier verre qui me tombait sous la main et de le remplir d'eau du robinet, comme j'en avais l'habitude. J'avais soudain des tas d'idées. De retour chez moi, j'allais ranger mes livres par ordre alphabétique et poser une plante prune près de la fenêtre ou quelque chose comme ça. Et je demanderais à Bunny de dégager un peu le salon. Depuis qu'elle avait emménagée, mon appart' ressemblait à une vitrine de Noël.

— Tu as des trucs d'enfer dans ta salle de bains.

Je pris mon verre et bus l'eau d'un trait. Le vin que j'avais bu à midi m'avait complètement asséché la bouche.

— Des trucs ? demanda-t-elle tout en checkant minutieusement sa manucure.

— Tous tes produits. Ça doit coûter une fortune.

— Oh, ça ? J'en utilise très peu. Et c'est loin de me coûter une fortune. En fait, je ne me souviens même pas de la dernière fois où j'ai acheté un produit de beauté. Généralement, on me les offre.

— On te les offre ?

Angela-Jean me sourit.

— Je suis aussi responsable de la rubrique beauté, me rappela-t-elle. Et les rédactrices beauté ne paient pas leurs produits.

— Sans blague ?

La vache ! J'étais trop jalouse.

— Le pire, c'est qu'avec tous ces produits gratuits, les rédactrices beauté devraient être euh… belles. Mais la plupart sont des thons, rugit-elle. Comme quoi, la beauté ne s'achète pas.

Dites donc, pour une fille qui pouvait être relativement gentille, c'était aussi une sacrée langue de vipère quand elle s'y mettait. J'étais soulagée de ne pas être la cible de ses sarcasmes. Je plaignais l'homme qui tenterait un jour de la séduire.

— Je ne culpabilise pas d'avoir tout ça gratuit. Tu sais, les rédactrices beauté sont hyper mal payées et elles passent leur temps à se faire harceler par les attachés de presse. C'est une compensation comme une autre.

— Il faudra aussi que je tienne la rubrique beauté ? Franchement, je n'y connais rien.

— Comme la plupart des rédactrices beauté ! On fait toutes semblant. On ne comprend pas un mot de ce qu'on raconte. Mais on ne refuse jamais un cadeau. On ne sait jamais, peut-être qu'un jour, l'une d'entre nous découvrira la crème qui fait vraiment fondre la cellulite ou la lotion qui rajeunit vraiment de dix ans au lieu de tous ces produits nazes dont on est censées chanter les louanges.

A-J finit son verre. Au lieu de le mettre dans l'évier en attendant la prochaine vaisselle, elle le posa dans le lave-vaisselle. J'étais si impressionnée que je fis de même.

— Bon, me lança-t-elle. On ferait mieux d'aller au bureau et de braver la tempête.

Je me sentis soudain très nerveuse. Comment allais-je faire pour m'imposer parmi les collègues d'une fille aussi glamour et aussi connue ? Ils allaient tout de suite voir que j'étais bidon. Bien sûr, j'avais bossé chez *Gloss*, mais en tant que bonne à tout faire. Là, c'était complètement différent. J'allais faire partie de l'équipe d'*Irish Femme*.

Une demi-heure plus tard, nous nous garâmes devant un bâtiment préfabriqué d'un gris sordide à Templeogue. Je ne comprenais pas pourquoi on s'était arrêtées là. Il n'y avait pas une boutique. Rien.

— Bienvenue chez *Irish Femme*, pouffa Angela-Jean.

Je fixai le bâtiment d'un œil incrédule. C'était ça ? Pas possible ! Où était le hall classieux avec le portier en uniforme et toutes les paillettes et le glamour qui allaient autour ? Non mais, franchement ! Même les bureaux de *Gloss* – qui étaient légèrement plus petits, d'accord – étaient en ville, ce qui permettait d'aller faire du lèche-vitrines à l'heure du déjeuner.

— Ça te choque ? demanda A-J en sortant de la voiture. Bienvenue dans le merveilleux monde de la mode. On y est !

Méfiante, je sortis à mon tour de la voiture et suivis A-J dans le bâtiment préfabriqué. Une femme lasse d'une cinquantaine d'années à la mine défaite mâchonnait un chewing-gum derrière un vieux bureau décati près de la porte d'entrée.

— Mary, je te présente Fiona, lui lança A-J. Elle va me remplacer quelques semaines.

La dénommée Mary me grommela une vague formule de bienvenue. Elle n'avait pas du tout l'air excitée de me voir. Ah ça non !

Je suivis A-J jusque dans l'open-space d'*Irish Femme*, qui était à peu près aussi accueillant qu'un iceberg au pôle Nord. Je frissonnai. Je ressentais presque physiquement le froid glacial qui semblait régner au-dessus des rangées trop serrées de bureaux. Deux filles nous fixèrent avec intérêt tandis qu'A-J filait la tête haute, moi dans son sillage. Elles avaient toutes l'air super jeunes et étaient sapées comme si elles devaient en rendre à un cocktail ou à une soirée. Avais-je loupé quelque chose ? A-J ne m'avait rien dit sur la façon de m'habiller.

Je me sentis soudain engoncée dans mon tailleur pantalon beige, un poil trop classique. Toutes les autres croulaient sous les accessoires. Apparemment, la grande mode chez *Irish Femme*, c'étaient les pendants d'oreilles. De même que les bottes hautes et les barrettes fantaisie, d'ailleurs. Je me sentais nue et très banale.

— Angela-Jean ! couina une femme avec des cheveux roux visiblement teints. C'était bien, ce déjeuner ?

— Pas mal… Mais rien de scandaleux. Je vais être obligée de passer des coups de fil pour essayer de décrocher un scoop bien sordide.

— Je le veux en exclusivité, aboya la femme aux cheveux rouges. Et je ne veux pas d'une resucée de tabloïds. Bonjour, je suis Cecille, la rédactrice en chef d'*Irish Femme*.

— Bonjour, je suis Fiona.

Je lui serrai nerveusement la main en essayant de ne pas suffoquer à cause de l'odeur de laque que dégageaient ses cheveux.

— Vous avez travaillé pour *Gloss* ?

— Euh… oui.

Oh mon Dieu, qu'est-ce que A-J avait bien pu lui raconter ? Pourvu qu'elle ne me prenne pas pour une de ces filles sophistiquées avec un agenda bourré à craquer de numéros top secrets.

— Ça vous a plu ?

— Oui, beaucoup, mentis-je en espérant ne pas être trahie par l'expression de mon visage.

Cecille pinça les lèvres et attendit la suite.

— J'y ai beaucoup appris… et j'ai hâte de me remettre à écrire.

Cecille haussa un sourcil parfaitement épilé. De nouveaux frissons me parcoururent. Ils ne mettaient jamais le chauffage ou quoi ?

— Je l'ai déjà pas mal briefée, expliqua A-J, qui avait perdu un peu de son arrogance au contact de sa terrifiante chef. Maintenant, je vais lui montrer mon bureau et lui expliquer les tâches quotidiennes.

— Parfait. Bon, je vous laisse, les filles.

Ses yeux verts se vrillèrent dans les miens.

— Vous êtes sous la houlette de A-J pour l'instant, mais la semaine prochaine vous serez seule et j'attends beaucoup de vous. *Irish Femme* est le meilleur magazine féminin actuel dans un marché très concurrentiel. On exige beaucoup de nos employés et on a une réputation à tenir. Tous mes vœux de réussite.

A-J me prit par le coude.

— Je vais te montrer où est mon casier dans les toilettes. Tu peux l'utiliser en mon absence.

— Merci, chuchotai-je comme une petite fille perdue dans sa nouvelle école. Et merci à vous, Cecille. Je suis ravie de travailler ici.

Elle me lança un regard cynique, genre « attends un peu de voir ». Je la détestais déjà.

Ce n'est que lorsqu'elle eut bien fermé la porte des toilettes, que A-J me parla.

— Ne t'inquiète pas pour cette vieille vache, c'est une mal-baisée.

— Mon Dieu, qu'est-ce que tu lui as raconté ? Elle me prend pour une experte en mode. Tu crois qu'elle va appeler *Gloss* pour se renseigner sur moi ?

A-J me décrocha un méchant sourire.

— Aucun risque. Faith et elle sont les pires ennemies du monde. Elles étaient ensemble à l'école de journalisme. Elles sont tombées amoureuses du même mec et Cecille ne s'en est jamais remise. Elle n'a jamais eu d'autres histoires depuis.

— Faith est toujours avec lui ?

— Bien sûr que non. Il l'a larguée. Alors elle a essayé de renouer avec Cecille, mais elle s'est fait jeter comme une malpropre. Elles ont été embauchées chez *Gloss* à peu près à la même époque et leurs prises de bec sont devenues légendaires. Quand Faith est devenue rédactrice en chef, Cecille a démissionné et est venue bosser à *Irish Femme*. Environ un mois après, la rédactrice en chef est partie en Australie et cette chère Cecille l'a remplacée. Le reste, comme on dit, est de l'histoire. Inutile de te dire que, depuis, on vit tous dans la terreur.

— Tu as peur d'elle ?

— Eh bien, pour dire la vérité, je suis pas mal épargnée. Elle doit savoir que je n'en ai rien à battre même si, parfois, elle me prend vraiment la tête. Mon job me donne beaucoup de liberté. Je dois assister à des soirées, à des événements... En revanche, elle tyrannise les stagiaires ou les jeunes recrues fraîchement sorties d'une école de journalisme. Elle prend son pied à les martyriser.

— Mais pourquoi restent-ils ? fis-je en me contemplant dans un miroir de plain-pied.

Je n'étais pas super emballée par ce que j'y voyais. Il fallait vraiment que je me mette au régime Weight Watchers. C'était censé marcher si on jouait le jeu.

— Pour avoir de l'expérience, ma chérie ! Et la plupart travaillent gratuitement parce qu'ils pensent que ça fera classe sur leur CV.

— Gratuitement ? Non ?

— Eh si. Bon, retournons à mon bureau avant que Cecille se mette à nous chercher. Au fait, elle chronomètre le temps qu'on passe aux toilettes.

Nous revînmes vers le minuscule bureau de A-J sous le regard des autres qui devaient se demander qui j'étais. J'avais l'impression d'être une petite nouvelle à l'école. A-J fit si vite les présentations que cinq secondes plus tard, j'avais déjà oublié tous les noms. Ils finissaient tous par « -ia » : Amelia, Julia et un autre nom en « -ia » absolument imprononçable.

En plus, elles se ressemblaient toutes. Cheveux raides et méchés. Un truc rose quelque part, même si ce n'était qu'une barrette. Ça m'étonnait vraiment. J'avais toujours cru que les journalistes de la presse féminine étaient fans de Vivienne Westwood.

A-J alluma son PC et vérifia ses mails.

— Bon. Qu'est-ce qu'on a au programme ? Voyons voir… l'inauguration d'un nouveau restaurant, le lancement d'une nouvelle crème de soins, l'ouverture… Elle bâilla à s'en décrocher la mâchoire. L'ouverture d'une boutique à Pétaouchnok, donc c'est non, non, non et encore non.

— Rien du tout ? tentai-je d'une petite voix pleine d'espoir. On ne va nulle part ?

A-J me lança un regard plein de pitié.

— Crois-moi, Fiona, on rigole rarement à ce genre de soirées. Vu de loin, on pourrait le penser, mais c'est du travail nocturne. Il n'y a rien de pire qu'un open-bar. On ne peut pas boire à l'œil sans se taper des attachés de presse qui vous assomment avec leurs dossiers et ne cessent de vous demander où est votre photographe. Comme si *Irish Femme* pouvait se permettre de se payer un photographe pour couvrir ces soirées débiles !

— Alors comment as-tu tes photos ? Nous, on n'en mettait pas dans les pages people parce que Faith disait que c'étaient toujours les mêmes qui se pressaient devant l'objectif et qu'elle ne supportait plus de voir leur tête.

— Les photographes people nous les envoient par mail. Ce sont les attachés de presse qui les bookent pour leurs soirées. Et quand Cecille reçoit leurs photos, elle choisit celles qui paraîtront dans le journal. Elle adore faire ça.

— Et quoi d'autre ?

— Ça, on cherche encore…

17

Nous nous tenions toutes les trois, un brin déconte-
nancées, dans une boutique de chaussures. Angela-Jean
saluait des gens de loin pendant que Bunny et moi
restions timidement plantées à ses côtés. Une jeune mannequin
décharnée qui ressemblait d'une façon frappante à un girafon
déambulait avec un plateau argenté chargé de boissons d'un rose
douteux.

— C'est quoi ? demanda A-J.

La jeune fille lui expliqua nerveusement que c'était une nouvelle
boisson, un mélange de vodka, de jus de canneberge et d'autre
chose. Nous nous jetâmes dessus. Apparemment, nous étions les
seules à être arrivées hormis quelques attachés de presse survoltés,
le propriétaire de la boutique et un photographe qui faisait de son
mieux pour nous éviter.

— C'est super, hein ? s'extasia Bunny visiblement impressionnée
par tout ce barnum. Très glamour. Tu es sûre que les boissons sont
gratuites ?

— Bien sûr que oui, soupira A-J. On ne paie jamais les boissons
dans ce boulot.

J'échangeai un regard avec Bunny pendant que A-J regardait sa
montre avec un air de profond ennui.

— J'espère que ça va bientôt se remplir, soupira-t-elle. C'est embarrassant d'être les premières. On aurait dû attendre qu'il y ait du monde pour entrer.

Mais Bunny et moi, on s'en fichait. C'était nouveau pour nous, même si ce n'était qu'une inauguration de boutique de chaussures.

— On peut en essayer ? demanda Bunny. J'adorerais en acheter.

— C'est vrai qu'il y a de belles choses, admit A-J, consciente que Bunny pourrait s'offrir la moitié de la collection sans que ça change quoi que ce soit à son compte en banque.

Bunny sirotait son cocktail rose, les yeux pétillants. Elle était jolie, ce soir-là. Ses cheveux rehaussés de mèches avaient été coupés de façon à encadrer son visage de pauvre petite fille triste. Elle ressemblait à un ange. Elle n'avait plus rien à voir avec la fille débraillée qui avait débarqué chez moi il n'y avait pas si longtemps.

Soudain, le photographe, lassé sans doute d'attendre que les vrais VIP arrivent, se dirigea vers nous. Il demanda à Bunny s'il pouvait la prendre en photo. Le visage de Bunny passa par trois dégradés de rose.

— Moi ?

Le photographe avisa alors Angela-Jean et lui demanda s'il pouvait la prendre aussi. A-J posa son verre d'un geste décontracté sur une étagère et accepta. Puis elle glissa son bras autour de la fine taille de Bunny et fit un grand sourire pendant que le journaliste les mitraillait. Je les regardais, mortifiée. Le photographe ne m'avait pas demandé de poser avec elles. J'aurais voulu disparaître. Il me trouvait donc si moche ? Il avait peur que je détraque son fichu appareil ou quoi ?

Quand le photographe arrêta de les flasher, il demanda à Bunny comment elle s'appelait. Il leva de nouveau les yeux vers elle en entendant son prénom, comme s'il cherchait à se rappeler si elle était célèbre. Il ne demanda pas le nom de A-J car de toute évidence il la connaissait. Je crus un instant qu'il allait me proposer de me prendre en photo car je ne pouvais croire qu'on pût être aussi grossier, mais il n'en fit rien. Il se dirigea vers l'entrée où quelques personnes commençaient à arriver. J'aurais voulu mourir. Je me trouvais moche comme pas possible.

A-J avait engagé la conversation avec de nouveaux arrivants comme si elle n'avait pas remarqué la façon dont le photographe m'avait snobée. Mais Bunny paraissait embêtée.

— Il doit photographier les gens deux par deux, me dit-elle en me serrant le bras pour me réconforter.

Ça ne fit qu'accroître mon cafard. Tout ce que je voulais maintenant, c'était rentrer à la maison.

J'avais terminé mon verre. Quoi ? Il fallait bien que je m'occupe pendant que Bunny et A-J se faisaient photographier, non ? La vodka m'était montée à la tête. Soudain, les chaussures me parurent beaucoup plus chouettes qu'à mon arrivée. Mais comme j'étais fauchée et que j'allais être payée des clopinettes pour mon nouveau super-boulot de la mort à *Irish Femme*, je renonçai à en essayer. J'aurais tant aimé avoir une miette de la fortune de Bunny ! Oh, arrière, mauvaise pensée ! J'étais ravie que Bunny ait gagné au loto, mais avant, je ne pensais pas que les gens empochaient vraiment l'argent. Jusqu'à présent, j'avais bien vu des individus avec un chèque et un grand sourire dans les journaux ou à la télé, mais je ne les connaissais pas et, surtout, je ne vivais pas avec eux !

— Un autre verre ?

C'était le mannequin, tout sourire. Il ne me fallut pas longtemps pour me décider.

— Oui, merci.

A-J et Bunny se resservirent aussi. On s'était pourtant juré de ne pas rester longtemps, mais apparemment, on était parties pour la nuit.

La boutique était désormais noire de monde, et bien que je sois encore vexée que cet ignare de photographe ne m'ait pas trouvée suffisamment sexy pour me photographier, la vodka faisait son effet et je scrutais la pièce avec intérêt. Je repérai Laura Woods de RTE, ainsi qu'un couple de mannequins irlandais d'une beauté renversante. Ils étaient si grands, si beaux, si sveltes qu'une partie de moi aurait voulu courir se cacher quelque part pendant que l'autre aurait désiré se précipiter vers eux pour leur demander des conseils de mode.

Du calme, ma vieille. Tu es journaliste people dans un magazine archiconnu (ouais !). Tu dois donc garder ton sang-froid.

— Oh merci, j'adorerais boire un autre de ces cocktails roses !

Je rayonnais de joie. Bunny et A-J buvaient autant que moi, ce qui m'évitait de trop culpabiliser. C'est vrai, quoi. Ce n'était pas mon genre d'aller à l'inauguration d'une boutique juste pour me saouler à l'œil. Non. Même si je devais admettre que quand j'étais à la fac, j'allais à la moindre causerie pour boire un verre de vin *gratis*. Triste. Moi ? Oh, si peu ! Mais j'étais jeune à cette époque, et fauchée. Aujourd'hui, j'étais plus vieille… et toujours aussi fauchée. Je chassai de mon esprit cette pensée déprimante et me concentrai sur le côté glamour et amusant de mon nouveau job, nonobstant ma sorcière de chef. Si A-J avait tenu le choc deux ans, je devais pouvoir lui résister pendant quelques semaines.

Nous fûmes soudain rejointes par une femme d'une trentaine d'années avec de longs cheveux bouclés bruns et un visage recouvert d'une épaisse couche de fond de teint orange. En souriant, elle dévoila une rangée de grandes dents maculées de rouge à lèvres violet.

— Salut, Angela-Jean. Merci d'être venue.

— Il n'y a pas de quoi, lui répondit A-J avec le même sourire suave. Je te présente Fiona, qui va me remplacer quelques semaines à *Irish Femme*.

Je lui serrai la main pendant qu'elle me dévisageait d'un air soupçonneux avant de me tendre un dossier de presse et un CD.

— Merci, m'écriai-je en espérant que ce soit le dernier album de U2.

Elle regarda curieusement Bunny.

— Excusez-moi, vous êtes… ?

Bunny devint aussi cramoisie que si on l'avait surprise sans invitation aux Oscars.

— C'est Bunny Maguire, coupa A-J. C'est la seule people qui soit arrivée, non ? Il y en a d'autres qui viennent ?

Maintenant, c'était l'attachée de presse qui avait l'air mal. Elle se creusait visiblement les méninges pour essayer de la resituer.

— Quelques participants de *You're a Star* devraient passer. Et aussi Mandy Delby. Tu sais, le mannequin qui sort avec ce joueur de Liverpool… à moins que ce soit Chelsea.

— Sais pas, fit A-J comme si on venait de lui dire que le joueur de flûte de Hamelin arrivait avec sa cohorte de rats. Mais j'irai lui toucher deux mots s'il n'y a personne d'autre.

L'attachée de presse, visiblement déstabilisée, souhaita la bienvenue à Bunny en lui disant de ne pas hésiter à se servir.

— On fait trente pour cent de réduction ce soir, ajouta-t-elle précipitamment.

— Super.

Bunny avait l'air ravie.

— Dans ce cas, je ferais mieux d'acheter la boutique !

— Pourquoi pas ? s'esclaffa son interlocutrice de plus en plus mal à l'aise. Bon, je dois accueillir les autres invités. Bonne soirée, les filles.

— Je suis censée être là ou quoi ? s'enquit nerveusement Bunny en regardant la femme décamper comme s'il y avait un chien de chasse qui aboyait férocement après elle.

— Bien sûr que oui, lui assura A-J. Tu es mon invitée. Tu as autant le droit d'être là que les autres. Et il est hors de question que j'aille dans ce genre de soirée seule. Maintenant, elle doit penser que tu es une it girl dont elle n'a pas encore entendu parler ou une star internationale en visite chez nous. Je vais lui dire que tu vas enregistrer un disque ou un truc du genre. Ou que tu es une immense dramaturge au Japon. Avec un nom comme le tien, ça pourrait être vrai, non ?

— Tu crois ?

Bunny était rouge pivoine, soit de joie, soit à cause de sa quatrième vodka.

Quelqu'un avait pris la parole. Ce devait être le propriétaire de la boutique. Nous lui fîmes tous face pour l'écouter, mais moi j'étais ailleurs. J'avais les yeux rivés sur une paire de grandes bottes en cuir acajou. Elles étaient placées juste derrière l'homme qui nous bassinait avec l'histoire de sa boutique. Oh mon Dieu, si seulement je pouvais me les offrir ! Pourquoi m'avait-on bloqué ma carte de crédit ? Et pourquoi devais-je faire ressemeler toutes mes chaussures chaque année au lieu de claquer mon argent comme bon me semblait ?

Je notai soudain la présence de Mandy Delby qui souriait dans le vide à nos côtés.

— Tu passes une bonne soirée ? lui demanda A-J.

— Oui, répondit-elle d'un air absent.

— Tu aimes leurs pompes ?

— Oui, mais je ne pourrais pas les porter car il me faut des chaussures spéciales à cause de mes cors aux pieds.

— Ah !

— Mais dans ton article tu peux dire que je les adore, si tu veux. Ce n'est pas un problème.

— Parfait. Merci. Tu es toujours avec euh… ?

— David. Oui, mais on n'en est qu'au début. On est plus « bons amis » qu'autre chose.

— De bons amis qui s'amusent bien ensemble.

— Euh… euh… oui. On ferait mieux d'écouter ce qu'il dit. Si tu veux plus d'infos, appelle mon agent. Il sait toujours ce qu'il faut dire. Voici ma carte. Au fait, j'adore ta rubrique. Je la lis tous les mois.

— Semaines.

— Semaines ?

— Oui, c'est une rubrique hebdomadaire.

— Oh !

— Allez, lança A-J quand le type eut fini son speech, on s'en va. Bunny se décomposa.

— Mais je n'ai encore rien essayé. Je ne peux pas partir sans avoir acheté quelque chose.

A-J accepta à contrecœur de rester encore un peu, le temps que Bunny essaie des tonnes de chaussures et de bottes avec lesquelles elle parcourait la pièce en vacillant. Elle ne tenait pas très bien l'alcool, vous vous rappelez ? Ce fut donc sous le regard curieux des invités qu'elle déambula dans la boutique juchée sur des talons incroyablement hauts. J'avais tellement peur qu'elle se casse la figure que je gardais les doigts croisés dans mon dos.

Au bout de quelques minutes, Bunny vint vers nous avec la paire de bottes qui me faisait fantasmer depuis le début de la soirée.

— Tu les aimes ? Tu veux les essayer ? Je veux voir comment elles font sur quelqu'un d'autre avant de les acheter. C'est juste pour être sûre, tu comprends ?

Mais pourquoi me torturait-elle ainsi ? Qu'avais-je fait pour mériter d'être humiliée à ce point ? Je ne voulais pas traverser la pièce avec une paire de bottes que je ne pourrais jamais m'offrir. Pourquoi ne demandait-elle pas à A-J de les essayer ?

— Bon, d'accord, soupirai-je.

En enlevant ma chaussure gauche, je vis qu'il y avait trois trous au bout de mon collant. Je la remis promptement en espérant que personne n'avait rien vu.

— Tu ne veux pas les essayer ?

— Non, franchement, je n'en ai pas très envie.

J'étais mortifiée.

— De toute façon, elles ne me plaisent pas vraiment.

— Passe-les-moi, dit A-J.

Sitôt dit, sitôt fait. Elle fit un aller-retour avec la grâce d'une top model sur un podium.

— Je vais les acheter ! s'exclama Bunny. Et j'en prends une seconde paire pour toi, A-J.

— Non, c'est trop. C'est hors de question.

— Oh que si, insista Bunny pendant que mon moral dégringolait en dessous de zéro.

Si je les avais essayées, me les aurait-elle offertes ? Oh, pourquoi étais-je sortie avec un collant troué comme une vieille mémé ? Je devais me ressaisir et ne pas oublier que je faisais désormais partie de la jet-set. Parfaitement... Je devais être prête à toutes les éventualités.

Bunny et A-J étaient toujours en train de se chamailler à propos des bottes quand Bunny fonça à la caisse avec sa carte de crédit. Elle avait aligné environ six paires de bottes et de chaussures devant elle. Elle s'en tira pour mille euros pile (après remise). Imperturbable, elle tapa son numéro de carte Bleue.

En voyant cela, l'attachée de presse avec le rouge à lèvres sur les dents en tomba pratiquement à la renverse, d'autant qu'elle était toujours incapable de se rappeler d'où sortait cette fille.

— Ton amie Bunny est vraiment fabuleuse, lança-t-elle à Angela-Jean qui visiblement était excédée d'avoir passé la dernière demi-heure à essayer de partir et à répéter à qui voulait bien l'entendre que quand on avait été à une soirée comme ça, on les avait toutes faites.

— Elle est l'âme des soirées, lui confia A-J.

Je n'en croyais pas mes oreilles. C'était quoi, ce bazar ? A-J faisait l'éloge de ma nouvelle coloc' alors qu'elle n'était jamais sortie avec elle auparavant.

— Oh oui, une soirée n'est pas une vraie soirée sans Bunny. Malheureusement, elle est trop occupée pour sortir. Elle vient de terminer un film à L.A. Mais elle adore venir à Dublin car, ici, personne ne l'embête.

Lorsque nous nous décidâmes enfin à partir, l'attachée de presse, surexcitée par toutes les sottises que A-J lui avaient débitées, accosta Bunny, sa carte de visite à la main.

— Si vous avez besoin de quoi que ce soit, surtout n'hésitez pas à m'appeler, lança-t-elle à Bunny, laquelle était médusée. Au fait, vous a-t-on donné vos cadeaux, les filles ? Attendez un instant.

Elle fila derrière le comptoir et en revint avec trois sacs. J'étais aux anges. Ça me rappelait les anniversaires quand j'étais petite, où l'on nous offrait un sac de surprises pour nous faire oublier que nos mères arrivaient toujours au moment où l'on commençait à s'amuser.

— C'est quoi ? demanda Bunny.

A-J la foudroya du regard.

— Oh, qu'est-ce que vous êtes drôle ! A-J avait raison. Vous êtes l'âme des soirées. Vous tournez dans des comédies ?

— Pardon ?

— Des comédies ?

— Oh oui, j'aime beaucoup ça. Vous avez vu la suite de *Bridget Jones* ?

— Oh mon Dieu, vous jouez dedans ?

Bunny avait l'air sidérée.

— Bon, on ferait mieux d'y aller ! coupa A-J. Encore merci !

L'attachée de presse nous salua en laissant échapper un petit rire qui sonnait faux.

— J'espère vous revoir bientôt. Toutes les trois. Surtout vous, Bunny. Je vais louer le nouveau *Bridget Jones* pour vous voir. Bonne chance pour la Nouvelle-Zélande, Angela-Jean. Ne reviens pas trop bronzée, sinon je serai jalouse.

— Elle est bizarre, cette fille, non ? demanda Bunny quand l'autre eut le dos tourné.

Puis elle se mit à farfouiller dans son sac de cadeaux, comme une gamine dans une pochette surprise. Toute contente, elle en ressortit un vernis à ongles bordeaux, un grand flacon de dissolvant, une lime à ongles toute douce et une petite boîte de bonbons.

— Waouh ! Trop cool ! Ils sont super sympas. Je reviendrai dans cette boutique, ça, c'est sûr. Hé ? fit-elle en se tournant vers moi, tu as vu le CD ?

— Oui, c'est un CD rempli de photos de chaussures.

— Oh !

Bunny avait l'air déçue, mais pas autant que moi quand j'avais découvert en quoi consistait notre cadeau. Mais Bunny me faisait marrer. Elle nous rabattait les oreilles avec des « qu'est-ce qu'ils sont sympas dans cette boutique » et « quels chouettes cadeaux ». Elle avait quand même un pet au casque ! En cinq minutes, elle avait claqué un salaire mensuel en chaussures et elle était tout excitée d'avoir eu du vernis à ongles *gratis*. Je ne comprenais vraiment pas bien. Oh mon Dieu ! c'était mon premier jour dans la place et j'étais déjà perdue. À ce rythme, à quoi allais-je ressembler dans un mois ?

J'aimerais bien encore traîner un peu, nous annonça-t-elle brusquement alors que nous nous dirigions vers Grafton Street, chargées comme des mulets.

— Moi, je rentre, répondit A-J. Je pars en Nouvelle-Zélande dans quelques jours et je n'ai encore rien préparé. Si vous allez boire un verre, allez-y mollo. On doit être au bureau à neuf heures demain matin, Fiona. Si tu es en retard, Cecille te fera une tête comme ça.

— Tu pourrais me prendre mes sacs et les apporter à Fiona demain ? demanda Bunny.

— Bien sûr. Et encore merci pour les bottes. Elles sont sublimes.

— De rien, fit Bunny en embrassant l'air à deux centimètres de ses joues.

Dieu qu'elle apprenait vite !

— Bon, on va où ?

— Où tu veux, mais tu as entendu A-J, ma chef va me faire la peau si j'arrive en retard.

— Tu n'auras qu'à lui dire que tu étais à la chasse aux scoops.

C'était dit avec tellement de fraîcheur que je ne pus m'empêcher de rire.

Nous nous rendîmes au Cocoon dans le Hibernian Mall. C'était plein de gens beaux et minces. En comparaison, j'avais l'air d'être miss Piggy. Quelques têtes se tournèrent quand Bunny fit son entrée. Cette attachée de presse n'était donc pas la seule à la trouver intéressante. Je dois avouer qu'elle avait quelque chose de fascinant. Elle planait à quinze milles et pourtant elle se sortait toujours des pires situations. Pour dire les choses crûment, c'était le genre de fille capable de tomber dans une fosse à purin et d'en ressortir en sentant la rose.

Au Cocoon, Bunny demanda la liste des cocktails. Je me promis de n'en boire qu'un. Parfaitement, un seul. Un seul et unique cocktail. Je pris un Sex on the Beach et Bunny commanda un Bloody Mary.

Nous prîmes place près de la porte pour voir entrer et sortir les gens. On se serait cru sur un plateau de tournage. Bunny était dans son élément. Elle m'expliqua que dans son village il n'y avait pas de bars branchés, juste de vieux pubs sans musique fréquentés par des vieillards grincheux et taiseux. Il n'y avait qu'un bar de jeunes et, comme tout le monde était sorti avec tout le monde, quand quelqu'un de nouveau arrivait, c'était l'événement.

— Sans rire, même toi, on te prendrait pour une star, si tu y allais. C'est l'enfer.

— Mais on doit quand même bien s'éclater le soir, à la campagne ?

Bunny but une nouvelle gorgée et fit la grimace.

— Oui, si tu n'y restes qu'un ou deux soirs, mais si tu y vis à longueur d'année, c'est mortel.

— Mais tu n'es jamais allée dans une grande ville ? C'est quoi, la plus grosse ville, près de chez toi ?

— Dundalk. C'est pas mal parce qu'il y a des tas de pubs. Mais il faut savoir où aller. On s'amuse bien au Ridley's. En plus, il y a un night-club à l'étage où, parfois, de bons groupes se produisent. Et le McManus est le spot préféré des élèves de l'IUT. Mais, au fond, je voulais venir m'installer à Dublin afin d'avoir une vie décente.

— Et ça va, tu n'es pas déçue ? Dublin peut paraître grand à première vue, mais quand on sort tous les soirs on finit par se croire dans un village. On voit toujours les mêmes têtes et, à la longue, ça devient lassant. Moi je rêve d'aller vivre à Londres.

— On a tous envie de changement, non ? Je parie que si tu vivais à Londres tu rêverais d'aller t'installer à New York.

Sur cette remarque pertinente, je la quittai pour aller aux toilettes me repoudrer le nez. Il était tard. Je devais rentrer. On n'aurait qu'à se faire une vraie soirée plus tard dans la semaine, peut-être vendredi, au Renards ou ailleurs, au cas où Colin Farrell y traînerait.

Je me redonnai un petit coup de brosse devant la glace. Je n'avais pas vraiment l'air sexy. En fait, pour dire la vérité, j'avais une tête épouvantable. Pas étonnant que les photographes m'ignorent. Mais bon, c'était peut-être la vodka qui me rendait parano. J'en avais peut-être trop bu.

De retour au bar, je vis Bunny en train de recommander des cocktails. J'accusai le coup. Elle jouait à quoi ? Madame pouvait se permettre de se saouler, mais moi, je devais me lever aux aurores. Apparemment, elle ne faisait aucune différence entre la semaine et le week-end.

— Je passe mon tour, lui dis-je d'une voix mal assurée.

Elle se décomposa, mais je n'allais pas me laisser impressionner par ses airs de pauvre petite fille triste. Il était tard. Je voulais dormir.

— Mais je suis tombée amoureuse ! m'annonça-t-elle en se mettant théâtralement la main sur le cœur. Sans blague. Je viens de rencontrer l'homme de mes rêves.

— Je suis ravie pour toi, mais il va falloir qu'il reste dans tes rêves parce que j'ai une longue journée demain et que je ne veux pas me faire virer dès le premier jour. Allez, finis ton verre.

Bunny me lança un regard malheureux.

— Tu ne me crois pas, n'est-ce pas ? C'est pourtant vrai. J'étais au bar en train de commander nos cocktails et de dire au barman de ne pas oublier les ombrelles en papier quand j'ai vu ce type à côté de moi. Ça a été un vrai choc.

— Je veux bien te croire.

— Sans rire. C'est l'homme de mes rêves. Il est grand, brun et beau. Tu as déjà entendu parler du coup de foudre ?

J'acquiesçai d'un air las.

— Eh bien, c'est la première fois que je vois un mec et que je me dis : « Oh mon Dieu, je crois bien que c'est lui. »

— Tu lui as parlé ? demandai-je en portant lentement mon verre à mes lèvres.

— Plus ou moins. Il m'a demandé ce que je fêtais, et comme je ne voulais pas lui avouer qu'on revenait de l'inauguration d'un magasin de chaussures, je lui ai dit que c'était mon anniversaire. Il était tellement beau que je ne pouvais pas décoller mes yeux des siens…

— C'est lequel ? C'est tellement rare les beaux mecs à Dublin que je dois voir ça. Il est où ?

J'étais quasiment sûre qu'en le voyant je ne le trouverais pas aussi dément qu'elle voulait bien le dire. Ce n'était pas de la méchanceté de ma part, mais j'avais l'impression que Bunny trouvait tous les Dublinois à son goût. Elle n'avait pas l'habitude des gars des villes, mais elle apprendrait vite. Ce sont des sales gosses pourris gâtés. C'est vrai ! La plupart des mères dublinoises mettent leurs fistons sur un piédestal et eux, forcément, ils se la jouent.

Bunny regarda autour d'elle sans parvenir à le voir.

— Il doit être assis dans un coin. On ne peut pas le louper. On dirait une version plus classe de Colin Farrell.

Mon Dieu, cette fille était insortable !

— Tu sais ce qu'il a fait ? poursuivit-elle. Il m'a demandé mon âge et m'a offert nos boissons en me souhaitant un bon anniversaire.

— Vraiment ?

Là, j'étais impressionnée. C'est rare qu'un Irlandais ait ce genre de geste. Généralement, pour draguer, ils taxent une cigarette.

— Bien sûr, j'ai refusé, mais j'étais flattée. Je ne pouvais pas vraiment lui dire de garder ses sous parce que j'avais gagné au loto, non ?

— Non. Il vaut mieux ne pas le claironner partout. Moins ça se sait, mieux c'est. Mais tu as quand même de la chance. Je ne me souviens même pas de la dernière fois où un type m'a offert un Coca. Alors un cocktail ! Il faut absolument que je le voie en partant.

— On part vraiment ?

Bunny avait l'air effondrée.

— Oui et tu sais pourquoi. On se lâchera vraiment ce week-end.

— Et si je ne le revoyais jamais ? Je dois au moins savoir son nom.

— Si ça doit se faire, ça se fera.

Et non contente de ce magnifique lieu commun, je lui en balançai un autre :

— Fais confiance au destin.

Je me levai et pris mon manteau. Bunny fit de même.

— N'oublie pas de me le montrer quand tu le verras. Je veux voir cet extraterrestre.

— D'accord.

— S'il ne te plaît pas, je la mange, fit Bunny en me montrant son écharpe qu'elle mit autour de son cou.

En sortant du bar, je scrutai avidement les lieux dans l'espoir de voir le fameux prince charmant. Nous étions tout près de la sortie lorsqu'il se retourna d'un coup et que nos regards se croisèrent. Trop choquée pour pouvoir parler ou même le saluer, je continuai à marcher. Une fois dehors, je respirai un grand coup et soufflai profondément.

— C'était le type en chemise blanche ?

— Oui, me confirma Bunny les yeux perdus dans le vague. Il est canon, hein ?

— Il est très beau, mais le physique ne veut rien dire. Il vaut mieux l'oublier.

Elle me regarda d'un air incrédule.

— Pourquoi ?

— C'est pour ton bien.

— Donc tu le connais. Tu sais comment il s'appelle ?

— Il s'appelle Connor, balbutiai-je en mettant mes gants. Et il va bientôt être papa.

18

J'étais fracassée. Impossible de dormir. Et le pire, c'est qu'il fallait que je me lève deux heures plus tard. Mon réveil scandait bruyamment son tic-tac et la lumière projetée par la pleine lune s'immisçait entre mes rideaux. J'aurais tant voulu dormir, tant ne pas penser à Connor, mais c'était mission impossible. C'était quoi, mon problème ? Pourquoi avait-il fallu que je le revoie ? Et pourquoi était-il tombé direct sur Bunny ? Et pourquoi, pourquoi était-il si beau ?

Je me méfiais pourtant des beaux garçons. Ce sont des joueurs. Ils tombent les filles par paquets sans avoir besoin d'être charmants ou drôles. Ils n'ont qu'à apparaître quelque part pour que de pauvres idiotes comme Bunny se liquéfient. Heureusement, moi, j'étais forte. J'avais bien vu que Connor me regardait comme si j'étais la seule femme présente au Cocoon bien qu'il ait fait du gringue à ma coloc' quelques minutes plus tôt. Et même si je dois admettre que ça m'avait touchée de le voir, j'étais contente d'avoir pu partir la tête haute. Les hommes ne devraient pas avoir le droit d'être aussi beaux. Ils ne se servent de leur beauté que pour nous faire souffrir. Dans le cas de Connor, il devrait avoir une mise en garde du ministère de la Santé imprimée sur son front. Et où était Ellie, la mère de son enfant ? Apparemment, ça ne semblait pas le gêner de savoir qu'on avait été les meilleures amies du monde. Il

devait posséder un sens de l'humour assez particulier. J'aurais tellement aimé qu'il disparaisse de la surface de la terre pour pouvoir
aller boire un verre sans risquer de tomber sur lui. Le pire, c'est
qu'il occupait tellement mes pensées que je ne parvenais pas à
m'endormir !

Je venais à peine de fermer les yeux que mon réveil sonna. Je
grognai, me retournai et le fis valdinguer par terre en éjectant les
piles du boîtier. Allez, encore cinq minutes au lit... ou dix. Dieu
que j'étais fatiguée !

Je finis par me traîner péniblement sous la douche et me mis
bizarrement à penser à la salle de bains de A-J. Peut-être, dans
quelques semaines, la mienne serait-elle aussi remplie de fabuleux
produits pour me pomponner et me faire belle ? Cette pensée
m'arracha un sourire.

Il me fallut plus d'une demi-heure pour aller à Templeogue.
J'étais en avance, mais, chose incroyable, A-J était déjà à son
bureau en train de lire ses mails, une grande tasse de café noir
fumant devant elle.

— Bonjour, ma belle, me lança-t-elle joyeusement. Tu as veillé
tard, hier soir ?

— On a juste pris un verre et on est rentrées. On a été calmes.
J'ai été raisonnable. Je suis rentrée à minuit.

— Il y avait du beau monde ?

— Pas spécialement. En revanche, j'ai eu le malheur de voir
Connor. Ça m'a gâché la soirée.

— Connor ? Le fiancé de ta copine ?

J'eus soudain la nausée.

— Fiancé ? fis-je d'une petite voix en m'asseyant.

A-J haussa les épaules.

— Je ne sais plus. Quelqu'un a dû me le dire hier, à la soirée.
Mais ça n'a rien d'étonnant. Elle est enceinte et ils vivent
ensemble, alors... Bon, assez parlé d'eux. Si tu commençais à te
rendre utile ? Va d'abord te faire un café, et ensuite ouvre le

courrier. Il y en a un sac entier ce matin. C'est toujours la folie avant Noël. Les fabricants de cosmétiques nous envoient tous leurs nanards.

Tandis que j'allumais la bouilloire, A-J m'informa qu'il fallait donner un euro par semaine pour avoir libre accès au café, au thé, au sucre et au lait.

— Tu vois la boîte en plastique blanc, là ? Tu y mets ta pièce et tu biffes ton nom sur la liste. Cecille tape une nouvelle liste chaque lundi pour être sûre que tout le monde paie. Et on n'a pas intérêt à lui faire remarquer que c'est la seule à prendre du lait avec son café. C'est la règle.

Je me fis un café noir et pris une pièce d'un euro dans mon porte-monnaie. Je vis que mon nom apparaissait déjà en bas de la fameuse liste et le biffai au stylo rouge. Ce faisant, je ne pus m'empêcher de penser à quel point c'était anti-glamour pour un magazine comme ça. Franchement, ils devaient être rares les patrons qui avaient le temps de faire des règlements aussi idiots.

Je m'assis à côté de A-J et m'attaquai à l'énorme pile de courrier. Excitée comme une gamine à Noël, j'ouvris d'abord les paquets – sans les avoir secoués pour savoir ce qu'ils contenaient, bien sûr. Le premier renfermait une bougie parfumée à l'orange. Elle était accompagnée d'un dossier de presse sur une boutique qui vendait des trucs new age et d'une invitation pour aller la visiter.

— Tu iras ? demandai-je à A-J.

— Ça m'étonnerait. Tu te rappelles ? Je pars en Nouvelle-Zélande. Mais tu pourras y aller si tu veux. Garde la bougie. Elle fera bien chez toi. Ou offre-la à Bunny. Au fait, comment va-t-elle ce matin ? Elle était pas mal partie hier soir, non ?

— Je ne sais pas, je ne la vois jamais le matin. Quelle chance elle a d'avoir gagné au loto ! Elle n'est pas obligée de se lever, elle. Parfois, je l'envie vraiment. Surtout quand je dois me lever dans le noir et le froid pendant que madame la comtesse est toujours dans les bras de Morphée.

— Je ferai pareil en Nouvelle-Zélande. Je me lèverai avec le soleil sans qu'un satané réveil se mette à carillonner. C'est inhumain et cruel d'être tirée brutalement du sommeil cinq matins par semaine, tu ne trouves pas ?

— Si. Hé, tu as une invitation pour la sortie du nouvel album des Westlife.

— Ah bon ? Super, ils sont très drôles. C'est quand ?

Je jetai un coup d'œil à l'invitation.

— Dans deux semaines.

— Dans ce cas, je n'irai pas. Tant pis... tu iras à ma place. Et emmène Bunny. Je parie qu'elle s'éclatera. Mais dis-lui de ne pas se ridiculiser en demandant des autographes. C'est trop la honte.

— Oui, c'est vrai qu'elle aime les beaux gosses. Elle s'est presque évanouie en voyant Connor au bar, hier soir. C'est vrai qu'il est canon, mais c'était *too much*.

— Il pourrait être mannequin, non ? fit A-J en supprimant les messages d'agences de presse de sa boîte de réception.

— Oui, mais il est trop intelligent pour ça. Je ne le vois pas parader sur un podium en boxer de soie avec une rose coincée entre les dents. Il a une vraie personnalité... et des neurones. J'aimerais juste mieux le comprendre.

— Tu es amoureuse de lui..., me lança-t-elle avec un méchant sourire.

— Pas du tout.

— À d'autres !

— Il ne m'intéresse pas le moins du monde. Surtout depuis que je sais qu'il va être papa. Tout ce que je dis, c'est que c'est rare pour un homme d'être si beau et si intelligent. C'est juste une remarque comme ça.

— Il est donc presque parfait, mais il est pris.

— C'est ça.

— Bonjour mesdames.

La voix forte et tonitruante de Cecille nous stoppa net.

— Comment s'est passée la soirée d'hier ? Vous avez appris quelque chose ?

— Oui, Lainey H est à nouveau enceinte.

— Super, ce n'est pas encore sorti dans la presse ?

— Non. Je croise les doigts pour que personne ne vende la mèche avant moi. Elle ne l'a pas annoncé officiellement. Je l'ai su par mes indics, mais je dois lui demander confirmation avant d'en parler. Il ne faut pourtant pas qu'elle apprenne que je suis seule sur le coup, sinon elle va le dire à tout le monde. Tu sais de quoi sont capables ces femmes de riches.

— Hum. Quoi d'autre ? Pas de ruptures, de grossesses non souhaitées, d'histoires salaces, de mannequins qui sortent avec des footballeurs, ce genre de choses ?

— Pas pour le moment. Mais j'ai plusieurs affaires sur le feu.

En entendant ça, je sentis mon cœur s'emballer. Et si rien ne se passait ? Si personne ne quittait personne cette semaine ? Si aucune actrice ne tombait enceinte de son amant ? Qu'est-ce que je ferais, moi ? Quand on tient une rubrique people, on peut difficilement imprimer une page blanche, n'est-ce pas ?

En entendant son portable sonner, Cecille s'éloigna pour prendre l'appel. A-J lui fit une grimace dans le dos.

— Elle se croit où ? À Beverly Hills ? J'aimerais qu'un jour elle comprenne qu'ici il ne se passe pas un truc nouveau chaque semaine. Dublin, c'est un peu la mort. J'en ai assez d'écrire des trucs sur des gens débiles et leur petite vie minable.

— C'est super stressant, ce job, non ?

Si A-J avait du mal à trouver des histoires, comment allais-je faire, moi ? Je serais comme un poisson se débattant sur la grève. Il était peut-être encore temps de faire marche arrière.

Nous fûmes interrompues par une étudiante « en quête d'expérience » qui nous tendait les journaux du jour. Je savais à présent que ces filles qui venaient se faire les dents dans la presse féminine passaient la plupart de leur temps à préparer du thé, à poster du courrier, à répondre au téléphone et à dispatcher les journaux. De quoi les dégoûter à jamais de ce milieu.

Je continuai à ouvrir le courrier de A-J. Il y avait un nombre incroyable de trucs inintéressants : deux tickets pour aller voir un obscur artiste qui faisait son *one-man show* à Donegal mercredi soir, le lancement d'une nouvelle ligne de collants haut de gamme dans un hôtel du centre-ville jeudi soir (rafraîchissements compris), un étui à lunettes contenant une carte de visite (mais malheureusement pas de lunettes de soleil), une tranche de gâteau de mariage en plastique (je vous jure que c'est vrai) pour annoncer un salon du mariage la semaine suivante, et un cintre pour faire la pub d'une nouvelle boutique.

— C'est tout le temps comme ça ? geignis-je en commençant à déchirer les dossiers les uns après les autres tout en pensant aux arbres qu'on avait abattus pour ça.

— Plus ou moins. Il y a des semaines pires que d'autres. En été, c'est plutôt calme, car tout le monde est en vacances et il faut se creuser les méninges pour transformer une info médiocre en scoop du siècle. Les mois d'octobre et de novembre sont particulièrement speed car toutes les grosses boîtes veulent qu'on parle d'elles avant le grand rush de Noël.

— Et ça t'arrive d'avoir de beaux cadeaux ?

— Mouais, fit-elle avec une grimace d'intense réflexion. Une fois, j'ai eu un téléphone portable, et puis aussi de très bonnes crèmes et du très bon maquillage, ainsi que deux séances de massage dans un spa de luxe. Un jour, j'ai également reçu une sublime montre en argent fin, mais la plupart du temps ce sont des gadgets à chier qui prennent une place dingue chez moi.

— C'est mieux que rien. Moi, tout ce que j'ai eu chez *Gloss*, c'est une ombre à paupières pailletée bon marché dont personne ne voulait, deux bouquins avec des couvertures rose vif qui partaient à la poubelle, et un CD d'un groupe folk dont je n'avais jamais entendu parler auparavant... ni depuis d'ailleurs. En revanche,

Faith avait pratiquement besoin d'une valise pour rapporter tous ses cadeaux chaque soir à la maison. Elle aurait pu ouvrir une boutique avec tout ce qu'elle recevait.

A-J éclata de rire.

— Tu sais ce qui serait vraiment glamour ?

— Quoi ?

— D'avoir un boulot super bien payé et qui nécessiterait d'aller se faire pomponner dans ses instituts préférés, d'acheter toutes les crèmes qu'on veut chez Brown Thomas ou encore d'aller chez Hughes and Hughes choisir le livre qu'on veut au lieu de se voir offrir un bouquin ennuyeux à pleurer et du maquillage à deux balles qui donne des boutons. Alors… Alors, oui bien sûr, *Irish Femme* est le top des magazines féminins et il est dans notre intérêt à tous d'écrire de beaux articles que nos lectrices auront envie de lire.

Un instant. Pourquoi A-J s'était-elle mise à parler aussi mécaniquement qu'une poupée ? Ah, maintenant, je comprenais. Cecille se dirigeait vers notre bureau. Je me mis à hocher vigoureusement la tête comme une étudiante butant sur un problème de maths et à prendre fébrilement des notes (alors qu'en fait je me contentais de griffonner encore et encore mon nom). Ce n'était pas évident de se détendre avec cette vieille vache qui vous soufflait dans le cou.

À onze heures, nous fîmes la pause réglementaire de dix minutes. Dans la minuscule salle qui faisait office de cafétéria, A-J m'informa que Cecille devait se rendre à l'avant-première du dernier film de Brad Pitt après le déjeuner. Comme je lui demandai pourquoi elle n'y allait pas elle-même, elle m'expliqua que c'était Cecille qui tenait la rubrique cinéma.

— Eh bien, au moins, elle fait quelque chose ! Ravie de l'apprendre, chuchotai-je. Depuis le début, je croyais qu'elle se contentait de tyranniser les gens autour d'elle.

— Elle n'écrit pas vraiment les critiques, rectifia A-J. Elle les récupère sur Internet et les récrit à sa sauce. Ça reste entre nous, bien sûr.

— Bien sûr. Mais c'est scandaleux.

— L'essentiel, c'est que nos annonceurs soient contents, fit A-J d'une voix exagérément forte. C'est vrai quoi. Ce sont eux qui paient nos salaires. Notre priorité, ce sont nos clients.

Je n'eus même pas à me retourner pour deviner que Cecille rôdait dans les parages. Nous retournâmes ventre à terre à nos bureaux. A-J se mit à découper des articles dans des journaux pour s'en inspirer éventuellement. J'en profitai pour feuilleter de vieux *Irish Femme*, histoire de me familiariser avec le style de sa rubrique. Entre nous, c'était toujours à peu près pareil.

« Comment perdre des kilos dans la joie et la bonne humeur »,
« Mangez tout ce que vous aimez en maigrissant », « Le régime Bikini »,
« Comment être une hôtesse parfaite », « On n'est jamais trop vieux pour
tomber amoureux », « Quel cours du soir vous convient le mieux ? »,
« Comment savoir s'il vous trompe ».

Pour être tout à fait honnête, c'était plutôt déprimant. Et pourquoi mettait-on des régimes austères sur une page et des recettes de fondant au chocolat sur l'autre ? Si tous les hommes étaient infidèles, alors à quoi bon faire tous ces tests pour savoir s'IL est fait pour NOUS ? Si j'avais été rédactrice en chef, je m'y serais prise différemment. J'aurais commandé des articles du genre :

« Comment lui faire mal quand il a fauté », « Comment LE faire mai-
grir », « Comment gérer vos finances », « Comment passer une nuit de
folie avec vos copines », « Comment rester une sale égoïste de célibataire ».

Bon, d'accord, avec ce genre d'articles, il y avait un risque pour que les ventes chutent brutalement et que les demi-dieux qu'étaient les annonceurs soient mécontents. Mais pourquoi nous infligeons-nous ça ? Pourquoi voulons-nous maigrir, être belles, intelligentes et drôles à la fois (sans pour autant écraser intellectuellement ou ridiculiser nos partenaires) ? Pourquoi fonçons-nous faire du sport sitôt après un accouchement pour retrouver notre ligne d'avant ? Pourquoi enregistrons-nous des émissions de cuisine dans l'espoir de faire un jour ces plats fabuleux à un homme dont le plus grand plaisir est de se commander une pizza ? Et pourquoi nous escrimons-nous à ce que tout soit parfait alors que nous rêvons de passer la journée en survêt' et pas maquillée devant un épisode de *Desperate Housewives* ?

Euh… un instant. Désolée. J'arrête. Promis. Je ne sais pas pourquoi je m'emballe toujours ainsi. Comme si c'était mon genre de cuisiner ou d'être une superwoman !

— Qui avez-vous interviewé cette semaine ? demandai-je en espérant m'entendre répondre des noms comme Brad Pitt ou Jude Law.

A-J me lança un regard plein de pitié.

— On n'interviewe pas les stars ici. C'est une agence internationale qui nous envoie leurs interviews. Désolée. Parfois, quand une star passe dans le coin, la rédactrice en chef obtient un entretien, mais c'est tout.

— Mais alors, qui interviewes-tu ?

Franchement, j'étais abattue. Moi qui m'étais imaginée en train de papoter gaiement au téléphone avec Victoria Beckham, Leonardo Di Caprio, J-Lo, Orlando Bloom and Co. !

— Ben, tu sais… les stars locales… Les acteurs de *Fair City*, les journalistes de RTE, les animateurs radio, les futures top models et les boys bands…

— Il n'y a pas vraiment de quoi grimper aux rideaux.

— Non.

Quelle déception ! Autant aller tailler le bout de gras avec le vendeur de fruits de mon supermarché. Soudain, j'eus une envie folle de manger. Mon estomac criait famine. A-J, elle, pestait parce qu'une attachée de presse l'avait appelée pour lui demander pourquoi sa cliente, une maquilleuse de stars, n'avait pas encore eu son article dans *Irish Femme*. Apparemment, personne n'était venu à sa démonstration dans son arrière-boutique. Maintenant, son attachée de presse (qui, renseignements pris, était aussi sa sœur) écumait de rage à l'autre bout de la ligne. Après avoir interrompu assez brutalement la conversation, A-J appela Mary, la fille de la réception, pour lui demander de ne plus jamais lui passer les appels de cette fille. Puis elle se tourna vers moi, avec des éclairs dans les yeux :

— Tu vois, ce sont des gens comme ça qui me pourrissent la vie. Moi, j'essaie d'écrire des articles, de répondre à mes mails, bref, de faire mon boulot, quand le dernier des crétins appelle car il a le toupet de croire qu'on lui doit quelque chose. Je peux te dire qu'après ce que l'autre m'a fait aujourd'hui, elle n'est pas prête d'avoir son article dans *Irish Femme*.

Je ne dis rien. C'était la première fois que je rencontrais quelqu'un capable de péter un câble aussi vite que A-J. C'était peut-être le manque de nourriture. Quand je ne mange pas, je suis un peu plus intolérante, émotive et irritable. A-J s'empara d'un journal neuf et le feuilleta rapidement tandis que je prenais un appel venant d'un collecteur de fonds pour un gala de charité qui voulait qu'on lui fasse de la pub. Je pris l'adresse de son site Internet en lui promettant d'essayer de faire quelque chose. Puis quelqu'un appela au sujet d'une course organisée pour promouvoir un vin australien avec, en cadeau pour le vainqueur, un inoubliable voyage dans le bush. Je notai de nouveau tous les détails, certaine qu'*Irish Femme* ne pourrait pas refuser une telle offre. Ensuite, ce furent une femme qui me demanda si elle était bien à la Well Woman Clinic et un jeune homme qui cherchait du boulot. Quand elle m'entendit lui dire d'envoyer son CV, A-J poussa un petit cri.

— Quoi ? demandai-je légèrement paniquée. Je n'aurais pas dû ?

Mais A-J n'écoutait pas. Elle regardait une grande photo de… oh mon Dieu ! d'elle et de Bunny à l'inauguration du magasin de chaussures. Bunny était absolument magnifique. On aurait dit une actrice. En fait, toutes les deux ressemblaient à des mannequins. Pas étonnant que le photographe m'ait snobée.

— Qu'est-ce qui est écrit ? demandai-je en levant la tête pour mieux voir.

« Les it girls Angela-Jean Murry et Bunny Maguire ont aussi apprécié la soirée », disait la légende sous la photo.

Trop fort. Je me demandai comment Bunny réagirait en se voyant qualifiée de « it girl ».

— Ça va la scotcher. C'est vrai quoi. C'était sa première soirée à Dublin, si on oublie celle où elle a fini à l'hôpital.

— Elle pourrait être une star…, murmura A-J en scrutant la photo.

— Mais encore ?

— Eh bien… on dirait vraiment une star. Elle est belle, célibataire, décalée, et personne ne sait rien d'elle hormis qu'elle est blindée de fric… C'est parfait.

— Mais on ne peut pas être une star sans raison. Il faut faire quelque chose comme chanter, danser ou… je ne sais pas, moi… présenter le journal télévisé. On ne peut pas être une star sans rien faire !

— À Dublin ? me lança A-J avec un petit sourire entendu. On parie ?

19

On ne dirait pas que c'est moi.

Bunny regardait la photo, stupéfaite.

— On dirait quelqu'un d'autre. C'est dingue. Je ne vous remercierai jamais assez toutes les deux.

— Hé, il a suffi de deux allers et retours chez le coiffeur et de quelques soins de beauté. L'argent peut presque tout acheter.

— N'empêche que ça m'inquiète.

— Qu'est-ce qui t'inquiète ?

— Mon ex, Shaney. S'il voit ça, il risque de disjoncter.

— N'oublie pas que c'est ton ex, justement. Il n'a donc plus aucun droit sur toi. Bon, montre-moi ton CV. Tu as fini de le rédiger ?

Bunny me tendit une feuille de papier noircie d'informations. C'était un CV standard avec sa date de naissance, ses écoles, ses diplômes, son expérience professionnelle, à savoir : un boulot dans une fête foraine, une vacation au rayon épicerie de Dunnes Stores, un mi-temps dans une station-service familiale, une mission d'intérim chez un comptable et un peu de baby-sitting. Pas vraiment de quoi exciter un futur employeur.

— Il faut pimenter un peu ça.

Je ne comprenais toujours pas pourquoi elle tenait tant à trouver du travail. Elle aurait mieux fait de faire la java, d'écumer les boutiques, de voyager... Mais pour elle, c'était déjà un exploit d'être arrivée jusqu'à Dublin. Alors aller jusqu'en France ou dans un pays dont elle ne parlait pas la langue... Et elle en avait assez de passer ses journées devant des séries comme *Neighbours*, *Police Rescue* et *Judge Judy* tout en s'empiffrant de cochonneries. Je remarquai soudain son regard anxieux.

— Tu penses que je devrais mentir ?

— Pas exactement... Mais il faut donner l'impression que tu as plus d'expérience. Par exemple, quel genre de boulot cherches-tu ? Qu'est-ce que tu aimes ? Tu ne veux tout de même pas rester enfermée dans un bureau toute la journée, non ?

— Pas vraiment. J'aimerais trouver un job à mi-temps pour avoir le loisir d'apprendre à jouer de la guitare.

— Jouer de la guitare ?

Bunny avait vraiment le don de me surprendre. Chaque fois que je pensais commencer à la connaître, elle faisait ou disait un truc complètement à l'opposé.

— J'ai toujours voulu chanter et jouer de la guitare. Mais je ne pouvais pas me payer de cours, et ma mère... quand elle était en vie... avait de telles migraines qu'elle ne supportait pas le moindre bruit. À sa mort, j'ai acheté ma première guitare, mais mon ex l'a brisée en mille morceaux lors d'une terrible dispute.

— Quel salaud !

— À qui le dis-tu ! Je ne comprends toujours pas comment j'ai réussi à m'en débarrasser. J'ai souvent peur de le croiser quand je sors dans la rue.

— Ne t'inquiète pas. Il ne peut plus te faire de mal maintenant.

— Tiens, au fait, j'ai appelé Dave tout à l'heure.

Elle était assise sur le canapé en train de se peinturlurer les ongles des pieds avec le vernis qu'on nous avait offert la veille.

— Dave, mon grand frère.

Dave ? Grand frère ? Bunny avait un frère ? Ah oui, j'avais oublié. Je ne savais pas pourquoi, mais à chaque fois que je pensais à elle, je l'imaginais fille unique. Il faut dire qu'elle parlait rarement de sa famille. Quand je vous dis que je la connaissais à peine, je ne mens pas.

— Ah bon ? Super… Il t'a donné des nouvelles de chez toi ?

Je faillis m'en mordre la langue. Dieu, quelle idiote ! Les parents de Bunny étaient morts. Quelles nouvelles pouvait-il lui donner ? Mais, à ma grande surprise, Bunny ne broncha pas.

— Rien de particulier. Mon frère va passer à l'appart' que je partageais avec Shaney pour récupérer mes affaires.

— Oh mon Dieu. Ça va aller ? Je veux dire, tu penses que ton ex va coopérer ?

— Oh que oui. Mon frère y va avec un ami.

— Ah, tant mieux. Dommage qu'ils n'aient pas essayé de récupérer tes affaires plus tôt. D'après ce que tu m'as dit sur Shaney, il a très bien pu en vendre la moitié.

— Ça va bien se passer. Mon ex n'a pas vraiment envie de croiser mon frère et son copain.

— Oh.

— Et ils seraient bien passés plus tôt, mais ils n'étaient pas là.

— Ils étaient absents ?

— Oui.

— En voyage ?

— Non, en prison. Bon, alors, tu m'aides ou quoi pour ce CV ?

20

Hé, regarde, pouffa A-J. Cette horrible bonne femme qui faisait l'attachée de presse pour la boutique de chaussures demande l'adresse de Bunny. Elle veut l'inviter à une présentation privée de lingerie haut de gamme au Westbury Hotel, la semaine prochaine.

— Pourquoi ? Pourquoi veut-elle inviter Bunny ? Elle ne la connaît même pas.

— Je te l'ai déjà dit. N'importe qui peut devenir célèbre à Dublin. Elle doit croire que Bunny est une riche héritière. Et, franchement, on peut la comprendre. Bunny a failli faire cramer sa carte Bleue l'autre soir. Sans parler du fait qu'il y avait sa photo dans le journal d'hier où on la qualifiait de it girl. Ça suffit pour faire une réputation.

— Mais personne ne croit vraiment que c'est une it girl, n'est-ce pas ?

— Bien sûr que si ! C'est quoi, d'ailleurs, une it girl ? Comment le devient-on ? Bunny peut très bien être LA it girl de Dublin s'il elle le souhaite. Qu'est-ce qui l'en empêche ? Et on peut l'aider à réaliser son rêve.

— Je ne suis pas certaine qu'elle en rêve, soufflai-je en pensant à son lourd passé (la mort brutale de ses parents, son ex-petit ami violent, son frère qui venait de sortir de prison…).

— N'importe quoi ! Bunny est la it girl parfaite. Je vais coller des tas de démentis dans mon article de cette semaine. *« Bunny prétend ne sortir avec aucun des soigneurs du zoo »*, ou *« Bunny dément formellement avoir fait sa diva lors d'un défilé »*, ou encore *« Bunny nie catégoriquement avoir une liaison avec un beau millionnaire »*.

— Mais pourquoi démentirait-elle tout ça ? Elle n'a rien fait. Et de toute manière, personne ne la connaît.

— Pas encore ! Pas encore, mais ça va venir.

Sur ce, une nouvelle agence appela. A-J prit gracieusement l'appel.

— Ce soir ? Oui, super. Bien sûr qu'on viendra. Qui joue dedans ? Fantastique. J'adore Ewan McGregor. Je viendrai avec ma remplaçante, Fiona Lemon, si ça ne vous dérange pas. C'est elle qui tiendra ma rubrique en mon absence et j'aimerais aussi amener Bunny Maguire… Bunny Maguire, oui, elle est en ville en ce moment. Elle sera probablement fatiguée car elle arrive de la Barbade – ses parents ont une adorable maison là-bas. Ils sont voisins des Kids, tu sais, Jemma et Judy. Oh pardon, je voulais dire Jodie et Jemma, les deux grosses fêtardes. Super. C'est ça. À plus.

Elle raccrocha avec un sourire extatique.

— On va au cinéma. Toi, moi et la it girl.

— Mais tu n'as pas expliqué qui était Bunny. Tu es vraiment la reine de l'embrouille. Et c'était quoi, cette histoire de maison de famille à la Barbade ?

— Ah, ça, je l'ai dit exprès. Il n'y a rien de tel qu'un peu de glamour international pour affoler le Tout-Dublin. Pour le reste, je les laisse cogiter sur le mystère « Bunny ».

Je fis diète jusqu'au soir de peur qu'un photographe me demande de sortir du cadre et de le regarder, mortifiée, shooter mes copines. En jeûnant ainsi, j'espérais perdre 500 grammes, et pourquoi pas un kilo en quelques heures. Ce jour-là, je n'avais avalé que deux Weetabix, un peu de lait écrémé et une demi-barre de Twix, ce qui n'était pas mal, non ? Si A-J pouvait ne rien manger, il n'y avait aucune raison pour que je n'y parvienne pas.

Juste avant le déjeuner, je me remis à déchirer des dossiers de presse pendant que A-J, transie, tapait son article avec des mitaines (il faisait un froid de canard dans ce bureau !). En face de nous, à moitié cachée par une fine cloison, Sue, la chef de pub à la mine défaite, qui bossait chez *Irish Femme* depuis si longtemps qu'elle faisait partie des murs, appelait frénétiquement les agences qui n'avaient pas encore envoyé leur bon à tirer. Les joues en feu, elle expliquait à une énième secrétaire anonyme que oui, c'était très urgent.

Pendant ce temps, Cecille faisait les cent pas dans la pièce, le regard noir, accrochée à son téléphone dans lequel elle hurlait des trucs au sujet de *deadlines*. Le magazine devait en effet sortir le lendemain midi et je compris soudain que c'était le moment le moins drôle de la semaine.

Puis, sans prévenir, elle convia A-J qui était sagement restée la tête penchée sur ses papiers toute la matinée à la suivre dans son minuscule bureau, lequel n'était séparé du reste de la pièce que par un panneau de verre et une cloison.

— Oh, c'est pas vrai ! Qu'est-ce j'ai encore fait ? murmura-t-elle entre ses dents en se levant pour suivre Cecille.

J'entendis cette dernière lui demander de s'asseoir. Je fus soudain prise de nausée. C'était peut-être pour lui reprocher de m'avoir embauchée ? Pour lui dire que je n'étais pas à la hauteur ? Qu'il fallait que je fiche le camp immédiatement. J'avais les jambes toutes flagada, et pas seulement parce que je n'avais rien mangé.

A-J et Cecille se parlèrent à voix basse pendant un temps qui me parut interminable. Elles parlaient de quelqu'un, c'était sûr. Si c'était de moi, j'espérais que ça se termine vite pour pouvoir enfin partir. C'était encore pire qu'à l'école. Allait-on me coller ou juste me mettre un avertissement ? Je n'arrivais pas à me concentrer. J'essayai de corriger une page que A-J venait d'imprimer, mais les mots dansaient devant mes yeux. Qu'allais-je faire si on me disait de m'en aller ? Se pourrait-il qu'elle eût déjà quelqu'un d'autre sous le coude ?

Soudain, A-J sortit du bureau de Cecille, le regard terne et les paupières lourdes. Elle se dirigea vers moi et me dit d'une voix sombre :

— Fiona, je peux te dire un mot dans le coin café ?

Je la suivis jusque dans la minuscule pièce vide. Elle ferma la porte derrière nous.

— Cecille ne veut pas de moi, c'est ça ?

À voir l'air grave de A-J, ce devait être le cas.

— Pas de toi ? D'où t'es venue cette drôle d'idée ? C'est ridicule. Tu veux un café ?

— Mais on a déjà fait la pause.

— Cecille nous autorise à en prendre un autre pour pouvoir parler tranquillement.

— Parler de quoi ?

Mais qu'est-ce qui se passait à la fin ? Et pourquoi tant de mystère ?

— C'est le bazar. Cecille est furax parce que Lolly, notre styliste, a démissionné.

— Oh !

— Mais ce n'est pas tout. Il y a pire. Elle est partie bosser chez *Gloss*, avec Faith.

— Ouh, ça, ça craint. Mais ce n'est pas la fin du monde !

— Après s'être copieusement engueulée avec elle, Lolly a dit à Cecille qu'elle ne remettrait plus jamais les pieds ici. Sur ce, Cecille lui a annoncé qu'elle allait lui faire un procès pour rupture de contrat sans préavis.

J'écarquillai les yeux de surprise. J'aurais bien voulu voir ça.

— Alors Lolly l'a menacée de la poursuivre pour harcèlement moral.

— Non !

— Si, jubila A-J pendant que la bouilloire se mettait à chanter.

— Mais pourquoi t'en a-t-elle parlé et pourquoi m'en parles-tu ?

— Le problème, fit A-J en prenant deux tasses et en y versant une cuillère de mauvais café instantané, c'est qu'elle n'a personne pour faire le stylisme cette semaine. Lolly était censée apporter des fringues au studio du photographe cet après-midi et les rapporter dans les boutiques demain, comme à son habitude.

— Et si elle supprimait les pages mode, pour une fois ?

— Pas question. Cecille a promis à une chaîne de grands magasins, qui d'ailleurs est aussi l'un de nos plus gros annonceurs, de remplir la moitié de nos pages mode avec leurs modèles. Le fameux donnant-donnant, tu sais. Bref, donc, on n'a aucun vêtement pour ça. Bien sûr, on pourrait se contenter d'utiliser les fringues de notre client, mais si on ne montre que ça, les lectrices vont se douter de quelque chose. L'idéal, c'est de faire un mix.

Je l'ignorais. Franchement, je trouvais ça idiot et tiré par les cheveux. Pourquoi n'envoyaient-elles pas quelqu'un en ville pour faire la tournée des boutiques et y prendre des échantillons ? Le problème serait résolu. J'en fis part humblement à A-J.

— Plus facile à dire qu'à faire. C'est dur de trouver une styliste en si peu de temps, surtout que Cecille s'est fâchée avec la plupart d'entre elles. Et quand on sait ce qu'elle paie, aucune des bonnes n'acceptera de bosser pour elle. C'est vrai quoi ; qui, à notre époque, peut se permettre de courir la ville, les bras chargés de sacs de vêtements, en sachant que ça ne lui rapportera qu'une poignée de cacahouètes ? Personne. Du moins...

Nous échangeâmes un regard complice. Je savais à quoi elle pensait. Elle se demandait si Bunny pourrait le faire. C'était donc pour en arriver là ? Cette fille lisait dans mes pensées.

— Tu ne crois quand même pas..., hésita-t-elle en reposant sa tasse et en fronçant les sourcils comme si elle venait d'y penser.

Mais je n'étais pas née de la dernière pluie et la perspective de voir Bunny devenir la styliste de l'un des magazines féminins les plus lus d'Irlande était simplement ridicule.

— Non, je sais à quoi tu penses, A-J, mais c'est hors de question. Il faut avoir de l'expérience pour faire ce boulot.

— Écoute, ce n'est pas compliqué, insista A-J, plus déterminée que jamais.

Je connaissais cet air. C'était celui de quelqu'un qui ne renoncerait pas.

— Je vais t'écrire une lettre de recommandation sur le papier à en-tête d'*Irish Femme* avec mon numéro de téléphone en cas de problème. Inutile de te faire tout Dublin. Il suffit d'aller dans trois ou quatre boutiques. On va te donner de quoi te payer le taxi.

— Moi ? Tu veux que ce soit moi qui fasse la styliste ?

— Tu pensais à qui ? Au Père Noël ?

— Non ! Désolée, pendant un instant, j'ai cru que tu parlais de Bunny, mais…

— Bunny !

Oh mon Dieu. Je pus presque voir une ampoule s'allumer audessus de sa tête. J'étouffai un gémissement en pensant à la profondeur du trou qu'il faudrait que je creuse pour que Bunny puisse s'y terrer. Je ne dis mot en espérant que A-J comprenne son erreur toute seule.

— Tu as raison ! Bunny cherche du boulot, n'est-ce pas ?

— Oui, mais c'est une bille totale en mode. Et je ne suis pas la seule à le penser. Elle aussi. Tu te souviens qu'on t'a embauchée pour l'habiller ?

— Pas besoin de s'y connaître en mode, fit-elle en s'emparant de son téléphone portable. La plupart des stylistes de ce pays n'y connaissent rien. Tu as vu comment elles sont attifées ? Je te parie qu'elles n'ont même pas de brosse à cheveux.

Je ris malgré moi. Elle ne respectait donc personne !

— Bon. C'est quoi ton numéro de téléphone ? J'espère que Bunny est là.

À la fois amusée et incrédule, je l'écoutais tenter de persuader Bunny de devenir la nouvelle styliste d'*Irish Femme*. J'aurais donné n'importe quoi pour voir la tête de Bunny à ce moment-là. Surtout en me souvenant de ce qu'elle m'avait dit quelques heures plus tôt, à savoir qu'elle adorerait bosser dans un grand magasin, mais qu'elle avait peur de ne pas avoir suffisamment d'expérience et qu'on se moque d'elle. C'est fou ce qui peut se passer en une journée !

— Ne t'inquiète pas, Bunny. Si quelqu'un ose t'envoyer balader, j'irai lui briser les jambes, roucoula A-J pour la rassurer. Mais c'est toi qui leur rendras service en leur faisant de la pub gratuite. Personne ne peut s'acheter ce genre de publicité, tu sais… Oui… tout à fait… mais non, ils ne s'apercevront de rien. La plupart des stylistes ont l'air de sortir d'une moissonneuse-batteuse. Tu auras l'air d'un top model en comparaison.

— Mets juste une des tenues qu'on a achetées hier. Oui, tu seras belle comme ça. Le vintage est super à la mode cette saison. Tu peux donc techniquement porter n'importe quoi de vieux. Sors quelque chose de la poubelle et mets-le avec des bottes en caoutchouc. Je sais, c'est dingue, mais c'est la grosse tendance du moment.

J'essayai de ne pas rire en entendant ses conseils de mode.

— Bon, maintenant, ta mission. Tu as de quoi noter ? OK, tu dois rapporter une dizaine de tops à moins de cinquante euros. Va dans trois boutiques différentes pour avoir l'air un minimum motivée. Et essaie d'éviter ces affreux tons bruns et verts qui sont censés être à la mode cette saison, d'accord ? Et pas de ponchos. C'est vrai quoi, ceux qui pensent que c'est branchouille de s'enfiler une couverture en tricot par la tête mériteraient d'être fusillés. C'est bon. Tu as tout noté ? Je vais te préparer une lettre de recommandation. Je la laisse à la réception. Non, je ne serai pas là cet après-midi. Prends un taxi pour venir la chercher. Et, surtout, n'oublie pas de garder les justificatifs. Bonne chance, chérie.

— Pauvre, pauvre Bunny, soufflai-je en secouant la tête. Elle ne sait pas où elle met les pieds.

— C'est comme ça qu'on apprend. Quand on se jette à l'eau, il faut nager pour remonter à la surface. Elle va s'en sortir. Je pense que tu la sous-estimes, Fiona.

— Tu veux dire quoi exactement ?

— Juste ça... que, parfois, tu la sous-estimes.

21

— J'ai les pieds couverts d'ampoules, gémit Bunny, épuisée.

Je l'avais trouvée sur le canapé, les pieds plongés dans une bassine d'eau chaude et le visage caché par l'*Irish Independent*.

— C'était comment ?

— Horrible, fit-elle en refoulant ses larmes. Tout simplement horrible. La plupart des vendeurs ont été super désagréables même après avoir lu la lettre de A-J. On aurait dit qu'ils ne me faisaient pas confiance ou qu'ils craignaient que je leur pique quelque chose. J'ai l'air d'une voleuse ou quoi ?

— Mais non. C'est parce qu'ils ne te connaissaient pas. Quand ils auront mémorisé ta tête, ça ira mieux. Promis.

— Moi qui fantasmais sur le métier de styliste !

— Comme tout le monde.

— Justement. C'est la preuve que ça ne sert à rien d'envier les autres.

— Tu as dégoté des trucs sympas ? lui demandai-je en plongeant la tête dans le frigo dans l'espoir d'y trouver un aliment pas trop calorique.

Maintenant que j'étais censée assister à des soirées pour mon boulot, j'essayais de ne pas trop manger. Il aurait vraiment fallu que je fasse de la gym, mais l'idée de courir sur place au milieu de tas de gens dégoulinant de sueur me révulsait. Et j'aurais préféré m'arracher un bras plutôt que de m'allonger par terre sur un tapis inconfortable pour faire des abdos sous le regard goguenard d'armoires à glace. Bunny lâcha un soupir.

— Pas facile de trouver des tops trendy dans cette ville pour moins de cinquante euros, mais j'ai fait au mieux. En fait, mon principal souci, c'était de résister à l'envie de sortir ma carte Bleue.

— A-J t'a dit que tu étais invitée au lancement d'une lingerie de luxe au Westbury Hotel, la semaine prochaine ?

— Euh… oui. Elle me l'a dit quand je l'ai appelée pour me plaindre du comportement d'un vendeur. Mais je ne veux pas y aller toute seule. Tu viendras avec moi ?

— J'essaierai… si Cecille me laisse partir du bureau.

— On ne sera pas obligées de faire des essayages ?

— Tu rigoles ! Quelle idée ! Non, on matera seulement des mannequins à poil en buvant du champagne.

— Oh, je vois. Comme ça, ça me va. Ce n'est pas trop dur pour les mannequins ? À leur place, je préférerais mourir que de parader en petite tenue devant des nanas en train de picoler.

— Je ne sais pas. Je n'y ai jamais pensé. C'est leur boulot. Elles doivent avoir l'habitude.

— On ne doit jamais pouvoir s'habituer à ça.

— Bon, et ces tops ? Tu en as trouvé des beaux ? Tu n'as pas pris de ponchos, hein ?

— Non, je n'ai pas osé désobéir à A-J. Mais la semaine prochaine, quand elle sera partie en Nouvelle-Zélande, ça va changer. Je pourrai faire ce qui me plaît.

— Tu vas continuer ? Je croyais que c'était horrible ?

— Oui, c'est vrai, admit-elle en sortant ses pieds gonflés de la bassine et en les séchant avec une serviette moelleuse. Mais c'est parce que c'était mon premier jour. Je vais m'y faire. Et, comme je l'ai dit, ça va changer quand A-J sera partie et que je serai mon propre chef.

— Mais tu dépendras toujours de Cecille.

— Je sais comment m'y prendre avec elle. C'est le dernier de mes soucis.

Nous sursautâmes en entendant quelqu'un frapper à la porte.

— Tu attends quelqu'un ? demandai-je à Bunny.

— Non, et toi ?

— Non.

Je jetai un coup d'œil par la fenêtre. En voyant la voiture de Dervala, je poussai un soupir de soulagement. Ouf ! J'avais horreur de rembarrer les démarcheurs ou les gens qui essaient de vous vendre du matériel dont vous n'avez pas besoin. Dervala surgit dans la pièce, pleine d'énergie et de vie, mais elle s'arrêta net en voyant Bunny.

— Waouh, c'est bien toi ? L'espace d'une seconde, j'ai cru que Fiona avait une nouvelle coloc'. Tu es magnifique. J'ai vu ta photo dans les journaux, madame la it girl ! C'est génial, non ? Tu vas bientôt être la nouvelle Tara Palmer-Tompkinson irlandaise. Alors, quoi de neuf, les filles ? Ça vous dirait de sortir ce soir ?

— En quel honneur ? demanda Bunny.

— Oh, Dervala n'a pas besoin de prétexte. Voyons, c'est ton jour de paie, n'est-ce pas ?

— Bien vu. C'est une excellente raison pour s'éclater, non ?

— Je ne peux vraiment pas sortir, m'excusai-je. On imprime demain et c'est le rush ce jour-là au bureau.

— On imprime demain… oh là là ! me charria Dervala.

Elle me fit une révérence en hochant comiquement la tête, mais je résistai. Je ne flancherai pas. Pas question de sortir.

— Moi, je veux bien, fit Bunny, à mon grand étonnement.

— Toi ? Mais je croyais que tu étais crevée ! m'exclamai-je.

— Oui, je l'étais, mais je ne le suis plus. Je n'ai plus mal aux pieds. Et sinon, qu'est-ce que je ferais ? Regarder la télé avec toi ?

J'étais abasourdie. J'étais certaine que Bunny n'avait pas cherché à me blesser, mais je dois avouer que je n'étais pas super ravie de la façon dont elle m'avait dit ça.

— Cette fille a le droit de sortir si elle le souhaite, déclara Dervala, fidèle à sa réputation.

Dervala était le genre de fille qui savait ménager la chèvre et le chou. En amitié, il lui fallait des choses simples, pas compliquées.

— Allez, Buns, prépare-toi. On va se lâcher grave, ce soir.

— OK. On va où ?

— Pourquoi n'appellerais-tu pas ta copine A-J pour qu'elle nous conseille ?

Je leur expliquai, horrifiée, que ce n'était pas une bonne idée. Comme le magazine passait sous presse le lendemain, elle avait dû bosser comme une malade, sans parler du fait qu'elle devait faire ses bagages pour partir à l'autre bout du monde.

— Je suis sûre qu'elle ne dira rien. Tu as son numéro, Bunny ? Passe-lui un coup de fil. Si elle refuse, elle refuse. Mais quoi ? Un prêtre muet n'a pas de paroissiens, non ?

Bunny, encouragée par Dervala, prit son nouveau portable fantaisie qui était si petit que je me demandais comment elle pouvait appuyer sur les touches correctement. Deux secondes plus tard, elle parlait vivement dedans.

— Coucou A-J, c'est Bunny à l'appareil. Désolée de te déranger le jour où tu dois tout boucler... Oh, c'est vrai, tu as fini de faire tes valises ? Super !

Elle leva le pouce vers Dervala en m'ignorant complètement.

— Si je t'appelle, c'est qu'on a besoin de toi. On veut sortir mais on ne sait pas où aller. Alors, on se demandait si tu pouvais... Oh, génial. Tu es sûre que ça ne te dérange pas ? Très bien, on passera tout à l'heure prendre les invitations. Oui, promis, si je vois un people mal se tenir, je le dirai à Fiona ! Non, elle ne vient pas avec nous. Les *deadlines*, tout ça... Tu connais. À plus !

— C'est bon, fit-elle en refermant son portable avec un grand sourire. A-J m'a dit qu'elle avait des billets pour plusieurs soirées. Le lancement d'un CD, la sortie d'un livre et une fête sponsorisée par une grande marque d'alcool.

— Bien joué, la félicita Dervala avant de se tourner vers moi :

— Quand tu seras officiellement en poste, on pourra aller à ce genre de soirées tout le temps. J'ai hâte. En revanche, ça va être dur pour nos pauvres foies – ils vont être mis à rude épreuve !

Je ne dis rien. Je n'arrivais toujours pas à croire qu'elles allaient sortir sans moi. Bien sûr, ce n'était pas derrière mon dos car j'avais assisté aux préparatifs, mais j'avais quand même l'impression d'être laissée derrière, comme Cendrillon. Et le plus agaçant, c'était que Bunny et Dervala ne se seraient jamais connues sans moi. De même, elles n'auraient jamais fait la connaissance de A-J. Donc techniquement, sans moi, elles n'auraient jamais pu avoir ces invitations. Et pourtant elles allaient sortir et me laisser seule devant la télé, tout ça à cause d'un remplacement que j'avais accepté.

Une pensée me traversa soudain l'esprit. Et pas une pensée très agréable. En effet, je me rendis compte que si je remplaçais provisoirement A-J pendant son absence, Bunny, elle, avait un CDI. Ce qui signifiait que quand A-J reviendrait, on me débarquerait comme une malpropre, alors que Bunny continuerait à faire la styliste. Je ne suis pourtant pas du genre envieux… j'étais contente pour Bunny, mais… mais punaise, elle n'avait même pas besoin d'argent !

Là, vous me trouvez sans doute un peu à cran, non ? C'est vrai quoi, j'aurais dû me réjouir que Dervala et ma nouvelle coloc' s'entendent si bien. Sinon, ça aurait été la galère, non ? Je ne devais pas me miner avec des trucs aussi insignifiants. En plus, elles m'avaient proposé de sortir avec elles. Et puis, il y en aurait d'autres, des soirées, me dis-je en essayant d'ignorer les éclats de rire qui couvraient la musique dans la chambre de Bunny.

Je sentais des effluves de parfum venir jusqu'à moi, mais c'étaient les rires qui me troublaient. Dans une soirée entre filles, on s'amuse autant avant que pendant, non ? Mais là, franchement, c'était le pompon. J'avais hâte qu'elles s'en aillent pour pouvoir paresser tranquillement. J'allumai la télé. Rien d'intéressant. Je zappai sans trouver mon bonheur. Toutes les émissions semblaient consacrées à la quête de la maison idéale. Dans le genre déprimant… Au train où allaient les choses, je ne risquais pas de devenir propriétaire… quoique, avec un peu de chance, peut-être d'un abri de jardin.

J'aurais tant voulu épouser un homme riche ! Un homme riche et beau, mais aussi drôle et tendre, honnête et intelligent, grand avec des yeux bleus, un homme comme… Le visage parfaitement ciselé de Connor s'imposa brutalement à moi. Mais c'était quoi, mon problème ? Je n'aurais surtout pas dû penser à cette crapule. Malgré son physique avantageux, il ne serait jamais à moi. C'était le chéri d'Ellie et le père de… Oh, je n'aimais vraiment pas penser à lui. Si seulement nos chemins ne s'étaient jamais croisés !

— Ça me fait des grosses cuisses ou pas ?

Dervala se tenait entre la télé et moi, boudinée dans une des minirobes couture de Bunny. Elle avait l'air de faire de son mieux pour rentrer son ventre, mais en vain. Certaines filles (très peu, entre nous) peuvent se permettre de mettre un bout de tissu en guise de jupe. Pas Dervala.

— Non, ça ne te fait pas de grosses cuisses. Mais tu n'as pas peur d'avoir froid ? La météo n'est pas super ce soir.

Que pouvais-je dire de plus ? L'honnêteté ne paie pas toujours, surtout quand c'est pour dire à une copine à quoi elle ressemble vraiment. Je n'étais pas sa mère. Je n'avais pas le pouvoir de dire : « *Pas question que tu sortes habillée comme ça, tu ressembles à une pute. Tu te rends compte de l'image que tu donnes ? Hein ? Pas question que tu te balades fringuée comme ça !* »

Dervala haussa les épaules.

— On va prendre un taxi. On est mardi, on devrait pouvoir en trouver un facilement. Je n'ai pas envie de m'enquiquiner à trimbaler un manteau.

— L'important, c'est que tu te sentes bien. Peut-être que moi, je ne…

— Vous en pensez quoi ?

En voyant Bunny sortir de sa chambre, j'eus le souffle coupé. Comment quelqu'un qui avait l'air d'une pauvre orpheline il y a encore quelques heures avait-elle pu se transformer en une créature aussi somptueuse ? Ses yeux gris avaient l'air immenses derrière ses cils épais et noirs, et ses cheveux joliment méchés tombaient en cascade sur ses fines épaules. Elle portait aussi une minirobe, mais elle, divinement bien, grâce à son extrême minceur. Le faux bronzage parfaitement appliqué sur ses jambes les mettait en valeur. Pas une rayure. Des jambes tout droit venues de la plage. Bunny semblait venir tout droit de Saint-Tropez. Et surtout pas de Dublin. Elle ressemblait à une œuvre d'art chic alors que Dervala faisait affreusement vulgaire à côté. Je me jurai subitement de ne plus rien manger.

— Tu es magnifique. À tomber par terre !

Bunny vint me planter un gros baiser sur la joue.

— Tu es vraiment trop gentille, fit-elle d'une petite voix reconnaissante qui me fit regretter mes mauvaises pensées.

Franchement, j'étais un monstre !

— J'ai mis une bouteille de champagne au frais tout à l'heure, poursuivit-elle. On va en boire un peu avant d'y aller, histoire de se chauffer. Tu veux un verre, Fiona ?

— Pourquoi pas ? Merci.

L'instant d'après, nous étions assises, une coupe à la main. Je la savourais lentement, contrairement à Bunny et Dervala.

— Alors, vous commencez par quoi ? leur demandai-je.

— On va d'abord aller au Swords, fit Dervala.

— Au Swords. Mais c'est super loin.

— Oui, mais on y fête la sortie du CD d'un nouveau boys band et Dervala pense que c'est l'occasion rêvée pour remplir notre carnet d'adresses !

Je n'étais pas vraiment certaine d'aimer ça. Pour Bunny, c'était sans doute une façon agréable et innocente de s'amuser, mais, à ma connaissance, elle n'était jamais sortie avec quelqu'un comme

Dervala, excepté lors de notre horrible première soirée. Si vous cherchiez « mangeuse d'hommes » dans le dictionnaire, vous tomberiez sans doute sur le nom de Dervala. Mais que pouvais-je faire ? Bunny était une grande fille et je ne pouvais pas la chaperonner sans cesse. Je devais la laisser faire ce qu'elle voulait, et après, la question ne se poserait probablement plus. La plupart des gens qui tentaient de sortir avec Dervala ne réitéraient jamais l'exploit.

Le champagne était presque terminé et le taxi était déjà là. Elles m'envoyèrent un baiser, me proposèrent à nouveau de me joindre à elles et partirent. Un calme irréel envahit l'appartement. Je m'ennuyais déjà comme un rat mort. J'avais besoin de compagnie. Ah, si seulement Ellie était toujours mon amie ! Je l'aurais appelée pour papoter, mais c'était impossible. Je ne pouvais pas penser à elle... ni à Connor. J'aurais dû être heureuse pour eux, mais je ne l'étais pas. J'avais essayé, en vain. Il y avait vraiment un truc qui clochait en moi et je ne savais pas quoi. J'avais rêvé de Connor la nuit précédente. On était sur un bateau en pleine mer et on riait. C'était un peu vague à présent, mais quand je m'étais réveillée, j'étais bien et heureuse, jusqu'à ce que je me rende compte que c'était un rêve, et je me suis mise à culpabiliser à mort d'avoir imaginé être amoureuse de quelqu'un qui ne m'appartenait pas et qui ne m'appartiendrait jamais.

Je tentai d'appeler ma mère, mais ce fut mon père qui répondit. Il m'apprit qu'elle était à un tournoi de bridge. Comme il n'était pas d'humeur loquace, je raccrochai et fis le numéro de ma sœur. Gemma était toujours partante pour jacasser.

— Je suis avec quelqu'un, chuchota-t-elle. Je t'appelle demain pour te dire comment ça s'est passé.

Super, pensai-je, le moral de plus en plus bas. Je me sentais seule au monde. Tous les autres semblaient hyper pris, et maintenant que ma vieille copine de foire s'était acoquinée avec ma nouvelle coloc', j'étais sur la touche. Génial.

Je décidai d'aller bouquiner au lit. Au moins, j'allais faire une bonne nuit et je péterais la forme le lendemain. Je me pelotonnai sous la couette avec le dernier Conlon-McKenna. Comme, une demi-heure plus tard, je lisais encore, je me forçai à le poser et à éteindre la lumière. Je sombrai alors dans un sommeil profond.

Quelques heures plus tard, je me réveillai en sursaut. Le « frère » de Peter Andre se tenait au pied de mon lit.

22

— Qu'est-ce qui se passe ? m'écriai-je en m'avisant soudain que a) ce n'était pas un cauchemar, et b) il était vraiment le frère de l'autre.

— Qu'est-ce qu'on fait ?

— Quoi ? Qu'est-ce qu'on fait ? m'indignai-je. Qu'est-ce que tu fabriques dans ma chambre ?

— Oh, pas la peine d'être agressive ! Ta copine est en train de se taper mon frère. Et moi, je suis censé faire quoi ? Participer ?

— Bunny est avec ton frère ?

J'en eus un haut-le-cœur.

— C'est qui, Bunny ?

Je sortis de mon lit, pris ma robe de chambre et repoussai l'intrus jusque dans le salon. La lumière était éteinte, mais comme les rideaux n'étaient pas tirés et que les lampadaires étaient allumés, je distinguai un gros derrière poilu, au milieu de la pièce, en train de s'activer. Sous ce derrière, quelqu'un poussait des grognements. Je reconnus la voix. C'était Dervala. Oh mon Dieu, elle faisait l'amour. Et, OH MON DIEU, je la regardais faire. Ainsi que le frère de l'autre. C'était comme si j'avais débarqué en plein tournage d'un film porno. Sauf que là, je connaissais les acteurs. C'était obscène.

— Vous avez deux minutes pour débarrasser le plancher sinon j'appelle les flics, réussis-je à articuler d'une voix glaciale, même si mon cœur battait à tout rompre.

Le derrière poilu cessa soudain de s'agiter et Dervala gémit :

— Mais Fiona, c'est quoi ton problème ? Vous pourriez respecter notre intimité, espèces de voyeurs.

À sa voix, il était évident qu'elle avait pris des trucs plus forts que du champagne.

— C'est sérieux. Je vais appeler les flics. Hors de question que je laisse faire ça. Où est Bunny ? Dans sa chambre ?

— C'est qui, Bunny ?

J'entrai en trombe dans sa chambre. Son lit était vide, encore fait. Nom de Dieu, où était-elle ? Qu'est-ce qui s'était passé ?

Je revins dans le salon où Dervala et son « amoureux » se rhabillaient. Le « frère » se tenait contre la porte, une clope au bec. Ils étaient complètement déchirés. C'était vraiment flippant, mais moins flippant que la disparition de Bunny.

— Où est Bunny ? tonnai-je à nouveau quand les deux abrutis eurent finalement disparu.

— Elle a rencontré quelqu'un, grommela Dervala tout en essayant de mettre sa seconde chaussure.

— Qui ?

— Je ne sais pas. Un joueur de rugby.

— Et elle est allée chez lui ?

— Sans doute.

— Comment es-tu rentrée ici ?

— Bunny m'a passé ses clés quand je lui ai dit que je ne pouvais pas aller chez moi à cause de mes parents.

— Mais me réveiller et faire l'amour dans mon salon, c'est normal.

— Oh, c'est quoi, ton problème ? Je croyais que tu étais mon amie alors qu'en fait, tu as un grain, tu sais ?

Je respirai profondément. Dervala était visiblement très fatiguée et complètement à l'ouest. Ça ne valait pas la peine que je me dispute avec elle. On ne peut pas raisonner quelqu'un qui a bu. Et, bien qu'elle m'ait profondément irritée, je ne pouvais pas la mettre dehors. Je lui proposai d'appeler un taxi.

— Ça va aller. Je vais marcher.

— Pas question.

Je pris le téléphone et commençai à composer le numéro d'une borne.

— Mais tu as intérêt à me raconter ce qui est arrivé à Bunny.

— Elle a eu de la chance. Ça arrive parfois, tu sais, me balança-t-elle dans les dents.

J'eus envie de lui demander si c'était un coup de « chance » de ramener un mec louche à la maison pour une partie de jambes en l'air sans lendemain, mais je me retins. J'avais juste hâte que le taxi arrive.

Quelques minutes plus tard, elle était partie sans me saluer.

Et de deux, pensai-je en retournant me coucher. Qu'est-ce que j'avais avec mes copines ? D'abord Ellie et maintenant Dervala. Et Bunny ? Allait-elle elle aussi déménager, si elle daignait revenir un jour ? J'allais devoir me mettre en quête de nouvelles copines… Même A-J partait le lendemain pour au moins six semaines de vacances. Je jetai un coup d'œil à mon réveil. Il était 5 h 30. Il fallait que je me lève dans deux heures et j'étais fracassée. Foutue, la bonne nuit de sommeil !

23

Il était onze heures. Le magazine était sous presse. Gros soulagement dans la rédaction. Difficile de vous décrire la tension qui avait régné dans le bureau toute la matinée. C'était peut-être parce que j'avais mal dormi, mais tout de même, je ne parvenais pas à comprendre comment un magazine qui existait depuis tant d'années pouvait être à ce point désorganisé. Tout ce qui pouvait cafouiller avait cafouillé : quelqu'un avait appelé à la dernière minute pour retirer une pub ; un agent d'une soi-disant star nous avait interdit de mentionner la magnifique histoire d'amour de sa cliente car son mari venait de la quitter ; l'ordinateur de Cecille avait crashé, ce qui l'avait obligée à squatter celui de A-J ; un fabricant de chaussures avait oublié de nous envoyer les paires qu'on devait shooter.

Bref. Le pire, c'est que ça avait fini par s'arranger entre des poignées d'extensions arrachées, des services demandés à la dernière minute et une bonne dose de tentatives de corruption et de menaces. Puis, en début d'après-midi, après le déjeuner (avec A-J, on s'était payé le resto pour décompresser), Bunny m'appela pour dire qu'elle allait bien, mais qu'elle s'inquiétait pour Dervala. Je lui dis de ne pas se faire de souci pour elle, même si elle avait sans doute chopé une MST. Bunny eut l'air soulagée et me demanda comment elle pouvait faire pour les clés car elle avait donné les siennes à Dervala. Ce à quoi je lui répondis que ce n'était pas mon problème et que je ne pouvais rien faire pour l'aider d'ici la fin de la journée. Non mais. Ça lui apprendrait à refiler ses clés à n'importe qui.

— Si je passe à ton bureau, tu me prêteras les tiennes ? Il faut que j'aille à la maison me changer. Je porte encore la robe d'hier soir mais mon bronzage s'en va et c'est la cata.

Je visualisai soudain Bunny déboulant à *Irish Femme*, maquillée de la veille et avec un look digne d'une poule de luxe. Je faillis m'étouffer.

— Mais tu ne peux pas venir ici !

Je criai si fort que tous les regards se tournèrent vers moi.

— On est tous convoqués à une réunion super importante avec Cecille, cet après-midi, et personne n'a le droit de quitter le bureau pour quelque raison que ce soit, même pour filer un trousseau de clés.

A-J haussa un sourcil réprobateur. Elle était visiblement intriguée. Bunny me jura qu'elle ne me dérangerait pas, d'autant plus qu'elle chargerait Johnnie de la course pendant qu'elle attendrait dans la voiture.

— Quel Johnnie ?

— Euh… un ami.

— OK.

— On va à une réception ce soir et il faut absolument que je me change. C'est une question de vie ou de mort.

— OK.

Une réception ? Je mourais d'envie d'en savoir plus, mais je ne voulais pas la bombarder de questions au téléphone.

— C'était Duchesse ?

— Oui.

A-J avait surnommé Bunny et Dervala « Duchesse » et « Garfield » quand je lui avais rapporté les péripéties de la veille. Curieusement, ça n'avait pas été le récit de la fugue de Bunny avec un parfait inconnu qui l'avait fait réagir, mais celui du sosie de Peter Andre et de son crétin de frère.

— Un jour, tu en riras aussi, m'assura-t-elle entre deux gros éclats de rire.

Étrange. Jusque-là, je m'étais demandé si A-J avait un quelconque sens de l'humour. Apparemment oui, même s'il était particulier.

— Elle voulait quoi ? demanda-t-elle en tentant de harponner un bout de céleri avec une fourchette en plastique.

— Mes clés. Elle a une soirée. Tu crois ça, toi ?

— Avec qui ?

— Je ne sais pas. Un certain Johnnie. Probablement un neuneu comme elle.

— Bunny est sympa. C'est juste une grande gamine. Tout cet argent avec rien dans la tête ! Quel gâchis !

— Ouais, j'imagine. Mais elle a vraiment vécu des choses tragiques. J'espère que ça va aller mieux pour elle maintenant. J'espère aussi qu'elle ne va pas se mettre à traîner avec des losers et avoir des ennuis.

— Tu es sa coloc', pas sa mère. Ne l'oublie pas. Allez, on devrait rentrer au bureau fêter mon départ.

Nous étions dix, assis autour de la table de la cantine, en train de faire semblant de nous amuser. Au centre se trouvaient une énorme pizza pepperoni (pas bon pour moi, ça !), un gâteau de Savoie bourré de crème et deux bouteilles de vin blanc tièdes. Cecille commença à le verser dans des gobelets en plastique sous l'œil noir de A-J. Celle-ci précisa qu'elle avait demandé qu'on ne fasse rien de particulier, mais c'était resté sans effet.

Plus tôt, dans la voiture, elle m'avait expliqué que Cecille avait fait un deal avec le supermarché du coin pour des pizzas pepperoni, des gâteaux et du vin blanc bas de gamme, car, curieusement, les gens ne faisaient pas de vieux os à *Irish Femme*.

— Et à chaque fois, c'est pizza-gâteau de Savoie ? m'étais-je écriée, surprise par un tel manque d'originalité.

— Tu parles ! Parfois, c'est juste un « fiche le camp d'ici ».

— Non !

— Oh que oui ! Un jour, une fille a annoncé qu'elle partait pour un magazine concurrent. Eh bien, Cecille a exigé qu'elle s'en aille immédiatement pour qu'elle ne puisse pas partir avec son carnet d'adresses.

— Elle doit quand même plutôt t'apprécier si elle organise une fête pour ton départ.

— Oui, sans doute…

Elle n'avait visiblement pas envie de s'étendre là-dessus. Bref. Nous étions donc réunis dans une cantine lugubre tapissée de règles infantiles disant de nettoyer derrière soi, etc. Cecille leva son gobelet en plastique. Nous en fîmes autant, y compris le vieux Mike qui travaillait à *Irish Femme* depuis la nuit des temps, même si personne ne savait vraiment ce qu'il faisait – et lui encore moins que nous tous.

— Je voudrais porter un toast à A-J.

— Chouette !

Chacun afficha son plus faux sourire. A-J tenta de faire sa timide sans convaincre personne. On la connaissait trop…

— Je suis sûre que A-J va beaucoup nous manquer pendant son absence, mais je lui souhaite quand même… Merde alors.

Stupéfaits, nous vîmes Cecille foncer à la fenêtre. Que se passait-il ? On lui volait sa voiture ? Mais qui voudrait d'une poubelle pareille ? À présent, tout le monde regardait dehors. Je hissai la tête pour mieux voir. Maintenant, je savais ce qui intéressait tant les autres : un type sublime sortant d'une grosse cylindrée flambant neuve. Il était grand, sportif, avec de larges épaules et les cheveux un peu comme David Beckham avant qu'il se rase, mais sans ses horribles tatouages.

— Il vient pour une interview ? fit Cecille. Qui a organisé ça ? On devrait aller chercher une autre bouteille, non ?

Mais personne ne savait ce qu'il faisait ici.

— Mais qui est-ce ? demandai-je à Cecille.

— Ne me dis pas que tu ne le connais pas, roucoula A-J. C'est Johnnie Waldren. Le joueur de rugby le plus sexy d'Irlande. Et je crois deviner pourquoi il est ici. Regarde sa copine. Tu la reconnais ?

Je scrutai l'intérieur de la voiture pour voir la tête de sa passagère. Ça y est, je la voyais, avec son fouillis de longs cheveux méchés et ses immenses lunettes de soleil griffées.

— Bien joué, Bunny ! s'exclama A-J.

24

—C'était ta coloc', dans la voiture ? s'écria Cecille. Punaise, j'y crois pas.

— C'est Bunny Maguire, précisa A-J.

— Notre Bunny ? Tu veux dire la styliste qui a bossé pour nous en début de semaine ?

Sharon, la rédactrice adjointe dont on n'entendait jamais le son de la voix, s'anima soudain.

— Oh, tu crois qu'elle accepterait de faire un spécial « Dans l'intimité de… » avec Johnnie ?

— Franchement, ça m'étonnerait. Bunny est très timide. Elle n'aime pas les gens qui exposent leur vie et leur maison au monde entier.

— Alors, peut-être qu'elle voudra bien faire un « Régime beauté ».

— Certainement, intervint A-J. Ça lui correspond mieux. C'est une vraie lady, pas une de ces minettes échevelées qui squattent les pages des magazines. Et puis, ça m'étonnerait qu'elle parle de son histoire avec Johnnie car elle est très secrète. Et très discrète aussi.

Elle croisa mon regard. Je l'observai, inquiète. J'étais complètement larguée.

— Mais assez parlé de Bunny, poursuivit-elle en feignant de ne rien remarquer. Et mon toast ?

Nouveaux rires faux, mais nous réussîmes – comment, je l'ignore – à finir notre piquette vinaigrée.

★

★ ★

De l'aéroport, A-J m'envoya un « Bonne chance » par texto. Son vol devait durer vingt-quatre heures, mais, franchement, je l'enviais. Dans un sens, j'étais contente qu'elle soit partie pour pouvoir gérer la rubrique seule et, surtout, la signer. Mais d'un autre côté, je paniquais à l'idée de tout faire foirer. Avec A-J à mes côtés, je n'avais pas trop peur de Cecille. Je glissai mes pieds sous mes fesses sur le canapé. J'avais hâte que le soir arrive pour me coucher. J'avais une montagne d'invitations pour la semaine suivante et je n'avais que le week-end pour traîner chez moi pas maquillée. Le souci, c'était que Bunny allait se pointer avec son top model et que ça allait me démoraliser.

Comment faisait-elle ? me demandai-je en feuilletant le *Tatler* irlandais et en regardant les photos de mode. Quand je toucherai mon chèque, je m'achèterai une nouvelle tenue. Une tenue en 40. Pas question que je m'achète un truc dans lequel je puisse « m'épanouir ». J'avais tenu bon, ces derniers jours, et n'avais mangé que des fruits et des légumes. Mais c'était déprimant. Dans les magazines, des stars ultra-minces prétendaient ne manger que des fruits et des légumes et n'avoir qu'un seul « vice » : un verre de vin au dîner. Bon, d'accord, c'était très raisonnable, mais c'était un peu barbant, non ? Je ne dis pas qu'il faut se mettre dans un état lamentable comme Dervala, mais il faut bien se lâcher un peu de temps en temps.

J'avais aussi fait un peu de marche rapide. Mais, franchement, dites-moi quel est l'intérêt de marcher sans but, en faisant semblant de faire de l'exercice, genre : « je tape des pieds en balançant les bras comme si j'allais à la guerre » ? Il faut quand même en avoir une sacrée couche ! Alors j'avais marché d'un bon pas, ce qui était censé être très efficace pour garder la ligne. Le seul problème, c'est que c'est déprimant de marcher pour aller nulle part. Maintenant, j'avais envie d'un Mars. Ou d'un Kit-Kat. Ou d'un Bounty. Ça faisait des années que je n'en avais pas mangé. C'est quand même plus simple quand on est enfant. Quand on a envie d'une barre chocolatée, on ne pense pas aux calories. On ouvre le bec et on l'enfourne à toute vitesse pour ne pas se la faire piquer. Oh, c'était le bon temps !

Je continuai à feuilleter le *Tatler*, en m'arrêtant pour regarder les people dans les photos des pages de fin. J'allais devoir écrire sur eux ces prochaines semaines, il était donc important que je me familiarise avec leurs noms et leurs visages.

Je me demandai comment ça allait entre Bunny et son amoureux. Elle avait dû beaucoup moins boire que Dervala pour être en état d'aller à une réception avec un rugbyman aux faux airs de Brad Pitt. Elle avait vraiment mieux assuré que Dervala avec son affreux jojo. Plus je pensais au « petit incident » de la veille, plus mon sang bouillait. Contrairement à ce qu'en pensait A-J, je n'étais pas prête à en rire... loin de là.

J'allai au lit et allumai la télé en espérant voir la fin du *Late Late Show* que je n'avais pas vu depuis un moment. Mais j'avais à peine saisi la télécommande que j'entendis un grand coup à la porte. Qui cela pouvait-il bien être ? Bunny n'avait tout de même pas prêté ses clés une nouvelle fois ! De toute façon, il était beaucoup trop tôt pour qu'elle rentre. Je jetai un rapide coup d'œil à ma montre. Il était onze heures. Je regardai par la fenêtre pour voir s'il y avait la voiture de ma mère. Non. Rien. C'est alors que j'entendis une voix. Une voix épaisse et agressive hurlant par le battant de la boîte aux lettres.

— Bunny ? Bunny, tu es là ? C'est Shaney. Tu ne pensais quand même pas que j'allais te laisser tout ce fric ?

25

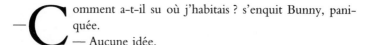omment a-t-il su où j'habitais ? s'enquit Bunny, pani-
quée.
— Aucune idée.

— Peut-être qu'il a vu ma photo dans le journal.

— Peut-être.

— Qu'est-ce que je dois faire ?

— Je ne sais pas. À ton avis ? D'ailleurs, comment sait-il que tu
as gagné au loto ? De quel droit réclame-t-il sa part ? Quel salaud !

— Oui, fit Bunny en baissant la tête, les yeux rivés sur ses mains.

— C'est toi qui as acheté le billet, non ?

— Oui.

Soudain, j'eus comme un doute.

— Bon…, fis-je en prenant Timmy qui arrivait de la cuisine, si
c'est la vérité, tu n'as rien à craindre. S'il te harcèle, j'appellerai les
flics.

— Oh non, surtout pas !

— Il est hors de question que je le laisse faire. C'est mon appartement que je sache.

— Je sais, mais je ne veux pas avoir affaire aux flics. J'irai vivre
ailleurs, si tu veux.

— Ne dis pas de bêtises. C'est juste que je ne comprends pas
pourquoi il se croit en droit de venir t'embêter comme ça.

— Parce que c'est un taré, m'expliqua Bunny en grignotant les restes de son vernis de la veille. J'ai acheté le billet avec *mon* argent.

— Je sais.

— On avait l'habitude de jouer les mêmes chiffres toutes les semaines pour huit euros.

— Ah ?

Oh oh ! Voilà qui devenait intéressant.

— Oui, mais ce soir-là, j'ai oublié de lui demander sa part. Alors, je n'ai joué que pour quatre euros car je n'avais qu'un billet de cinq sur moi.

— Mais il ne le sait pas, n'est-ce pas ?

— Non.

— Il faut le lui dire.

— Je refuse de lui parler, surtout après ce qu'il m'a fait.

— Et ton frère ? Il pourrait peut-être le lui dire ?

— Si mon frère le voit, il le tue.

— Mais il va revenir. Tu le sais, non ?

Je la regardai droit dans les yeux.

— Je sais. J'y réfléchirai plus tard. Là, je suis trop fatiguée.

— C'est vrai que tu n'as pas arrêté depuis l'autre soir. Alors comme ça, il paraît que tu sors avec Johnnie Waldren ?

— Comment le sais-tu ?

Elle était si surprise que les yeux lui sortaient presque de la tête.

— Toute la rédaction d'*Irish Femme* t'a vue dans la voiture.

Elle fit une telle tête que je manquai de lui éclater de rire au nez.

— T'inquiète. Il n'y avait pas de paparazzis. Pas encore. Mais ce n'est pas tous les jours que M. Univers vient en personne dans nos humbles bureaux.

— Il est mignon, hein ? Mais je préfère que ça ne se sache pas trop. C'est beaucoup trop tôt pour en parler.

— Donc, tu vas le revoir ?

— Bien sûr. Ce n'est pas tous les jours qu'on rencontre un type adorable ! En plus, il est vraiment intelligent, pas comme ces joueurs de rugby qui se sont manifestement pris trop de coups sur la tête.

— Mais il n'y avait pas de journalistes hier soir ? Quand on saura que vous sortez ensemble, ça va faire du bruit.

— Ah bon ? Pourquoi ?

— C'est qu'on n'a pas tant de célébrités que ça en Irlande. Alors on se raccroche au moindre people. Certains joueurs de rugby squattent les journaux alors qu'ils sont moches comme des poux. Ton mec, lui, ressemble à une superstar et tout le monde voudra savoir qui tu es. A-J a raconté partout que tes parents vivaient dans un château grandiose et que ta tante t'avait légué des millions d'euros.

— Oh non ! Mais pourquoi a-t-elle fait ça ? Pas étonnant que les gens soient si gentils avec moi. Je comprends tout maintenant.

— A-J trouvait ça drôle de faire de toi une star. Pour elle, c'était te rendre un grand service.

— Mais ce n'est pas bien de mentir. On doit se faire aimer pour ce qu'on est, n'est-ce pas ?

— Entièrement d'accord avec toi, mais ça ne marche pas comme ça. Dans la vraie vie, tout est question de relations. C'est pour ça qu'on s'intéresse tant à toi et qu'on va s'intéresser à ton nouveau mec.

— Ce n'est pas exactement mon nouveau mec. Et, pour répondre à ta question, sache qu'il n'y avait pas de journalistes à cette fameuse soirée. On fêtait le départ à la retraite du père de Johnnie. Il travaillait dans une boîte d'assurances. C'est un homme tout à fait ordinaire. Comme Johnnie, d'ailleurs.

— Waouh, il doit être accro pour t'avoir déjà présentée à sa famille ! Tu le revois ce soir ?

— Oh non ! Il faut savoir se faire désirer. Son ex était tout le temps après lui et ça le gonflait tellement qu'il a fini par la quitter.

— Comment le sais-tu ?

— Oh, j'ai mené ma petite enquête hier soir, m'avoua-t-elle avec un grand sourire.

Je me rappelai soudain la mise en garde de A-J : « Tu sous-estimes trop Bunny. »

26

— **S**alut, tout le monde, lançai-je joyeusement aux échines courbées sur les bureaux sans déclencher la moindre réaction.

Bien que je sois à l'heure, les autres avaient tous l'air d'être arrivés plus tôt. Qu'est-ce qui se passait ? À quoi bon tant de zèle et d'empressement quand on savait que ça n'aurait aucune répercussion financière ? Je savais qu'ils m'avaient tous à l'œil cette semaine, dans l'espoir que je fasse un faux pas. Je croisais les doigts pour que ça n'arrive pas.

Je portais un ensemble très pro qui m'avait coûté le prix d'une bonne voiture d'occasion et pour lequel j'avais bien sûr dû utiliser une nouvelle carte de crédit. C'était tellement facile de dégainer une carte en plastique ! C'était comme de l'argent *gratis*. Je ne payais jamais rien en liquide car je n'en avais jamais sur moi. À peine assise, je vis débouler Cecille qui me demanda quels étaient mes projets pour la semaine.

— Franchement, je n'en ai pas encore. Comment puis-je avoir des projets alors que je viens à peine d'arriver ? On est lundi matin et je n'ai pas encore eu le temps d'allumer mon ordinateur.

— Tu dois réfléchir aux histoires que tu vas raconter. Des histoires drôles et glamour, bien sûr, mais aussi des histoires différentes de celles des autres. Les gens n'achètent pas *Irish Femme* pour lire des trucs réchauffés.

— OK. A-J m'a laissé une liste d'attachés de presse à appeler. Je le fais ?

— Seulement en dernier recours. Les attachés de presse ont la fâcheuse tendance de ne parler que de leurs clients et d'essayer de leur faire de la pub *gratis*. Et ce n'est pas eux qui te donneront le scoop du siècle. Quand ils ont des infos croustillantes qu'ils veulent diffuser, ils contactent la presse people. Si tu veux du lourd, il faut le trouver toi-même, ma belle. Bon, je dois y aller... Ah, au fait...

— Oui ?

À son air, je m'attendais à ce qu'elle m'annonce qu'en plus de trouver des infos juteuses, j'étais aussi censée laver les toilettes avec une brosse à dents.

— Je voudrais que tu interviewes ce nouveau présentateur télé. D'après son agent, il est très sympa, mais ils le sont tous, non ? fit-elle en levant les yeux au ciel. Bref. Je vais te faire passer ses coordonnées pour que tu puisses l'interviewer... Le plus tôt sera le mieux.

— Avec plaisir.

En acceptant ce travail, j'avais cru que je passerais mes journées à papoter au téléphone avec des stars internationales, à parler de l'amour, de la vie, de tout et de rien. Mais ça, c'était le boulot de Sharon. Elle interviewait tout le gratin mondial pendant que j'interviewais le gratin irlandais, qui était constitué de quelques boys bands (trop jeunes et trop efféminés à mon goût), de mannequins (inconnus à l'étranger) et de présentateurs télé qui faisaient exactement comme moi : interviewer des gens, sauf que, comme ils le faisaient à la télé, ils devenaient des célébrités. Pigé ?

Je me demandai qui pouvait bien être ce type. S'il était nouveau, je n'en avais probablement jamais entendu parler. J'espérais que ce ne soit pas un branleur arrogant qui blablaterait pendant des heures sur le sens de la vie.

Cecille était de retour avec le dossier et une photo.

— Il est super mimi. C'est pas le genre à dormir dans la baignoire !

Elle fit une pause pour admirer une nouvelle fois la photo.

— Bon, voici les coordonnées de son attachée de presse. L'interview est programmée pour demain après-midi.

J'aurais bien voulu lui répondre, mais je n'y parvenais pas. J'ouvris la bouche, mais aucun son n'en sortit. J'étais sans voix. Et si j'étais sans voix, c'est parce que le sol se dérobait sous mes pieds. Je pris le dossier de presse et la photo, les mains tremblantes, en espérant que Cecille ne remarquerait rien. Apparemment non.

— Il est beau, hein ?

Je regardai à nouveau la photo de Connor. Difficile de dire le contraire.

27

Tu es stressée ? me demanda Cecille.

— Stressée ? Non, fis-je avec le faux sourire que j'avais pris l'habitude d'arborer depuis que je bossais à *Irish Femme*.

Je n'étais pas stressée, j'étais pétrifiée. Je ne pouvais croire que j'allais interviewer Connor. Depuis quand voulait-il devenir présentateur ? Ellie m'avait bien dit qu'il bossait à la télé, mais je pensais que c'était en coulisses. Maintenant, j'étais au pied du mur et Cecille avait une idée très précise de la façon dont je devais mener l'entretien.

— Il va probablement essayer de parler de son travail et de son émission. Ils font tous ça. Mais moi, je veux tout savoir de sa vie privée, ce qu'il aime et n'aime pas, quelles femmes célèbres il aimerait interviewer… Tout ça, quoi. C'est ça qui intéresse les lectrices d'*Irish Femme*, crois-moi.

J'en avais presque la nausée. J'étais censée faire quoi ? L'interroger sur Ellie et le bébé. Mon Dieu, il me prendrait pour une malade. Comment procéder ? Et surtout, comment me sortir de ce pétrin ? Comment m'excuser ? Je ne pouvais quand même pas expliquer à Cecille que je ne voulais pas l'interviewer parce que sa future femme pensait qu'on avait couché ensemble. Je venais de passer une nuit blanche à cause de ça. « Pourquoi moi ? » n'avais-je cessé de me répéter en me tournant et me retournant dans mon lit. J'avais mis des boules Quiès, un masque pour les yeux, de l'huile essentielle de lavande… Puis j'avais lu un livre ennuyeux, bu une tisane, compté les moutons… Rien à faire. La vie n'était pas toujours facile ! C'est vrai, quoi. Pourquoi n'était-ce pas A-J qui l'avait interviewé avant de partir ? Aussi, ça serait déjà pesé et emballé. Je filai dans les toilettes. Par chance, elles étaient libres. J'observai mon reflet dans la glace. Malgré la fatigue, je n'avais pas une trop sale tête. Visiblement, ça payait de manger correctement et de marcher.

Je m'étais fait faire des mèches la veille, ce qui avait été un grand moment de stress. J'étais arrivée avec cinq minutes de retard, au grand dam de la coiffeuse qui avait regardé sa montre d'un air réprobateur avant de me faire attendre vingt minutes. Puis la technicienne m'avait prise en main et saoulée avec ses histoires sur Jordan et Jordie Marsh, avant de me passer au shampoing où un type maigre qui ressemblait à une fille m'avait tellement mal rincée que j'étais sortie du salon la tête grasse de produit. Arrivée à la maison, j'étais aussitôt allée me mettre la tête sous la douche. Quoi qu'il en soit, je n'avais plus de racines noires, et, même si je n'en étais pas sûre, j'avais l'impression d'avoir perdu un peu de poids car mon pantalon flottait au lieu de m'engoncer comme avant.

J'étais donc assise au bar du Four Seasons en train d'essayer de me détendre en évitant de me tenir raide comme un piquet avec mon sac sur les genoux. Je me répétais en boucle que j'étais une professionnelle qui faisait son travail de professionnelle. Point barre. Mais dire que je réussissais à m'en convaincre serait exagéré. Mes paumes étaient chaudes et moites. Je priai pour qu'il ne me serre pas la main !

Il poussa soudain la porte. Je levai les yeux, admirative. On aurait dit un ange. Il portait un tee-shirt bleu et une veste bleu marine sur un jean délavé. Et il arborait un sourire absolument irrésistible. Le mien était plutôt figé. Je n'arrêtais pas de me dire que c'était un rendez-vous de boulot, pas un rendez-vous galant.

Mais la façon dont Connor me serra contre lui en me faisant un gros bisou sur la joue fut tout sauf professionnelle.

— Comment vas-tu ? me demanda-t-il comme à une vieille connaissance perdue de vue depuis des années. Qu'est-ce que tu fabriques ici ?

— Je t'attends, répondis-je froidement.

Quelles drôles de questions ! Il se moquait de moi ou quoi ?

— Très drôle, ma belle. Non mais sérieusement, tu as le temps de prendre un verre avec moi ?

Il m'arracha un rire. Il était vraiment bizarre.

— Pour tout te dire, je suis un peu nerveux, ajouta-t-il en lançant un regard inquiet dans la pièce. Je dois faire une interview pour un magazine féminin et c'est complètement nouveau pour moi. J'espère qu'on ne va pas me demander quelles crèmes de soin je mets ou combien de fois je fais l'amour la nuit.

Compris ! Connor n'avait pas réalisé que c'était moi qui devais l'interviewer. Il croyait qu'on était tombés l'un sur l'autre par hasard. Mais, bien sûr, comment pouvait-il savoir que j'avais changé de boulot ?

— Assieds-toi, lui ordonnai-je en tapotant la chaise à côté de moi. Tu devrais vraiment boire un coup. Les filles de la presse féminine sont parfois très cruelles.

— Oh ?

Il avait vraiment l'air préoccupé.

— Je blague, fis-je en lui envoyant un coup de poing amical. C'est moi qui vais vous interviewer, monsieur. On ne t'avait pas prévenu ?

— Non. En fait, si, on m'avait parlé d'une Fiona, mais je n'avais pas fait le rapport. Pour une coïncidence, c'est une coïncidence.

— Ça, c'est sûr. Mais je n'arrive pas à croire que ça te stressait.

— Et pourtant, c'est vrai, m'avoua-t-il en révélant une rangée de dents d'un blanc parfait. Mais c'est fini maintenant.

— Moi aussi, ça me stressait.

— Vraiment ?

— Oui, c'est ma première interview pour *Irish Femme*.

— Mais tu me connais. C'est plutôt cool, non ?

Je ne sus que répondre. Jamais je n'aurais pensé qualifier ces retrouvailles de « cool ». Nous échangeâmes un long regard gêné.

— Alors, que veux-tu savoir de moi ? Pas de questions méchantes, hein ?

— Promis. J'ai déjà ton dossier de presse, mais ma rédactrice en chef veut des vrais scoops, donc, si tu veux bien, je vais t'interroger sur ta carrière, tes loisirs, mais aussi sur Ellie et le bébé.

Il me lança un regard choqué, comme si je lui avais demandé son avis sur la pornographie ou l'homosexualité.

— Tu as dit que tu voulais m'interroger sur Ellie et le bébé, c'est bien ça ? me demanda-t-il incrédule.

Je sentis mes joues s'enflammer. Oh mon Dieu, je l'avais offensé. Il allait me planter sans me laisser l'interviewer et Cecille allait me virer. J'aurais voulu disparaître. Je m'étais tellement embourbée que je ne m'en sortirais jamais.

— Je suis désolée. Ai-je vraiment dit ça ? S'il te plaît, ne te vexe pas. Je ne suis pas très bonne à... je suis nouvelle et...

— Ellie est enceinte ?

Ce fut mon tour d'être estomaquée. Que se passait-il ? C'était quoi, ce jeu de dingues ? Ce n'était vraiment pas drôle. J'avais la tête qui tournait. Je voulais m'enfuir. Le barman arriva avec notre commande : un verre de vin blanc pour moi et un Miller pour Connor. Je pris une gorgée en luttant contre l'envie de le boire cul sec.

— Comme si tu ne le savais pas, chuchotai-je d'une voix glaciale.

Mais Connor avait vraiment l'air stupéfait. Franchement, à le voir comme ça, il méritait l'oscar du meilleur acteur. Il inspira profondément et émit un long sifflement.

— Eh bien, ça, c'est du rapide ! Mais je suis content pour elle. C'est ce qu'elle voulait. Si on s'est séparés, c'est parce qu'elle voulait aller beaucoup plus vite que moi. Mais ça fait quand même très peu de temps qu'elle est avec ce type.

— Quel type ?

Ça devenait de plus en plus bizarre. Ce qui aurait dû être une interview s'était transformé en un tête-à-tête avec l'ex de ma copine qui était enceinte de…, mais de qui diable était-elle enceinte ?

— Il s'appelle Stuart. Il travaille avec Ellie. Ça faisait déjà un bail qu'ils se tournaient autour. Elle me parlait sans cesse de lui.

— Mais comment sais-tu que c'est le père de l'enfant ?

— Hé, je ne savais même pas qu'elle était enceinte ! En revanche, je sais qu'elle est avec Stuart. Je la vois souvent en ce moment. Elle travaille sur ma nouvelle émission. On s'entend bien maintenant.

— Elle va y faire quoi ? Parler grossesse ?

— Non, elle animera une rubrique voyage deux fois par mois.

— Mon Dieu. Laisse-moi digérer tout ça. Ellie et toi, vous n'êtes plus ensemble. Tu n'es pas le père du bébé d'Ellie. Tu vas animer ta propre émission et Ellie y fera une chronique tous les quinze jours. Ellie est mon ancienne coloc' et elle sort désormais avec Stuart qui m'a récemment envoyée faire un voyage de presse. J'ai rencontré une fille qui s'appelle A-J lors de ce voyage, et elle m'a dégoté un job dans un magazine où, ma première interview, c'est avec…

— Moi. Le monde est petit, hein ?

— Petit. Étouffant, oui ! Mais attends… j'ai rencontré ton pote, Killian, lors de ce voyage de presse, et il m'a dit que vous vous étiez remis ensemble avec Ellie.

Connor se rembrunit.

— Et je suppose qu'il t'a draguée ?

Je ne savais pas si je devais en rire ou en pleurer. Par chance, nous éclatâmes de rire en même temps, ce qui détendit considérablement l'atmosphère. Connor passa ses doigts dans sa masse de cheveux noirs.

— Maintenant, je sais pourquoi Killian fait le mort depuis quelque temps. Et je commence aussi à comprendre pourquoi tu as refusé de me parler l'autre soir au Cocoon. Tu t'es dit que j'étais gonflé de sortir boire des coups pendant que ma copine, enceinte, m'attendait seule à la maison.

— Eh bien, euh… Exactement.

Son regard croisa le mien. Qu'est-ce qu'il était beau ! Une mèche de cheveux noirs pendait devant son œil droit. Il la balaya avec un sourire. Si on avait été en train de tourner un film, on se serait embrassés sur la musique du générique de fin, mais on était en plein après-midi et, bon gré mal gré, j'avais une interview à faire. Je farfouillai dans mon sac à la recherche de mon Dictaphone.

— Bon, on s'y met ? demandai-je en essayant de cacher mon émoi.

Je luttais contre une attirance que j'avais, je suppose, ressentie dès notre première rencontre, à la fête, près du frigo… mais il y avait Ellie à cette époque-là, alors que maintenant, plus rien ne nous empêchait de…

— Bon, fis-je en appuyant sur « Play ». As-tu toujours rêvé d'être présentateur ?

— Pas vraiment.

Il se redressa sur son siège.

— Avant, mon truc, c'était plutôt la production. Et puis quelqu'un m'a proposé de faire un essai devant une caméra. J'ai trouvé ça drôle et j'ai accepté, mais j'étais à des années-lumière de penser qu'on allait me rappeler.

Sa voix était terriblement sexy. Il avait un doux accent, un peu comme Liam Neeson. J'avais hâte d'être chez moi pour pouvoir me repasser encore et encore l'enregistrement. Je n'effacerai jamais, jamais cette voix. Oh mon Dieu, vous m'entendez ? On dirait une collégienne.

— Que faut-il pour être un bon présentateur ?

J'étais de nouveau en transe, comme une gamine lors de son premier entretien d'embauche.

— Euh…

Il inspira profondément.

— C'est un de mes sujets de réflexion actuels. Je pense qu'il faut savoir mettre ses invités à l'aise, les faire réagir aux propos des autres, ne pas leur couper la parole, ne pas regarder sa montre toutes les deux minutes, ne pas être distrait quand ils vous répondent… Oh, c'est nul, non ?

Je ris.

— Surtout n'écris pas ça !

— Le pouvoir de la presse…

— Saletés de journalistes, fit-il en me pinçant le bras.

— Hé, défense de m'attaquer, hurlai-je en oubliant complètement où on était. Allez, finissons-en.

— Tu n'as qu'à dire que je suis un ravissant et charmant enfoiré qui sort avec Angelina Jolie. Comme ça, j'appellerai tous les journaux pour démentir, ce qui me fera un max de pub.

— Oui, et moi, je finirai devant un juge. Non, merci.

— Alors comme ça, tu passes tes soirées avec le gratin dublinois ?

— Oui, je sors beaucoup. Certaines soirées sont sympas, d'autres non. Ça dépend vraiment des invités.

— Tu dois voir de sacrés beaux mecs.

— Tu parles ! Il n'y a que des femmes et des homos. La plupart des hétéros sont dans les pubs ou sur les terrains de foot. Ça ne les branche pas spécialement de venir grignoter des sushis et siroter des cocktails à l'ouverture d'un salon de coiffure.

Connor s'esclaffa.

— Tu n'as pas la langue dans ta poche, toi. Bon, continue à me poser des questions. Je commence à bien m'amuser.

Moi aussi, pensai-je. Je n'avais jamais été autant attirée par un homme. Jusque-là, je l'avais nié à cause de toutes les casseroles que je croyais qu'il se trimbalait. Et aussi parce que je ne voulais pas faire souffrir Ellie.

— Es-tu à la recherche du grand amour ?

Rendue plus audacieuse par le vin, je vissai mes yeux dans les siens.

— Et toi ?

— Hé, ce n'est pas moi qu'on interviewe !

— Joker.

— Quel est ton genre de femme ?

— Les grandes gueules avec du poil sous les bras et une mauvaise haleine.

— S'il te plaît ! Il faut que tu me donnes de la matière pour mon article.

— Dans ce cas, pose-moi des questions auxquelles je peux répondre.

— Quel est le sens de la vie ?

— Ah, ah, très drôle !

Mon portable sonna. Je vis le numéro de Cecille s'afficher. Mince, elle devait se demander pourquoi c'était si long.

— C'est ma chef.

— Dis-lui que j'ai été retardé et que tu attends encore.

— OK.

Je décrochai.

— Allô, Cecille. Ça va ? Je suis encore en train de l'attendre. Il doit passer sa journée à donner des interviews. Oui… Je comprends. Je vais essayer d'avoir une info exclusive, une info qu'il n'aura communiquée à personne. D'accord. Écoute, vu comme c'est parti, ça m'étonnerait que j'arrive à repasser au bureau avec les bouchons. Je préfère prendre mon temps et faire une bonne inter-view. OK. Merci beaucoup. À demain.

— Alors comme ça, tu veux une info exclusive ? Écoute ça : en fait, je suis une femme.

— C'est ça.

— Euh… et ça ? J'ai rencontré la femme de mes rêves, mais je n'ose pas le lui dire de peur de me prendre une veste.

Il prit sa bouteille de bière, en but une gorgée et la reposa sur la table. On était assis côte à côte, aussi gênés l'un que l'autre. Connor finit par rompre le silence.

— Je vais m'en commander une autre. Tu veux encore du vin ?

— Oui.

Je lui souris et décidai soudain que je voulais rester là pour tou-jours. Nous papotâmes pendant des heures de tout et de rien, en off. Mon Dictaphone était arrêté quand il me raconta son enfance, ses voyages, ses rêves et ses ambitions. Je lui parlai de mon travail à *Irish Femme* sans embellir les choses comme quand je voulais impres-sionner quelqu'un. Avec Connor, je ne me sentais pas obligée de mentir. Pour une raison que j'ignorais, il semblait m'apprécier. Plus tard, nous nous rendîmes chez lui (un appart' à Rathgar). Il alluma un feu et nous nous installâmes devant avec des plats chinois et du Coca. Je sais que ça peut paraître étrange, mais franchement, je préférais mille fois être seule avec Connor que dans un super-res-taurant où je n'aurais pas pu le toucher. C'était le genre d'homme qu'on avait envie de tripoter tout le temps. Il était non seulement d'une beauté renversante, mais il était gentil et, cerise sur le gâteau, il aimait les chats. Jamais je n'aurais pu aimer quelqu'un qui n'aurait pas aimé Timmy !

Après le dîner, nous nous allongeâmes côte à côte sur le tapis, les yeux dans les yeux, les joues rougies par la chaleur des flammes. J'attendais qu'il m'embrasse, mais comme il ne se décidait pas, inca-pable de me retenir davantage, je l'enlaçai et l'embrassai passionné-ment. Il embrassait délicieusement bien. Je craquais complètement.

Je me demandais juste comment Ellie réagirait quand elle l'apprendrait. Connor, qui pensait aussi qu'il fallait l'appeler pour la prévenir, me donna son nouveau numéro de téléphone. Mais vous en connaissez, vous, des filles qui sautent au plafond quand elles apprennent que leur ex sort avec leur meilleure copine ?

28

J'appelai Ellie à l'aube, le lendemain. Je tombai sur sa messagerie et lui laissai un message de félicitations pour sa grossesse. Je lui demandai de me rappeler pour qu'on aille fêter ça ensemble au resto. Puis, vaguement heureuse et soulagée, j'allumai mon ordi pour écrire l'article sur mon Connor adoré. J'étais aussi excitée qu'une gamine qui griffonne le nom de son amoureux sur tous ses cahiers. Je sais, je sais, c'est pathétique. Mais ce n'est pas facile de rester digne quand on est amoureuse. Ma vie me paraissait soudain plus agréable. Je me sentais comme détachée des petits soucis du quotidien. Bon, fini de rêvasser, au boulot maintenant. Mais comment réussir à faire un papier objectif dans ces conditions ?

Quand Cecille m'avait demandé comment ça s'était passé, je lui avais répondu, en rougissant comme une gourde : « Mieux que prévu. » Et forcément, elle m'avait regardée d'un air louche. J'espérais ne pas avoir été trahie par mon teint rubicond.

Mais comment pouvait-elle soupçonner quelque chose ? J'étais vraiment parano.

Je me remis au travail. Difficile d'appeler ça du travail – j'aurais volontiers écrit des pages entières sur lui même sans y être obligée. Mais je n'avais pas seulement un article à faire sur Connor. Il fallait aussi que j'aille au lancement d'une nouvelle crème pour les yeux à midi. Pourvu que ça ne soit pas trop barbant ! C'est vrai, quoi. Un produit de beauté est un produit de beauté. Et l'alcool est mauvais pour la peau. Alors dites-moi pourquoi tous les fabricants de cosmétiques vous abreuvent de cocktails gratuits ? Ils pensent vraiment que personne ne viendra s'il n'y a rien à boire ? Ils ont sans doute raison. À mon avis, la plupart des journalistes assisteraient au lancement d'une poubelle s'ils étaient sûrs de boire à l'œil. Dire que, quand A-J me l'avait dit, j'avais pensé qu'elle exagérait ! Maintenant je savais qu'elle disait vrai.

Ma sœur trouvait mon nouveau job hyper-sexy. Elle n'arrivait pas à croire que j'étais *obligée* d'aller boire du champagne *gratis*. Après tout, la plupart des médecins ne se saoulent que pour fêter leurs examens – ce qui revient assez souvent quand on y pense. Ils passent leur temps à étudier ! Il faut quand même en vouloir pour être médecin. Surtout quand on sait, *dixit* ma sœur, que ça n'a rien à voir avec *Urgences* et qu'aucun toubib ne ressemble, même de loin, à George Clooney.

Je m'étais mise à écrire quand soudain le téléphone sonna. Voulais-je venir au lancement d'une nouvelle gamme de vins fins ? Oui. Au lancement d'un nouveau téléphone portable ? Non. Au lancement d'un nouveau magazine informatique ? Non. Au lancement de la nouvelle Audi ? Euh… oui.

J'étais de super bonne humeur. Je commençais vraiment à aimer ce travail, mais surtout j'attendais avec impatience le moment où je reverrais mon cher Connor. Je regrettais de ne pas avoir sa photo en fond d'écran pour pouvoir baver devant. Je tapai son nom dans Google histoire d'en trouver une. C'est alors que le téléphone sonna. Pétard ! Pour les lancements, c'était fini. Sérieux, j'étais archibookée.

— Bonjour, ici Fiona Lemon.

Je le disais si souvent maintenant au boulot que je me surprenais à répondre comme ça sur mon portable.

— Fiona ? C'est Ellie.

— Ellie !

Ça faisait si longtemps qu'on ne s'était pas parlé que je sentis mes intestins se nouer.

— Qu'est-ce que tu racontes ?

— Je ne sais pas, répondit-elle d'une voix qui me sembla distante. Je pensais que c'était toi qui avais des choses à me raconter.

29

Ellie était en chemin. Et moi, pour tout vous avouer, j'étais assise dans mon salon, pétrie d'angoisse. Que voulait-elle ? Que voulait-elle me dire en face et pas au téléphone ? Était-elle au courant pour Connor et moi ? Était-elle furieuse ? Allait-elle tenter de m'obliger à rompre ? Et, dans ce cas, allais-je accepter ou allais-je lui dire que Connor était à moi, maintenant, et qu'on avait des sentiments l'un pour l'autre ? Allait-elle être agressive ou allait-elle éclater en sanglots et me supplier de ne plus le voir ? J'avais l'impression d'attendre une étrangère. Pas Ellie. Pas mon ex-coloc' que j'adorais. C'était vraiment bizarre.

Je n'arrivais pas à comprendre sa réaction. C'est vrai qu'on souhaite rarement à ses ex bonheur et prospérité, mais quand même. Elle allait avoir le bébé de Stuart ! Donc, décemment, elle ne pouvait pas vouloir Connor, non ?

Je regardai ma montre. Il était presque vingt heures. Elle avait un quart d'heure de retard. Soudain, on sonna à la porte. Je bondis. C'était étrange d'aller ouvrir à Ellie. Il n'y avait pas si longtemps, elle vivait encore ici.

Ellie grimaça un pauvre sourire quand je lui ouvris. Elle portait un grand manteau en laine, il m'était donc impossible de voir son ventre. Je me demandai de combien de mois elle était enceinte.

Elle fit le tour de l'appartement, les yeux exorbités devant tous les gadgets de Bunny.

J'aurais adoré lui dire qu'elle avait gagné au loto, mais je n'en fis rien.

— Ta Bunny est un vrai panier percé, hein ?

— Oui, elle aime faire les boutiques. Tu l'as rencontrée, n'est-ce pas ?

— Oui.

Elle s'assit sur le canapé.

— Une drôle de fille. Elle m'a accueillie un peu fraîchement, comme si elle croyait que je voulais revenir.

— Ce n'était pas le cas ?

Ellie secoua énergiquement la tête.

— Non. Absolument pas. Je suis retournée chez mes parents pendant deux semaines. Ce que je voulais, c'était m'excuser pour avoir fait un tel foin à la fête. Je me suis emportée bêtement. J'étais déjà enceinte à l'époque, mais je ne le savais pas. Je venais de me disputer méchamment avec Stu et je pensais que Connor était l'homme de transition idéal. Je voulais rendre Stu jaloux. Puis je t'ai vue avec Connor et je suis partie en vrille. En plus, je culpabilisais d'avoir laissé ma copine à l'hosto, et Stu venait de partir en voyage de presse sans me prévenir. J'ai cru qu'il était retourné avec son ex-femme. Elle l'appelait beaucoup. Beaucoup trop, à mon goût.

— Stu est marié ?

— Il est officiellement séparé. C'est pour ça que je n'ai jamais parlé de lui à personne, pas même à toi. C'était très compliqué. Et en plus, c'était mon boss ! Son divorce était sur le point d'être prononcé, mais sa femme, qui d'ailleurs en était à l'origine, donnait l'impression d'avoir changé d'avis. Bref, quelques jours plus tard, je suis venue te demander pardon. J'avais perdu mon portable et j'ai donc donné mon nouveau numéro à Bunny.

— Ah bon ?

Ellie avait l'air perdue.

— Bunny ne te l'a pas donné ?

— Non. Et le pire, c'est que je lui ai demandé si tu avais laissé un numéro de téléphone.

— Elle a dû se sentir menacée. Elle n'a pas cessé de me dire que c'était chez elle maintenant. J'ai laissé une boîte de beignets pour toi et je lui ai dit que je repasserais vite, mais après, les choses se sont tellement précipitées que je n'en ai pas eu l'occasion.

— Allez, enlève ton manteau, je fais chauffer de l'eau. Je suis si contente que tu sois venue, tu sais.

— Merci. Ça fait drôle d'être ici comme avant, tu ne trouves pas ?

Elle se tut et sourit.

— Au fait, Stu m'a dit que tu l'avais contacté pour ce voyage de presse. J'en ai été ravie. C'est vrai, quoi, je ne peux techniquement pas tous les faire, ajouta-t-elle en se tapotant le ventre.

— Oui, je suis vraiment contente pour toi, Ellie. En fait, je croyais que c'était Connor, le père…

— Oui, comme… comme tout le monde, malheureusement. Un journaliste m'a appelée pour savoir ce que ça faisait d'être la mère du futur bébé de Connor Kinnerty. Et une heure plus tard, un magazine de mariage m'a contactée pour que je leur envoie des photos du grand jour ! J'ai failli faire une crise cardiaque. Je me suis même demandé si c'était toi qui étais à l'origine de cette rumeur.

— Bien sûr que non !

— C'était donc une rumeur spontanée.

— C'est A-J d'*Irish Femme* qui m'a appris la nouvelle. Elle m'a dit que tu avais postulé pour son job mais que Cecille craignait qu'une femme enceinte ne soit pas capable d'aller à la chasse aux scoops quatre à cinq fois par semaine. Puis quelqu'un lui a dit que tu allais te marier.

Ellie faillit en faire tomber sa tasse.

— Tout faux. Surtout cette histoire de candidature. Tout le monde sait que je ne ferais ce genre de travail pour rien au monde.

— Eh bien, c'est moi qui le fais ! fis-je d'une voix blanche. Ou, pour être plus précise, je remplace Angela-Jean Murray pendant qu'elle « se cherche » en Nouvelle-Zélande.

— Oh, je suis désolée. Je n'ai pas dit ça pour te vexer. C'est simplement que je ne pourrais pas boire et festoyer tous les soirs. Surtout dans mon état. Bizarrement, c'est la nuit que j'ai des nausées et j'en ai déjà passé pas mal la tête au-dessus de la cuvette des toilettes. Ça ferait désordre lors d'un cocktail, non, si je passais mon temps à m'éclipser ?

Je rigolai en imaginant la scène. Quelle joie de voir qu'Ellie n'avait pas changé et avait toujours cette capacité à se moquer d'elle-même.

— Je me demande comment A-J a eu ces infos.

— Je crois savoir, fit Ellie avec un petit sourire. J'ai rencontré Cecille à un déjeuner à l'ambassade de France. On s'était déjà vues à un voyage de presse et elle m'a demandé si j'avais des projets d'escapade au soleil pour cet hiver. Je lui ai répondu que, vu mon état, c'était peu probable.

— Et je parie qu'elle t'a proposé de tenir une rubrique « grossesse » dans son journal.

— Gagné. Et elle a dû en parler à A-J qui n'a pas tout bien capté, d'où le malentendu.

— L'essentiel, c'est qu'on ait compris ce qui s'est passé. Dans le genre de rumeur folle, ça assure !

— Oui, c'est très fréquent à Dublin. Et toi, tu as eu des nouvelles de Connor récemment ?

— Eh bien… euh… je le vois ce soir, lui avouai-je en rougissant, à ma grande honte, jusqu'aux oreilles.

— Je le savais. C'était évident que vous finiriez ensemble.

— Hé, du calme. C'est un peu trop définitif comme expression. On a rendez-vous ce soir histoire de voir comment ça se passe entre nous.

— Mais tu l'aimes bien, n'est-ce pas ?

— Oui, beaucoup. Mais il ne s'est rien passé durant ta fête. Je te le jure. J'étais juste très saoule et j'étais en train de me changer car mes vêtements étaient tout mouillés. Tu es arrivée pile au mauvais moment. Je sais que ça prêtait à confusion, mais…

— C'est bon. C'est pardonné et oublié. Franchement. Et, en plus, je te crois. Alors, à quelle heure vient-il ?

— Dans environ une heure.

— Tu devrais commencer à te préparer.

— Oui.

Ellie se leva et me serra dans ses bras. Quel soulagement d'avoir clarifié les choses avec elle ! J'avais l'impression qu'on m'avait ôté un poids de dix tonnes des épaules !

Bunny arriva peu après le départ d'Ellie. Elle avait passé la journée en ville à faire du shopping pour *Irish Femme*. Son briefing du jour était « faites de moi une star », et elle était partie en quête de vêtements comme ceux de J-Lo, de Kylie et de Kate Moss, mais cent fois moins chers. Elle avait les yeux brillants et les joues rouges de plaisir. Visiblement, elle s'éclatait dans son nouveau job. Qui aurait cru cela d'elle, la petite paysanne qui, il y a seulement quinze jours, avait dû embaucher A-J comme styliste personnelle ? Et maintenant, elle disait à l'Irlande entière comment s'habiller, il y avait de quoi rire, non ?

En revanche, je devais admettre que Bunny était la plus jolie styliste de la ville. On dit que l'argent ne fait pas tout, mais ça l'avait vraiment aidée à acquérir un certain *je-ne-sais quoi*[1] et à attraper le plus bel homme d'Irlande dans ses filets.

— Tu sors avec Johnnie ce soir ? lui demandai-je en la voyant poser tous ses sacs en plein milieu du salon et se laisser tomber dans le canapé.

---

1. En français dans le texte (NdT).

— Oui, fit-elle en regardant sa montre. Ce qui veut dire que j'ai quarante-cinq minutes pour m'habiller convenablement et me donner figure humaine.

— Figure humaine ? Tu n'exagérerais pas un peu ? Tu es superbe.

— Mes bleus ont presque tous disparu, m'informa-t-elle en relevant ses manches.

— Super !

— Mais malheureusement, mes bleus à l'âme sont toujours là.

— Allez, il faut avancer, la réconfortai-je en m'avisant que je devais aussi commencer à me préparer si je voulais être à l'heure pour mon rendez-vous avec Connor.

— J'avance doucement mais sûrement. Ce n'est pas facile. J'ai toujours peur que Shaney revienne et détruise ce sublime rêve éveillé que je vis depuis quelques jours.

— Oublie-le. C'est de l'histoire ancienne. Tu as un sublime avenir devant toi avec ton boulot et le reste. Te souviens-tu que, il n'y a pas si longtemps, tu voulais envoyer ton CV dans toutes les boutiques de la ville, alors que maintenant tu es une icône de la mode ?

— N'exagère pas. Mais oui, je comprends ce que tu veux dire. Il faut que j'apprenne à me faire confiance.

— Exactement. Hé, lançai-je en regardant ma montre, tu devrais commencer à te préparer ! À quelle heure Johnnie vient te chercher ?

— Neuf heures. Et ton rencard ?

— Pareil. Je ferais mieux d'aller me maquiller.

— Comment s'appelle-t-il, déjà ?

— Connor.

— Je ne l'ai jamais vu, n'est-ce pas ?

— Eh bien…

— Attends, c'est le Connor qu'on a vu au Cocoon ?

— Euh… c'est-à-dire que…

— Tu veux dire le futur papa ? cria Bunny une main devant la bouche. Oh mon Dieu !

— Ce n'est pas le père. C'était juste une rumeur.

— Mais il est à moi, vagit-elle. Je l'ai vu en premier !

— Hé, tu ne peux pas avoir tous les hommes de Dublin. En plus, je le connais depuis plus longtemps que toi. C'est… C'est une longue histoire. Je te raconterai ça demain.

— Une histoire d'amour ?

Oh ! Était-ce une histoire d'amour ? Tout dépendrait de la suite, non ?

Johnnie Waldren était encore plus beau en chair et en os que dans un stade. Je ne l'avais pourtant jamais vu jouer. Mais je l'avais aperçu à la télé avec son maillot vert, son short blanc et ses chaussures crottées. Il était nettement mieux en veste bleu marine, chemise blanche et jean large. J'avais du mal à décoller mes yeux de lui. Il mesurait environ un mètre quatre-vingt-quinze, ce qui me donnait l'impression d'être une naine. Il mesurait presque deux fois la taille de Bunny, mais je dois admettre qu'ils formaient un beau couple. Il prit un siège et une bière en attendant que Bunny soit prête. Nous échangeâmes quelques banalités. Je l'interrogeai sur ses entraînements et le remerciai mentalement de me répondre de façon concise car j'étais nulle en rugby… J'essayais juste d'être aimable. Puis il m'interrogea sur mon travail et fut suffisamment poli pour avoir l'air intéressé quand je lui parlai des lancements et autres ouvertures auxquels j'assistais.

Quand Bunny sortit enfin de sa chambre, on aurait dit le clone de Kate Moss. Johnnie eut d'ailleurs l'air très impressionné. Et quand il montra un réel intérêt pour le contenu des sacs qu'elle avait rapportés de son shopping, c'est moi qui fus très impressionnée. On aurait pu inventer le mot « métrosexuel » pour lui. J'étais certaine que Connor s'entendrait bien avec lui. Mais il était en retard. Dommage. On aurait pu boire une bière ensemble et parler de rugby et de bons plans shopping. Chouette programme, non ?

Malheureusement, à 9 h 30, Connor n'avait toujours pas donné signe de vie, et Bunny et Johnnie partirent dans la nuit comme deux héros de conte de fées. Je décidai d'ouvrir une autre bière en attendant Connor. Qu'est-ce qui avait bien pu le retarder ? Certes, il devait être très pris et très stressé avec sa nouvelle émission. C'était un sacré challenge d'avoir son propre show en direct à la télé. Les critiques devaient être prêts à lui sauter dessus à la moindre fausse note. Ils sont si prompts à couper les nouvelles têtes ! Pas étonnant que les jeunes aient tant de mal à percer. J'avais été invitée à plusieurs fêtes ce soir-là, mais, franchement, j'étais trop fatiguée pour avoir envie d'aller m'alcooliser avec des gens que je ne connaissais pas. D'ailleurs, ça m'aurait étonnée que Connor apprécie de se faire traîner dans ce genre de soirées débiles.

Je bus ma bière à petites gorgées pendant que les minutes s'égrenaient. Je commençais vaguement à m'inquiéter. S'il avait été retardé, pourquoi ne m'avait-il pas prévenue ? Et s'il avait changé d'avis sur nous ? Peut-être m'avait-il embrassée par pitié. Non, c'était ridicule. Les hommes n'embrassent pas par compassion. D'ailleurs, à bien y réfléchir, je dirais même que les hommes n'agissent que par plaisir, alors pourquoi m'inquiéter ? Hein ?

Il était 9 h 45 et toujours aucun signe de Connor. C'était ridicule. Soit il avait oublié notre petit *rendez-vous*[1], soit il m'avait posé un lapin. Je commençais à avoir la gorge serrée. On s'était bien dit « Demain, neuf heures », non ? Et on devait se retrouver chez moi ? Je commençais à avoir des doutes. Et s'il s'était perdu ? Bien sûr que non, puisqu'il était déjà venu à notre fête. Et si je lui envoyais un SMS ? Peut-être avait-il eu un accident et gisait-il, grièvement blessé, sur le bord de la route ? Allez, je devais me

---

1. En français dans le texte (NdT).

resaisir, regarder la vérité en face. De toute évidence il avait changé d'avis. Il me fuyait parce que j'étais trop accro. Il allait faire une grande carrière à la télé et je n'étais rien que le bouche-trou provisoire de A-J. À son retour, je redeviendrais une moins que rien n'allant nulle part. Bunny s'en tirait mieux, elle. Elle était partie en piste avec un as du rugby qui n'aurait pas osé lui faire faux bond. Mais Connor n'avait pas pris la peine d'appeler. Et encore moins d'envoyer un SMS. Je n'étais même pas digne d'un SMS ! Un accident ! Mes fesses !

Sur ce, je fondis en larmes.

Vingt minutes plus tard, je m'arrêtai enfin de pleurer. Juste parce que j'avais entendu une clé tourner dans la serrure. C'était Bunny. Super. Elle allait vouloir squatter mon canapé pour se bécoter avec son sportif. J'allais devoir bâiller un grand coup, faire semblant d'être fatiguée et me retirer dans mes appartements pour m'y tourner les pouces le reste de la soirée. Non. Elle était seule. Johnnie devait être en train de garer la voiture.

— Tu es encore là ?

Elle m'observa, surprise. J'espérais que je n'avais pas les yeux trop rouges car je n'avais pas envie de leur expliquer qu'on m'avait posé un lapin. C'était déjà suffisamment douloureux comme ça d'être de la lose, pas la peine d'en informer le monde entier.

— Oui, j'ai changé d'avis. Tu as vu le temps ? C'est dingue. Quand j'ai vu qu'il pleuvait des cordes, je me suis dit que je serais mieux ici à regarder un DVD.

Nos yeux se dirigèrent vers l'écran de la télé, qui bien évidemment était tout noir. Je commençai à me sentir mal.

— Tu veux dire que tu as planté Connor à cause de la pluie ? Ça bat tous les records de muflerie ! Et comment a-t-il réagi ?

— Je lui ai envoyé un SMS mais il n'a pas répondu.

— Tu m'étonnes ! Il doit être sous le choc. C'est très mal de faire ça, Fiona. En tout cas, moi, ça me ferait souffrir si on me faisait ça. Appelle-le maintenant et dis-lui que tu as changé d'avis.

— Non. Pas question. Et puis, ce n'est pas à cause du temps. Je ne me sentais pas très bien. Je n'ai pas trop le moral en ce moment. Où est Johnnie ?

— Encore au pub. Je suis rentrée parce qu'il faut que je me lève tôt demain pour apporter des fringues au studio photo.

— Et il t'a laissée partir sans rien dire ?

— Il n'était pas ravi ravi, mais je lui avais dit que je ne prendrais qu'un verre et je m'y suis tenue. Je ne suis plus une grosse nulle qui a gagné au loto, je suis une vraie professionnelle maintenant.

— Mon Dieu, quel changement ! En tout cas, bravo. Je ne sais pas si j'aurais suffisamment de cran pour laisser Johnnie Waldren tout seul dans un pub. Tu n'as pas peur qu'il se fasse draguer ?

— Bien sûr qu'il va se faire draguer. Mais « l'absence renforce les sentiments », donc c'est à moi qu'il pensera. C'est toujours utile de faire sa pétasse. Mais je te le redis, je ne poserais jamais de lapin à quelqu'un. Et si on me le faisait, je ne le pardonnerais jamais.

Elle a raison, me lamentai-je intérieurement. Et c'est pourquoi je ne pardonnerai jamais à Connor Kinnerty.

30

Les jours passèrent. En voyant les fêtes, ou plutôt le « big business » de Noël pointer son nez à l'horizon, je compris que A-J avait raison sur une chose. La scène sociale dublinoise était d'une nullité abyssale. On y croisait toujours les mêmes personnes. Soir après soir. Lancement après lancement. C'étaient toujours les mêmes têtes. Je me demandais bien pourquoi. Ils n'avaient pas de maison où aller ? Parfois, je me disais que ça ne rimait à rien de participer à ces soirées. Ce n'était pas si génial que ça de boire du champagne à l'œil au milieu d'une foule d'étrangers.

Vous vous demandez probablement si j'avais eu des nouvelles de Connor. Eh bien non. Pas la moindre. J'étais anéantie. Je n'y comprenais vraiment rien. Et, pour être tout à fait franche, j'avais eu un mal fou à boucler mon article sur lui ; cet article devait d'ailleurs enfin passer sous presse le lendemain. En effet, Cecille avait été tellement satisfaite de l'interview qu'elle avait attendu de pouvoir en faire la couverture. Parallèlement, l'émission de Connor marchait si bien qu'en l'espace d'une nuit il était devenu une vraie célébrité. Je ne l'avais pas encore vue car j'étais au bureau tous les jours, mais Bunny (qui ne jouait aux stylistes qu'une fois par semaine) la regardait quotidiennement et me faisait un débriefing le soir. Je ne comprenais toujours pas pourquoi il ne m'avait pas contactée. J'avais fini par raconter l'histoire à Bunny, qui m'avait pressée de l'appeler pour lui demander des explications. Mais j'avais refusé. J'avais ma dignité, non mais !

J'étais épuisée. Maintenant, je comprenais pourquoi A-J avait frôlé la dépression quand elle tenait sa rubrique en essayant de gérer tout le reste à côté. *A priori*, ça paraissait sympa de sortir cinq soirs par semaine, alors qu'en fait c'était un boulot à plein temps. Chaque soir il fallait se pomponner, et qu'il pleuve, qu'il grêle ou qu'il neige, il fallait sortir et avoir l'air intéressée quand un acteur de seconde zone vous prenait la tête sur la dure réalité de la célébrité au milieu d'un night-club !

Le truc cool, c'était qu'on pouvait voir ma photo régulièrement dans *Irish Femme*, et donc penser que je m'éclatais comme une petite folle alors que je ne rêvais que d'une chose : aller passer une semaine au fin fond du Connemara, parler à des moutons qui se fichaient pas mal de savoir qui était *in* et qui était *out* ou si Bono allait venir.

Au fait, Bunny et Dervala étaient toujours copines. J'avais d'ailleurs fini par me réconcilier avec Derv. Apparemment, elle n'était pas très fière de l'incident avec le sosie de Peter Andre. Le fait est qu'on n'en avait jamais reparlé. C'était mieux ainsi.

Dorénavant, Bunny assistait à des tonnes de défilés grâce à son nouveau job de « styliste ». Ça n'avait pas vraiment l'air de la fatiguer. Il faut dire qu'elle n'avait rien à faire de la journée. Le pire, c'est qu'elle semblait recevoir plus de coups de fil d'attachés de presse que moi maintenant. Et Cecille l'adorait. Elle la vénérait comme si c'était la huitième merveille du monde.

A-J devait rentrer d'ici quinze jours. J'aurais vraiment voulu savoir comment ça se passait pour elle là-bas, si elle s'était « trouvée », et, dans ce cas, si elle avait aimé ce qu'elle avait vu. Je ne l'avais pas contactée. Non, c'est faux. Je l'avais appelée deux fois. Par erreur. Comme elle apparaissait en premier dans mes numéros enregistrés, c'était elle qui par accident recevait mes appels quand j'étais bourrée. Mais elle y était habituée. Elle m'avait raconté qu'on lui téléphonait si souvent entre quatre et cinq heures du matin qu'elle avait envisagé de se faire appeler « Jean » pour faire de vraies nuits. À sa place, je me serais contentée d'éteindre mon téléphone en me couchant.

On était jeudi soir. Je rentrais de l'ouverture d'une nouvelle boutique de Noël dans le centre-ville. J'avais passé un bon moment. Il y avait un groupe sympa qui reprenait des chants de Noël, même si on n'était qu'en novembre, ce qui somme toute était un peu ridicule. Mais bon, on s'était bien amusés. J'avais mangé du *Christmas cake* spongieux et des tartelettes de Noël hypercaloriques, le tout arrosé de nombreux verres de vin chaud. J'avais discuté avec pas mal de gens, vu des tas de visages familiers (dont Amy Whittle, l'ennemie jurée de A-J qui m'avait bombardée de questions sur les amours de Bunny et Johnnie), et j'avais même eu droit à quelques confidences en *off* d'un chanteur célèbre pour ma chronique. Dans mon sac-cadeau, il y avait trois magnifiques et onéreuses décos de Noël or et rouge et un coupe-papier en argent qui m'avaient ravie. Mais maintenant, je me sentais seule dans cet appartement silencieux. Bunny et Dervala m'avaient accompagnée à la fête (j'avais supplié Bunny de ne pas adresser la parole à Amy ou à Faith, qui ne manqueraient pas de rôder dans les parages), mais il avait fallu que je rentre car le journal passait sous presse le lendemain. Les deux filles m'avaient accompagnée jusqu'à une station de taxis et avaient décidé de continuer la soirée sans moi.

J'avais tellement de mal à garder les yeux ouverts que je me demandais si j'allais réussir à me déshabiller. D'accord, j'étais fatiguée, mais le vin chaud m'avait aussi fracassée. Je finis quand même par m'extraire du canapé. Je manquai de trébucher sur le tapis de jogging de Bunny qui, malgré nos bonnes intentions, n'avait pas servi une seule fois depuis qu'elle l'avait acheté. Puis je vis la lumière du répondeur clignoter. Et si c'était Connor qui avait appelé ? D'accord, c'était le silence depuis quinze jours, mais bon… peut-être avait-il été surbooké… ou peut-être faisait-il exprès de se faire désirer ?

C'était une femme. Une certaine Drat. Mon cœur se serra, comme chaque fois que je comprenais que Connor n'appellerait sans doute jamais. Je ne connaissais pas cette voix. C'était probablement la propriétaire d'une boutique qui voulait parler à Bunny – elle les connaissait toutes par leur prénom maintenant. Puis j'entendis la voix dire qu'elle appelait de RTE pour une émission l'après-midi et demander qu'on la rappelle très vite. Je sentis mes poils se hérisser. Oh mon Dieu ! RTE Télévision ! Et ils voulaient que je vienne à leur émission ! Youpi, youpi ! C'était le truc le plus excitant qui me soit jamais arrivé. Je me demandais ce que j'allais devoir faire. Peut-être cherchaient-ils un chroniqueur people. Oui, ça devait être ça. Waouh ! Trop cool. J'avais toujours rêvé de faire de la télé. J'étais si excitée que j'avais du mal à respirer. La fille au téléphone me demandait de rappeler le plus vite possible, mais c'était il y a des heures. Et il était trop tard maintenant. Oh, jamais je ne réussirais à m'endormir !

« Et maintenant, nous allons accueillir notre chroniqueuse people… l'extraordinaire Fiona Lemon. » Tonnerre d'applaudissements. J'attends que ça se calme avant de sourire à la caméra. *« Merci beaucoup. »* J'incline légèrement la tête. La caméra zoome sur mon visage parfaitement maquillé. Il faut dire que j'ai passé deux heures à me faire maquiller et coiffer comme Cameron Diaz. Il ne me manque plus qu'un Justin Timberlake accroché au bras. *« Fiona, je suis très honorée de vous recevoir… »*

La sonnerie de mon réveil me ramena brutalement à la réalité. Ce n'était tout de même pas déjà l'heure de se lever ? Pétard ! Je commençais juste à savourer mon petit rêve. Allez, Fiona, debout. Aujourd'hui va être le premier jour de ta nouvelle et merveilleuse vie !

On était vendredi matin. C'était la dernière ligne droite avant l'impression. Et sans doute était-ce pour cette raison que Cecille m'ignorait. Je ne devais pas y attacher trop d'importance. Non. Pas question de sombrer dans la parano. On était vendredi, voilà tout. Et Cecille est *toujours* à cran le vendredi.

J'étais lessivée. Il m'aurait presque fallu des allumettes pour tenir mes yeux ouverts devant l'écran. Je mourais d'envie d'appeler la fille de RTE, mais j'attendais le bon moment. Je ne voulais pas que les autres se doutent de quoi que ce fût. Ça allait faire des jaloux si je décrochais un job à la télé. Je les comprenais. Tout le monde en rêve, non ?

Je me demandais comment j'allais gérer tout ça. Allait-on me reconnaître dans la rue ? Serais-je tenue de fréquenter d'autres stars ? Comment allais-je vivre ma nouvelle célébrité ? Devrais-je travailler en direct ou aurais-je le temps de répéter ? Enfant, j'étais très timide. D'ailleurs, on ne m'avait jamais proposé de jouer le premier rôle du spectacle de l'école. Bien au contraire. De mémoire, l'un de mes premiers rôles fut de faire le mât dans *Huckleberry Finn*. Eh oui ! J'étais le mât, et ma meilleure copine, le radeau. Elle devait s'allonger par terre et moi, me mettre debout sur elle pendant que celui qui jouait Huckleberry faisait semblant de descendre la rivière. Le cauchemar. J'avais trop honte pour en parler à mes parents, d'autant que, l'année précédente, à leur grande fierté, ma sœur Gemma avait décroché le rôle du roi Lear. Je leur avais donc volontairement donné une date erronée pour le spectacle et, bien qu'ils m'en aient beaucoup voulu d'avoir manqué la soirée, je leur avais épargné la déception de me voir rester plantée bêtement pendant dix minutes sur le dos de Kathryn Delaney.

Mais ils allaient être fiers de me voir à la télé. Ma mère allait pouvoir dire à ses copines de bridge… Oh, une horrible pensée venait de me traverser l'esprit… Et si elle se mettait à dire des trucs horribles du genre : « Pas question que j'achète un billet, jeune homme ! Vous savez qui je suis ? Je suis madame Lemon, la mère de Fiona Lemon. » Oh non, j'étais sûre qu'elle ferait ça.

Il était midi et le magazine n'était toujours pas parti à l'impression. Je trépignais d'impatience. Cecille hurlait après tous les autres sauf moi. Elle m'ignorait purement et simplement. Je ne savais pas ce qui était le pire. À 12 h 45, incapable d'attendre davantage, je fonçai aux toilettes pour appeler RTE de mon portable. Quand la personne décrocha, je fis de mon mieux pour garder mon calme, mais les mots se bousculèrent dans ma bouche.

— Bonjour, c'est Fiona Lemon. Vous vouliez me parler ?

— Qui ça ?

— Fiona Lemon, répétai-je d'une petite voix.

— Désolée. C'est pourquoi ?

— Je ne suis pas sûre…

J'avais la voix qui tremblait maintenant. Je ne m'attendais pas à ça. Elle ne pouvait pas m'avoir déjà oubliée !

— Vous m'avez appelée hier. Je travaille pour *Irish Femme* et je n'ai pas pu vous rappeler avant. Je suis désolée. Le magazine part à l'impression aujourd'hui. C'est toujours la folie dans ces moments-là, m'esclaffai-je avec un petit rire de gorge.

— Vous avez dit *Irish Femme* ?

— Oui.

Ouf, quel soulagement ! J'avais cru un instant que c'était une blague. Un de ces canulars qu'ils font à la radio. Je sentais la sueur perler dans mon dos. C'était mauvais pour mon cœur.

— C'est là que travaille Bunny Maguire ? demanda la voix.

Mon cœur me tomba dans les talons. Oh, oh… je comprenais. Ce n'était pas moi qu'ils cherchaient, n'est-ce pas ? Non, bien sûr que non. Quelle idiote j'étais ! Mon Dieu, c'était pathétique ! Comment avais-je pu croire un seul instant…

— Vous êtes toujours là ?

— Oui… Désolée. Vous vouliez parler à Bunny ? Essayez de l'appeler chez elle, elle doit y être. Elle ne vient au bureau qu'une fois par semaine.

— Oh, parfait. Donc, elle pourra sans doute animer la rubrique mode de notre nouvelle émission.

— Je ne vois pas ce qui pourrait l'en empêcher. Au revoir.

Je raccrochai.

J'avais envie de vomir.

31

De : *AJ44@hotmail.com*
À : *Flemon@irishfemme.ie*
Objet : *Promotion*

Salut Fiona,

Comment ça va ? Désolée de ne pas t'avoir écrit plus tôt. Je suis tombée amoureuse de la Nouvelle-Zélande. Sans rire, ça doit être l'un de plus beaux endroits du monde. Un vrai paradis. Et en plus, les gens sont adorables. Comment va Dublin-la-Morne ? Toujours pas dégoûtée du champagne éventé et des miniquiches ? Pas de bol, je reviens dans quinze jours. Mais la bonne nouvelle, c'est que Cecille m'a contactée pour me proposer un nouveau poste à Irish Femme. Elle ne m'a pas dit exactement lequel, mais, à mon avis, c'est celui de rédactrice adjointe. Incroyable, non ? Bref, ça veut dire qu'il faut quelqu'un pour me remplacer à la chronique people. Est-ce que Cecille t'en a parlé ? Je suis peut-être censée garder le secret, mais je voulais te prévenir pour que tu ne sois pas surprise quand elle t'en parlera. Je t'écris d'un café Internet. Si tu réponds, je ne pourrai peut-être pas te lire avant plusieurs jours, mais réponds-moi quand même. Tu me manques beaucoup. Au fait, comment va Bunny ? Toujours pas virée de son poste de styliste ? Elle sort toujours avec son beau gosse ? J'attends de tes nouvelles.

Bises
A-J

De : Flemon@irishfemme.ie
À : AJ44@hotmail.com
Objet : RE : Promotion

Salut A-J,

*Quelle chance tu as ! Quand je pense que tu es à l'autre bout du monde ! Tout va bien ici sauf qu'il pleut des cordes depuis dix jours. Ce matin, j'ai interviewé un des gars de Westlife, mais je n'ai pas pu en tirer grand-chose hormis qu'ils sortent un nouvel album cette semaine et qu'ils sont super contents. Ce matin, c'était la folie. Cecille était d'une humeur de chien, comme d'habitude. Elle ne m'a encore rien dit pour la chronique people et je ne veux donc pas m'emballer pour rien. Bunny adore son travail. Et, oui, elle est toujours avec Johnnie. Ils étaient à une soirée hier et il y a une grande photo d'eux dans l'*Irish Mirror *ce matin. Elle est devenue une vraie star, comme tu l'avais prédit. On se l'arrache. Cecille veut qu'elle fasse la couverture d'*Irish Femme *avec Johnnie. Elle lui a demandé ce qu'elle en pensait. Bunny en a parlé à Johnnie et ils ont accepté. Selon lui, ça ne peut être que bénéfique pour elle. Moi, pendant ce temps, je suis épuisée. Tout le monde croit que c'est l'éclate de tenir une rubrique people alors que je finis tous les soirs sur les rotules. Tout ce dont je rêve le soir, c'est de rentrer à la maison, de surélever mes pieds et de boire un verre de vin… ou deux. J'ai beaucoup trop de choses à te raconter pour le faire par mail. Tu vas devoir attendre de revenir parmi nous. Tu te souviens d'un gars nommé Connor ? Eh bien, il n'est plus avec Ellie et ce n'est pas le père de son bébé non plus. Le père, c'est Stuart, son patron. Connor fait la couverture du prochain numéro d'*Irish Femme*. J'ai dû l'interviewer. Mais c'est une longue histoire. Oublions. Tu as fait des touches en Nouvelle-Zélande ?*

Bises,
Fiona

Arrivée à la maison, je m'avachis sur le canapé. Bunny sortait encore ce soir. Où trouvait-elle l'énergie ? Elle émergea de sa chambre, l'air radieux, s'assit à côté de moi et me prit dans ses bras en disant :

— Merci, merci, merci.

Je me dégageai maladroitement de son étreinte.

— Merci pour quoi ?

— Pour tout. Par où commencer ? Pour l'émission de télé. Mon Dieu, j'ai encore du mal à y croire. Pour mon boulot à *Irish Femme*. Pour m'avoir ouvert les portes d'une vie dont je n'aurais jamais rêvé. Sans toi, rien de tout cela ne se serait produit. Je n'aurais pas non plus rencontré Johnnie. C'est la meilleure chose qui me soit jamais arrivée. Tu sais qu'on va faire la couverture d'*Irish Femme* ?

— Oui. Je suis super contente pour vous.

— Cecille a dit que tôt ou tard quelqu'un voudrait nous interviewer tous les deux et que, plutôt que de nier notre relation, il valait mieux la rendre publique pour avoir la paix.

— Oui. Euh… pourquoi pas ?

Je fis tout mon possible pour avoir l'air enthousiaste devant tant de bonnes nouvelles, mais c'était dur. Le brusque succès de Bunny avait cassé quelque chose en moi sans que je sache au juste pourquoi. Qu'est-ce qui n'allait pas ? Pourquoi ne pouvais-je même pas partager sa joie ? J'étais amère ou quoi ?

— Je tiens vraiment à ce que tu saches à quel point je te suis reconnaissante. Tout ce qui m'arrive est génial, surtout ce nouveau job de journaliste people. Je ne sais pas comment je vais réussir à gérer ça. Je compte sur toi pour m'apprendre les ficelles du métier.

Un instant. De quoi parlait-elle ? Je me tendis brusquement, la gorge serrée.

— Journaliste people ? Journaliste people ? Journaliste people de quoi ?

Bunny me fixa avec de grands yeux ébahis. Elle prit un air confus et fronça les sourcils. Puis elle ouvrit la bouche et dit d'une voix très lente :

— Oh mon Dieu, tu ne savais pas, n'est-ce pas ?

— Savais pas quoi ?

— Oh non ! s'exclama-t-elle en portant sa main sur sa bouche. Qu'ai-je fait ?

Et soudain la vérité me frappa comme une gifle en pleine figure. Tout s'expliquait maintenant. C'est pour ça que Cecille m'avait ignorée toute la journée. Elle allait me virer. Oh mon Dieu, c'était ça ! J'allais être licenciée. Et ma remplaçante n'était autre que Bunny.

On sonna à la porte.

— Mince, c'est Johnnie, fit Bunny. Attends, je vais lui dire de patienter.

— T'inquiète, marmonnai-je avec un sourire forcé. Ça va. Je savais que c'était du provisoire… Je suis contente pour toi. Tu te débrouilles très bien, Bunny.

Je luttai pour ne pas laisser paraître mon horrible déception.

— Je vais trouver autre chose. Quand une porte se ferme, une autre s'ouvre, n'est-ce pas ? Ça va aller, je vais m'en tirer. Bonne soirée. Je n'ai pas trop envie de faire la fête.

Bunny restait plantée devant moi, l'air indécise.

— C'est terrible. Je culpabilise de te laisser comme ça.

— C'est bon. Promis. J'ai vraiment envie de me coucher de bonne heure.

Encore.

— Et puis il faut que je réfléchisse. Que je fasse le point sur ma vie.

On sonna de nouveau à la porte.

— Bon… si tu le dis…

— Vas-y avant que je te mette dehors.

L'instant d'après, elle était partie.

Mon regard croisa celui de Timmy. Il m'observait d'un œil sombre. Il avait l'air aussi déprimé que moi, mais, dans son cas, c'était sans doute parce qu'il n'avait pas encore mangé.

— Hé, Timmy, si on ouvrait une bouteille de champ' ?

En le voyant me toiser d'un air dégoûté, je sentis comme une immense douleur au milieu de mon front.

— Ne me regarde pas comme ça, Timmy. C'est sérieux. Comment vais-je pouvoir continuer à te payer du Whiskas ? Désolée, mais le Père Noël ne passera pas pour toi. Je vais laver ta vieille souris puante, la sécher et l'emballer comme si c'était un cadeau. Tu ne feras pas la différence, n'est-ce pas ?

Timmy se contenta de changer de position et de me tourner le dos. J'espérais ne pas l'avoir vexé. Il ne me restait plus que lui, et même lui semblait me mépriser. J'avais envie d'une bière, mais je me retins. Que prendre d'autre ? Aucune idée. De l'eau ? du Coca ? une vraie vie ? peut-être même un boulot ? Ça aurait été cool. Oui, et ce qui aurait été vraiment cool, c'est que Bunny s'en aille. Je ne supportais plus de l'avoir dans les pattes. Princesse Bunny. Bunny qui voyait toujours le bon côté des choses. C'était la faute de A-J, bien sûr. Bunny n'avait aucune confiance en elle quand elle était arrivée à Dublin. Elle nous remerciait pour un rien. Et désormais tout le monde la voulait. Premier fait. Et personne ne voulait de moi. Deuxième fait. Fiona Lemon était parfaite pour faire de l'intérim mais pas plus. Oh, j'étais si désespérée que j'aurais voulu mourir.

Je décidai d'aller me coucher. Je réfléchirais après une bonne nuit de sommeil. Tout paraît mieux le matin, non ? Le soir, tout est noir et triste. Et la situation paraît encore plus désespérée.

Je rampais jusqu'à mon lit quand j'entendis sonner à la porte. Qui cela pouvait-il bien être ?

C'était peut-être Bunny qui avait oublié ses clés ?

Ou le clone de Peter Andre et son frère suffisamment gonflés pour revenir chez moi et faire une nouvelle partie de jambes en l'air.

Ou ma mère venue nourrir Timmy ? Trop tard. C'était fait.

Je regardai par la fenêtre.

Pas de trace de la voiture de ma mère.

Ni de celle de mon père.

Je me demandais bien qui pouvait errer ainsi un vendredi soir.

— Oui ? C'est qui ?

Une ombre vint se placer sous la lumière d'un réverbère. C'était un homme. Il leva les yeux vers moi. Je reconnus immédiatement son visage patibulaire : Shaney.

— Qu'est-ce que tu veux ?

— Je cherche Bunny.

— Elle n'est pas là.

— Pas de problème. J'attendrai.

— Pas question. Si tu n'es pas parti dans cinq minutes, j'appelle la police.

— Si tu fais ça, je leur parlerai. Je leur parlerai de l'argent.

— Quel argent ?

— Celui du loto. J'ai droit à la moitié.

Je refermai la fenêtre, le cœur palpitant. Oh mon Dieu, il savait ! Il savait pour l'argent. Il pouvait traîner Bunny devant un tribunal. C'était mauvais. Très mauvais. Elle aurait le plus grand mal à prouver qu'il ne lui avait rien donné pour le billet. Mince. Que faire ? Appeler Bunny ? Non, ça la ferait trop flipper. Elle m'avait toujours dit qu'il reviendrait.

On sonna de nouveau à la porte. Il était vraiment cinglé. Il avait dû voir Bunny et Johnnie dans les journaux et ça l'avait fait complètement disjoncter. Mon Dieu, s'il collait un procès aux fesses de Bunny, toute la presse en parlerait. Et on finirait par savoir que le frère de Bunny avait fait de la prison ! Si cela se produisait, elle ne serait plus la chouchoute du Tout-Dublin. Je connaissais ces gens-là. Un parfum de scandale et ils prenaient leurs jambes à leur cou.

Et Johnnie n'apprécierait sans doute pas d'être mêlé à cette bataille autour d'un billet de loto. Mais les journaux adorent ces histoires de « loto qui tourne mal » car ça se vend très bien. Et après, que se passerait-il ? La RTE déciderait peut-être de se passer des services de Bunny ? Les gens la prendraient pour une voleuse ? On la soupçonnerait peut-être d'avoir volé le billet. Son quart d'heure de célébrité serait bel et bien terminé. Mon Dieu, que devais-je faire ?

Je rouvris la fenêtre.

— Tu es toujours là ?

— Je te l'ai dit, je ne bougerai pas. On ne se débarrasse pas de moi comme ça. Tu devrais en parler à Bunny. Elle t'expliquera.

Il avait une voix horrible, menaçante. Je pensai à Bunny, si délicate, et à tous ses rêves qui étaient sur le point de se réaliser, même si parfois c'était à mes dépens.

« Ne sous-estime jamais Bunny. » Le conseil de A-J me revint en tête. Elle m'avait toujours dit que Bunny était parfaitement capable de se débrouiller seule. Et en un sens, c'était vrai. En deux mois, elle était devenue la coqueluche de la ville. Après tout, peut-être n'était-elle pas si innocente que ça ? Elle s'était plus ou moins imposée chez moi et avait clairement dit à Ellie qu'elle ne pouvait pas récupérer sa chambre. Elle s'était aussi très vite liée d'amitié avec Dervala pour avoir toujours quelqu'un avec qui faire la fête. Et pour couronner le tout, elle avait mis le grappin sur Johnnie Waldren, un type qui faisait fantasmer la moitié de l'Irlande. Et maintenant, elle avait non seulement sa chronique à la télé, mais elle m'avait aussi pris mon boulot. *Mon* boulot. Pour quelqu'un d'innocent, on peut dire qu'elle savait manœuvrer ! Son frère était en prison et elle parlait rarement de sa famille. Pire, elle éludait le sujet. Alors peut-être que…

Peut-être que Bunny avait vraiment volé le billet de loto. Peut-être que la moitié de l'argent revenait à Shaney.

— Où est-elle d'ailleurs ? Encore chortie faire la fête ? Comme chi elle avait oublié d'où elle venait. Che vais le lui rappeler, moi.

Voilà qu'il mâchait ses mots maintenant. Il tenait une bouteille à la main. Il en prit une grande lampée et la lança au loin. Des débris de verre volèrent de toutes parts, mais il ne sembla pas le remarquer.

— Je vais appeler la police, tu sais.

Je frissonnai dans ma chemise de nuit. Il faisait un froid de canard. Pourquoi ne partait-il pas ? Il était venu faire la peau à Bunny, c'était évident. Il était furieux de voir à quel point elle avait changé. Elle avait tout maintenant et il n'y avait qu'une personne qui pouvait tout lui reprendre…

Et cette personne était devant chez moi.

— Che vais lui apprendre la politeche quand che lui aurai mis la main dechus.

— Je pense que tu as posé la main sur elle une fois de trop, lançai-je d'une voix froide.

— De quoi tu parles ?

— Tu sais très bien de quoi je parle.

— Che chuppoche qu'elle t'a dit que che la battais.

— Elle n'en a pas eu besoin. J'ai vu ses bleus.

Grand silence. Tout était calme dehors. Je pouvais presque entendre les battements de mon cœur. Où était-il passé ?

Puis sa voix résonna dans l'air glacé.

— Tu ne peux rien prouver.

— Si. On a des photos.

— Elle a déchidé de me piécher, ch'est cha ?

— Elle n'en a même pas besoin. Elle a des preuves. Des photos. Et aussi un compte rendu de l'hôpital. Elle a dû y aller et l'infirmière a tout noté. Elle voulait qu'elle porte plainte, mais, par chance pour toi, elle a refusé. Il y a aussi une esthéticienne qui a tout vu. Elle a été si choquée que je suis sûre qu'elle témoignera, elle aussi.

Silence radio. Shaney se tenait là, les yeux rivés sur moi.

— Alors, criai-je une dernière fois, tu veux toujours que j'appelle la police ?

32

Oh mon Dieu, je ne sais pas comment te remercier. Bunny, assise dans le canapé, secouait la tête, incrédule.

— Allez, détends-toi. Je suis sûre qu'on n'entendra plus parler de lui, dis-je en mettant de l'eau à chauffer.

— J'espère. N'empêche, quel culot de me pourchasser comme ça ! Il sait pourtant bien qu'il ne m'a rien donné pour le loto.

— Tu es sûre que c'est la vérité ?

— Je le jure sur la tombe de mes parents, fit-elle sans ciller. Et ce n'est pas de gaieté de cœur, crois-moi.

— Alors bon débarras.

Je me levai pour nous servir du café. J'avais besoin d'une forte dose de caféine et, à voir sa tête, Bunny aussi. Je me demandai pourquoi elle était debout et habillée si tôt. Ce n'était pas son genre de prendre le petit déj' avec moi.

— Je ne pourrai jamais assez te remercier ! me dit-elle en prenant la tasse que je lui tendais, un gros croissant dans l'autre main.

— T'inquiète. J'ai fait ce que tout le monde aurait fait. Je suis juste contente d'avoir su argumenter.

— Et dire que je ne voulais pas faire ces photos !

— Oui, on a bien fait. C'est A-J qui en a eu l'idée. Tu pourras la remercier.

— A-J a été super gentille avec moi. Comme toi.

Soudain, elle se renfrogna.

— Pourquoi fais-tu cette tête ?

Elle avait l'air de porter le monde et sa belle-mère sur les épaules.

— C'est juste que... Je culpabilise tellement de t'avoir pris ton travail.

— T'inquiète. Un de perdu, dix de trouvés. Enfin, c'est ce que je crois.

Peut-être n'y croyais-je pas vraiment. Mais je me forçais. Obligée. Sinon j'allais craquer.

★
★ ★

— Je peux te parler, Fiona ?

L'ombre menaçante de Cecille se dressait au-dessus de moi.

OK. Grand soupir dramatique. On y était. La fameuse « discussion ». S'il y a un truc que je redoutais, c'était de me faire virer pour la seconde fois en quelques mois. Soit, ce n'était pas un vrai licenciement, mais A-J revenait la semaine suivante et c'est Bunny qui prendrait sa suite. Je n'en avais pas encore vraiment pris acte. Pourtant tout le monde était au courant. C'était le sujet du jour au bureau. Le temps des adieux était donc venu. Je me demandai si j'aurais droit à une fête de départ – avec pizza pepperoni et vin tiède. Ou si j'aurais droit à l'autre option : l'humiliant « range tes affaires et casse-toi ».

Vous savez quoi ? En suivant Cecille dans son bureau, je me dis qu'au fond, je n'en avais plus rien à faire. Si Cecille me virait, tant pis. Il y avait pire dans la vie. J'allais réussir un jour, je le savais. Avec ou sans *Irish Femme*. J'avais super bien assuré ces dernières semaines et j'allais faire une longue carrière dans le journalisme, quoi qu'on en dise. J'allais être quelqu'un, un jour. Un instant, laissez-moi reformuler ça. J'étais quelqu'un. J'étais déjà quelqu'un.

— Assieds-toi, fit Cecille en me désignant la chaise en face d'elle.

Je lui obéis.

— Je suis très contente de l'article à la une de cette semaine, Fiona. Connor Kinnerty est vraiment canon. Et tu as fait une très bonne interview.

— Merci.

Tout ça était bien déroutant. Ça ne se fait pas de complimenter quelqu'un qu'on va licencier, non ? J'aurais préféré qu'elle s'en dispense. Je voulais tirer un trait au plus vite sur tout ça.

— Comme tu le sais, Angela-Jean revient la semaine prochaine.

— Je sais, fis-je bien décidée à rester digne jusqu'au bout.

— Et comme tu le sais peut-être déjà, j'ai demandé à Bunny de prendre en charge la rubrique people.

— Je sais.

Je me tenais raide comme un piquet. Pas question de laisser transparaître quoi que ce soit. Elle ne réussirait pas à me briser. Pas maintenant. Jamais.

— Eh bien…

Cecille inspira profondément. Je plantai mes yeux dans les siens.

— Eh bien…

Elle cherchait ses mots. Pourquoi ? Moi qui pensais qu'elle n'aurait aucun scrupule à me virer. Peut-être qu'en fait elle en avait ? Franchement, c'était la surprise du siècle !

— C'est bon, fis-je. Je sais que A-J a été promue et je suis ravie pour elle. Je pense aussi que Bunny fera un bon boulot à la rubrique people. Elle s'est vraiment épanouie.

— C'est très diplomate de ta part, Fiona. J'espère que tu pourras être à la fête de départ ce soir.

Une fête de départ ? Je le savais. Je savais qu'elle allait me virer. Mais je pensais pouvoir rester jusqu'à la semaine suivante. J'étais sonnée. J'espérais de tout cœur qu'elle ne le voie pas. Je m'étais préparée à la déception, mais pas à ça... C'était comme qui dirait définitif, non ?

Je me relevai maladroitement. J'avais besoin d'air frais. Je redoutais de devoir affronter le regard compatissant de mes collègues. D'un autre côté, ils avaient vu tellement de gens arriver à *Irish Femme* et en repartir qu'ils étaient probablement habitués.

— Hé, où vas-tu ? Je n'en ai pas encore fini avec toi.

Trop surprise pour pouvoir répondre, je me rassis dans un bruit sourd.

— J'en parlerai aux autres plus tard, poursuivit Cecille.

Était-ce bien nécessaire ? C'est vrai quoi, c'était déjà suffisamment embarrassant comme ça d'être virée, alors pourquoi faire une annonce officielle ?

— Mais en attendant...

Elle se pencha vers moi l'air mystérieux.

— En attendant, ce que je vais te dire doit rester confidentiel.

— OK.

Waouh. C'était quoi, la grande nouvelle ? Là, je dois avouer que j'étais intriguée.

— J'ai acheté *Irish Femme*. Je suis la nouvelle propriétaire du magazine.

— Ah bon ? Vraiment ?

Et alors ? Que dire ? Elle attendait des compliments ou quoi ? J'avais conscience de ne pas être à la hauteur, mais je ne savais sincèrement pas ce que j'étais censée dire. Je me contentai donc de hocher pensivement la tête.

— Donc je ne peux pas être au four et au moulin.

— Je vois.

Je fronçai les sourcils comme si ça me passionnait. Où voulait-elle en venir ? Pourquoi ne me laissait-elle pas partir ?

— Donc Angela-Jean va être la nouvelle rédactrice en chef d'*Irish Femme*.

— Ah bon ?

Je dressai l'oreille. Ça, c'était une nouvelle. Oh, c'était super ! Si A-J devenait rédactrice en chef, elle me demanderait peut-être un article de temps en temps, ou de faire un peu de stylisme. Ça me rendrait la vie beaucoup plus confortable pendant que je chercherais un nouveau boulot.

— Je suis contente pour elle. Euh… c'est tout ?

— Tu as l'air vraiment pressée de partir. Tu as un truc urgent à faire ?

— Ben, ranger mon bureau et boucler un ou deux trucs.

Je me tus en voyant Cecille prendre un air paniqué. Oh pitié, elle n'allait quand même pas pousser le bouchon jusqu'à me surveiller pendant que je faisais ça. Allez ! je n'allais rien voler !

— Ranger ton bureau ?

— C'est ce que je suis censée faire, non ?

— Chérie, si tu me laissais parler, je pourrais en venir au fait.

— Qui est ?

— Je voudrais te proposer le poste de rédactrice adjointe.

— À moi ?

C'était une blague.

— Mais, et Sharon ?

— Sharon part en Nouvelle-Zélande se chercher, comme A-J, sauf qu'elle a l'intention de chercher plus longtemps. Elle compte y rester un an.

— Vraiment ? Pourquoi n'en a-t-elle parlé à personne ?

— Elle en parle à tout le monde depuis ce matin. La seule personne qui semblait ne pas écouter, c'était toi. Tu es sûre que ça va, Fiona ?

— Oui, oui, ça va.

— Donc, le resto est booké pour six heures.

— Quel resto ?

— Un chouette petit resto pour fêter le départ de Sharon.

— Sans pizza pepperoni ?

— Pas cette fois, pouffa Cecille. Sharon est avec nous depuis sept ans. Elle mérite un vrai dîner d'adieu.

— A-J va manquer ça.

— Oui, mais elle sera là pour la fête de Noël. Donc on se voit à six heures ?

— Bien sûr.

— Tu peux venir avec quelqu'un, si tu veux.

— Un homme, par exemple ?

— Oui. Si tu en as envie, bien sûr.

— Merci, Cecille, mais je n'ai personne en ce moment. Mais merci encore pour cette proposition et... euh... pour tout.

Ses traits s'adoucirent au point que son visage devint presque humain.

— Écoute, je ne suis pas du genre à faire des faveurs. Je dirige un magazine. Mais tu mérites cette promotion, ne l'oublie pas.

— Merci.

— Et cesse de me remercier, d'accord ?

33

On s'était bien amusés la veille. Bunny n'avait pas pu venir car elle avait déjà quelque chose de prévu avec Johnnie, mais j'avais vraiment apprécié le repas et je m'étais détendue pour la première fois depuis des semaines. Tout le monde pétait la forme. Même Cecille avait été moins pénible que d'habitude. Elle avait beaucoup bu et, sous l'effet de l'alcool, avait fini par crier à la ronde qu'elle envisageait de devenir lesbienne. Comme elle avait la main dangereusement posée sur ma cuisse quand elle avait annoncé ça, je lui avais dit que Connor Kinnerty était toujours célibataire, pour faire diversion.

— Cha, ch'est une bonne nouvelle, avait-elle bramé en allant s'asseoir sur les genoux du vieux Mike et en se mettant à tripoter sa barbe.

Mais maintenant, c'était retour à la normale. Cecille était derrière son bureau, les lunettes baissées sur le nez, sans aucun signe de gueule de bois. Il y avait juste une bouteille de Coca ouverte à côté de son téléphone. Pareil que A-J. Mais comment faisaient-elles ? Quand je buvais, je passais généralement la journée du lendemain au-dessus de la cuvette des toilettes. Tout ça pour dire que mon foie était ravi que je ne sois plus responsable de la rubrique people.

J'allais maintenant devoir mettre la main au porte-monnaie. Plus de vodkas cerise gratuites, plus d'inaugurations glauques, de bars branchés, de night-clubs, de lancement de livres ou de CD... plus d'attachés de presse qui m'appelaient en roucoulant « Comment vas-tu ? » comme si on était les meilleures amis du monde. Plus de dossiers tachés de vin rouge jetés en vrac par terre dans ma chambre pendant des semaines parce que je n'avais pas la force de les ranger. Plus de matage dans une pièce remplie d'aspirants vedettes dans l'espoir de repérer la grande star qui avait soi-disant promis de passer, mais qui ne passait jamais. Non. C'était fini. Ce week-end, je pouvais aller m'offrir un verre au pub près de chez moi. Et m'asseoir au bar sans que personne se demande qui j'étais ou pourquoi j'étais là. Je parlerais au premier venu sans attendre désespérément qu'il me refile un méga scoop. Et, au travail, je resterais gaiement scotchée à mon bureau de 9 h à 17 h, du lundi au vendredi, à écrire des choses légères.

Oui. À partir de maintenant, j'allais vivre comme une personne normale. Et vous savez quoi ? J'en avais furieusement envie.

À l'appart', Bunny était en train de noircir la grille de mots croisés de *Woman's Way*. Cecille lui avait dit de lire tous les magazines concurrents pour se faire une idée du marché, mais de là à faire les mots croisés !

— Salut, Fiona ! La grande quoi ? avec Steve Mc Queen, en sept lettres ?

— Évasion. Vraiment, Bunny, tu devrais le savoir !

— J'ai un peu la gueule de bois, aujourd'hui. Je suis restée jusqu'à pas d'heure au Renards. C'est pour ça que je ne suis pas bien connectée, m'expliqua-t-elle en posant son magazine. Écoute Fiona, j'ai réfléchi. J'ai décidé de refuser le poste de journaliste people à *Irish Femme*. Je n'ai pas suffisamment d'expérience pour ça. Et, franchement, j'ai peur de ne pas assurer.

Je la fixai avec surprise.

— N'importe quoi. Ne dis pas de bêtises. C'est dans tes cordes.

— Je ne veux pas de ce job, insista Bunny en tirant nerveusement sur ses doigts.

Je savais qu'elle mentait. Et je savais que c'était pour atténuer ma peine.

— Écoute, Bunny, ne t'inquiète pas pour moi. Je viens d'être nommée rédactrice adjointe.

Je lui lançai un clin d'œil rassurant et lui racontai mon entretien avec Cecille.

— Oh mon Dieu, c'est super ! On va être comme dans une grande et belle famille.

— Oui, sauf que Cecille sera à sa tête et qu'elle va nous surveiller comme une méchante belle-mère.

— Il faut qu'on trouve un moyen de l'amadouer. Si on l'envoyait faire une cure dans un spa… pendant un mois ?

— Rêve !

Nous fûmes interrompues par la sonnette qui retentit.

— Oh, mon Dieu. Pourvu que ce ne soit pas Shaney, gémit Bunny paniquée.

— Impossible, fis-je pour la rassurer en fonçant à la fenêtre. Oh mon Dieu !

— Quoi ? C'est lui ?

— Non, c'est… c'est Connor Kinnerty. Qu'est-ce qu'il veut ? Que diable vient-il faire ici ? Je ne peux pas lui ouvrir. Je ne suis pas maquillée.

— File dans ta chambre te faire une beauté, je vais m'en occuper. Je vais lui dire que tu es encore au lit.

Mon cœur battait à cent à l'heure.

— Je ne sais pas. Tu es sûre ? Mais que veut-il ?

— Aucune idée. Donc pour savoir, il faut le faire entrer. Allez, file !

Je fonçai dans ma chambre direction mon miroir. Une version déjantée de moi-même me fixa d'un air étonné. Oh non, j'avais des mégacernes noirs sous les yeux ! Et mes cheveux ? Ils étaient si gras que les mouches pouvaient faire de la patinoire dessus. Et si je mettais un chapeau ? Non, trop évident… Mais il était hors de question qu'il me voie comme ça. Je me mis en quête de mon fond de teint « zéro défaut » et m'en tartinai la figure. Puis je me mis du rouge à lèvres rouge et plusieurs couches de mascara. Mon cerveau tournait à fond. Qu'est-ce qu'il voulait ? Eh, une minute. Pourquoi s'agiter comme ça ? Après tout, il m'avait posé un lapin, non ? Alors pourquoi essayer de lui plaire ? Je ferais mieux de le mettre dehors. Mais j'étais trop curieuse. Je mourais d'envie de savoir ce qu'il était venu faire ici.

Oh, du calme, Mistinguett. Tu vas bientôt connaître la raison de cette visite surprise. Allez, tu es présentable maintenant. Soit, tu ne joues pas dans la même cour que Cameron Diaz, mais ça va. De toute façon, ce n'est qu'un homme et, de surcroît, un homme qui te doit des excuses.

— Salut, lançai-je timidement, persuadée d'avoir le visage encore plus rouge que les cheveux du clown de McDo.

J'étais mortifiée. Bon, on oublie. Ce n'était pas juste un homme. C'était un dieu. Il était beau à se damner et avait une façon hypersexy de vous regarder. Je ne pouvais détourner mes yeux de lui alors qu'il s'asseyait sur le canapé, une tasse de café (avec mon nom dessus !) en équilibre sur ses cuisses.

— Euh… ça va ?

— Super, merci. Bunny s'est très bien occupée de moi.

— Bon, je ferais mieux d'aller me préparer, fit-elle en riant.

— Où vas-tu ?

— À la gym, brûler les calories que j'ai ingurgitées hier soir.

À la gym ? Vraiment ? Je croyais qu'elle détestait ça et que c'était pour ça qu'elle avait acheté le tapis de course… En la voyant me lancer un regard complice, je compris.

— Tu veux grignoter quelque chose ? fis-je en m'asseyant à côté de lui quand Bunny fut partie.

Il s'était parfumé. Je ne connaissais pas cette odeur, mais elle était délicieuse. Mon Dieu, comme c'était embarrassant ! Connor était assis à côté de moi... chez moi. La dernière fois qu'il était là, j'étais au lit. On était dans ma chambre... et il me séchait les cheveux. La honte !

— Le café me suffit, merci.

Ses jambes touchèrent légèrement les miennes. Je sentis une décharge électrique me traverser la cuisse.

— J'ai trop bu hier soir.

— Comme Bunny ! Où étais-tu ?

— On a commencé à l'Ice Bar au Four Seasons et on a fini au Renards. On était dans les derniers à partir.

— Vraiment ? Bunny était aussi au Renards.

— Je sais. Je l'ai aperçue, fit-il en rougissant. Mais je ne pense pas qu'elle m'ait vu.

Ça fit tilt dans ma tête. Bien sûr. Maintenant, je savais pourquoi il était là. Oui, c'était clair comme de l'eau de roche. Il était là parce qu'il fantasmait sur Bunny. Il manquait plus que ça ! Il ne me restait plus qu'à me balancer par la fenêtre. Bunny pouvait très bien payer le loyer toute seule... et adopter Timmy : il s'en ficherait complètement du moment qu'on le nourrissait. Et puis, si elle rompait avec Johnnie... elle s'en remettrait vite. Oui. Parce que ce cher vieux Connor serait à ses côtés en ne rêvant que d'un truc : le remplacer.

— Bon, fis-je en me relevant. Tu ferais mieux de partir. Ma mère m'a dit qu'elle passerait ce soir.

— Ah ! Dis-moi, elle a un copain, Bunny ?

Oh mon Dieu. Dans le genre « gros sabots », il assurait ! Il n'en avait rien à faire de mes sentiments ou quoi ?

— Désolée, je dois aller faire des courses. Je n'ai plus de lait, grommelai-je en regardant ailleurs. Et ma mère ne boit son thé qu'avec du lait. En tout cas, c'est sympa d'être passé. Bunny ne devrait pas tarder à être prête. Tu n'auras qu'à lui poser la question directement. Salut.

Je pris mon manteau, sortis de l'appart' en trombe et dévalai les escaliers. J'allais aussi vite que mes pauvres jambes pouvaient me porter. Je courus, courus, courus. Je devais avoir l'air d'une tarée, mais je me fichais de ce que Connor pensait à présent. Comment osait-il me traiter comme ça ? Pourquoi tout le monde se fichait-il de mes sentiments ? J'étais humaine. C'était normal que j'en aie. Je continuai à courir. Le vent fouettait mon visage, ignorant ma peine.

J'entendis quelqu'un m'appeler, mais je ne me retournai pas. Au contraire, j'accélérai. Je ne voulais pas qu'on me plaigne. Je n'avais plus que ma fierté maintenant.

Arrivée à la boutique, je m'y engouffrai et fonçai directement au fond. Là, je m'arrêtai enfin devant un présentoir de cartes de Noël kitsch que je fis semblant d'admirer. J'essayai de reprendre mon souffle tout en maudissant mentalement A-J et sa petite expérience. C'était elle qui avait eu l'idée de transformer Bunny pour s'amuser. Et maintenant, elle n'était plus là pour réparer les dégâts. Je sursautai en sentant une main se poser sur mon épaule.

— Fiona.

— Fiche le camp.

— Fiona, il faut que je te parle.

— Eh bien, moi, je n'ai pas envie de te parler.

Je fis face à Connor. Je vis de la compassion dans ses yeux et cela m'insupporta. J'en avais marre qu'on plaigne Fiona Lemon. Qu'ils aillent se faire voir.

— Je t'ai blessée, n'est-ce pas ?

— Il n'y a pas de quoi être fier, fis-je en reniflant.

Connor me tendit un mouchoir que je refusai. Je ne voulais rien de lui, sauf qu'il disparaisse de ma vie.

— Bunny m'a dit…

— Qu'elle était prise. Quel dommage ! J'aurais dû te le dire.

— Une minute. Tu penses que je suis venu parce que je suis amoureux de Bunny ? s'exclama Connor, stupéfait.

Là, c'était à mon tour d'être stupéfaite. Quelqu'un pouvait-il m'expliquer ce qui se passait ?

— Hé !

Connor prit mon bras et me força à le regarder.

— Je suis venu pour toi, Fiona. Pas pour Bunny. Je me fiche complètement d'elle.

— Alors pourquoi m'as-tu demandé si elle avait un copain ?

— Viens dehors, on nous regarde.

— Je m'en fiche.

— Viens dehors, Fiona. Et arrête de faire l'idiote.

Je le suivis dehors en boudant comme une gamine. J'avais les bras croisés, bien déterminée à ne faire aucune concession. Nous nous assîmes sur un mur.

— Écoute, dit Connor. Si je suis venu ce matin, c'est parce qu'hier soir j'ai vu Bunny avec Johnnie.

Je le fixai d'un œil vide. J'étais perdue. Il parlait de quoi, là ?

— Je croyais que tu sortais avec lui.

— Vraiment ?

J'avais la tête qui tournait.

— Le soir de notre rendez-vous, je venais de me garer quand j'ai vu Johnnie Waldren sortir de sa BMW et se diriger vers ta porte, un énorme bouquet de fleurs à la main.

— C'était pour Bunny.

— Oui, maintenant, je le sais. Mais comment étais-je censé le savoir à l'époque ? Je n'avais qu'une pauvre plante avec moi et il était hors de question que je vienne sonner à ta porte les mains vides à côté du plus grand et convoité mec d'Irlande.

Je restai assise, abasourdie, le temps de digérer tout ça... Je ne pus réprimer un sourire.

— Tu croyais que je sortais avec Johnnie ?

— J'ai tiré la pire conclusion. C'est bête, hein ?

Nous nous regardâmes longuement. Je détournai les yeux.

— Mais tu ne m'as jamais rappelée !

— Je ne voulais pas me ridiculiser. Le lendemain, j'ai demandé autour de moi si Johnnie Waldren avait une copine.

— Et ?

— Et on m'a dit qu'il sortait avec une jet-setteuse pleine aux as qui bossait à *Irish Femme*.

On ne savait plus quoi dire. Tout ça était tellement bizarre.

— Eh bien, ce n'était pas moi. Je ne suis ni riche, ni jet-setteuse. Encore une rumeur ?

— On dirait.

— Pourquoi n'as-tu pas appelé ?

Connor fixa le sol.

— Je ne voulais pas t'embêter. Et puis je n'avais pas la tête claire. Ma mère était malade et je ne savais pas si elle allait s'en tirer.

— Oh, je suis désolée. Je l'ignorais.

— Elle va bien maintenant. Elle va s'en sortir.

— Super.

— Allez, fichons le camp d'ici, dit Connor en serrant ma main dans la sienne. Il y a plus romantique que de passer la soirée sur un mur.

— On va où ?

— Dans un endroit où il y a du monde.

— Où ça ?

— Où tu veux.

— N'importe, pourvu que ce ne soit pas au lancement d'un nouveau produit et qu'on ne boive pas un truc bleu avec une ombrelle orange et rose plantée dedans.

— Parfait. Allons dîner dans un endroit calme où on pourra boire des bières. Quelque part avec de la sciure par terre et des toilettes sans porte.

Avec un petit sourire, il fourra ses mains dans les poches de mon manteau et m'embrassa le bout du nez.

— Écoute, du moment que je suis avec toi, on peut aller n'importe où.

— Oh, tu es trop gentil, Connor Kinnerty, murmurai-je en lui rendant son baiser. Mais continue de parler. Ça commence à me plaire…

34

Je venais d'avoir un coup de fil de A-J. Elle était rentrée la veille, plus tôt que prévu. J'étais super contente qu'elle soit revenue. Mais elle, pas tant que ça. En fait, elle m'avoua que sa petite virée à l'autre bout du monde lui avait fait prendre conscience qu'elle devait faire un virage à 180 degrés dans sa carrière.

— Mais tout va changer à *Irish Femme* maintenant que tu es rédactrice en chef !

— Hum, je n'en suis pas si certaine. J'aurai toujours des comptes à rendre à l'autre vieille vache. Et elle risque d'être encore plus chiante maintenant qu'elle possède le magazine. Bref, de toute façon, je ne sais plus si je souhaite continuer à bosser dans la presse féminine. C'est un peu comme retourner à l'école et supporter les humeurs de la directrice.

— Que penses-tu faire d'autre ?

— Eh bien, j'aimerais bien travailler à nouveau pour un journal. L'ambiance survoltée des tabloïds me manque.

— Vraiment ?

J'avais presque oublié que A-J s'était fait les dents dans la presse à scandale, l'un des plus gros titres irlandais, qui l'envoyait demander à des pauvres gens bouleversés ce que ça leur faisait d'avoir vu un de leurs proches se faire brutalement assassiner. Elle m'avait avoué un jour avoir frôlé la dépression tellement c'était stressant d'être sur le pont presque vingt-quatre heures sur vingt-quatre et de téléphoner à des gens qui l'accablaient d'injures quand ils découvraient qu'elle était journaliste. Alors pourquoi diable envisageait-elle de recommencer ?

— Ça paie mieux. Et on est tout le temps sur le terrain, pas enchaînée à un bureau.

Tant de négativité me ficha un coup au moral. Moi qui me faisais une joie de travailler avec elle comme dans une grande et belle famille ! J'espérais de tout mon cœur qu'elle ne nous planterait pas au dernier moment.

— J'ai plein de trucs à te raconter, enchaînai-je, histoire de changer de sujet.

— Ah bon ?

— Oui, l'ex de Bunny est passé l'autre soir et l'a menacée de la dénoncer. Mais je lui ai dit qu'on avait des photos qui prouvaient qu'il l'avait frappée et je l'ai envoyé balader.

— Et il est parti comme ça ?

— Je l'ai menacé d'appeler les flics et je doute qu'il ait envie d'avoir affaire à eux. Au fait, A-J, tu as bien fait développer ces photos, n'est-ce pas ?

— Non, pas encore, mais bientôt. J'y pense. D'autres nouvelles ? Est-ce que Bunny est toujours la it girl préférée d'Irlande ?

— Oh oui. La presse l'adore. Étonnant, non ? C'est dingue comme ça a pris. Dieu seul sait comment ça finira.

— L'essentiel, c'est qu'elle garde la tête sur les épaules. Les journalistes excellent dans l'art de vous faire mousser, mais ils adorent aussi vous mettre à terre.

— Oh, je suis sûre qu'elle va s'en sortir. Tout s'est étonnement bien passé jusque-là. Grâce à toi, c'est désormais une vraie star. Sais-tu qu'on lui a proposé d'animer une émission de télé ?

— Oui, j'en ai entendu parler.

Sa voix était neutre, comme si elle se fichait pas mal de Bunny.

— Bon, je ferais mieux de te laisser. Je dois commencer à envoyer des CV.

— C'est donc sérieux cette envie de partir d'*Irish Femme* ?

— Malheureusement oui. Quand on en a marre, on en a marre. Je ne veux plus aller à des défilés de mode boire du champagne bon marché ou laisser une attachée de presse me prendre la tête avec ses histoires de crème antiacné. J'en ai ras la casquette de tout ça. Maintenant, je veux écrire des choses sérieuses. Laisser l'inconsistant aux gens inconsistants. Bon, on se voit bientôt pour que tu me mettes à jour des potins ? D'accord.

— OK. Et n'oublie pas de faire développer ces photos, promis ?

— Tu peux compter sur moi.

Bunny fut ravie d'apprendre que A-J était de retour. Elle voulut organiser une petite fête en son honneur dans la foulée, mais je lui dis qu'après un tel voyage elle devait être épuisée.

Je lui appris aussi que A-J ne reviendrait pas à *Irish Femme*. En entendant cette nouvelle, Bunny se décomposa. Elle avait l'air aussi désemparée que moi.

— Alors, qui va être la rédactrice en chef ?

C'était exactement ce que je me demandais.

— L'avenir le dira, répondis-je en bâillant. Il est tard et je suis trop fatiguée pour faire des pronostics sur le remplacement de A-J.

Je jetai un coup d'œil à ma montre. Pas étonnant que je sois fatiguée, il était presque minuit !

35

Je ne parvenais pas à dormir. Et pourtant j'essayais. Je ne cessais de me retourner dans mon lit. Mon esprit tournait à cent à l'heure et un million de pensées fusaient dans mon cerveau. Tantôt je pensais à Connor et à la chance que j'avais de l'avoir, et l'instant d'après je me demandais si je pouvais lui faire confiance, s'il n'allait pas trouver mieux que moi et me quitter. Je me demandais aussi si les hommes étaient capables d'être fidèles à une femme toute leur vie ou si c'étaient des impulsifs qui sautaient de femme en femme.

À 4 h 30, j'étais toujours éveillée. Il y avait une pie particulièrement saoulante perchée sur une branche au niveau de ma fenêtre. Elle pépiait sans cesse au point de me donner des envies de meurtre... J'étais dans un tel état d'agitation que, malgré une fatigue intense, je ne parvenais pas à m'apaiser. Le pire, c'est que plus j'angoissais à l'idée de ne pas dormir, plus j'étais éveillée. Je fermai les yeux et commençai à visualiser des moutons en train de sauter par-dessus une barrière. Mais au 350e j'étais toujours en pleine forme et les moutons avaient commencé à papoter et à danser, d'autres étaient installés sur la barrière, d'autres encore étaient assis à leurs pieds, avec des petites casquettes rouges vissées sur la tête. Je décidai de penser plutôt à une page blanche. Des pages et des pages de papier blanc. Je finis assez rapidement par perdre pied. Je rêvai que j'étais dans une barque qui dérivait en plein océan. Le soleil brûlait ma peau. J'étais seule et ignorais d'où je venais et où j'allais, mais tout était très calme. La mer était étale. Soudain, le ciel commença à se couvrir et la nuit tomba comme un rideau. La température chuta et de grosses gouttes menaçantes commencèrent à cribler la surface de l'eau. Le vent se leva, la barque gîtait sous l'effet des vagues. J'avais peur soudain. Un éclair surgit de nulle part, suivi par un grondement de tonnerre, tandis que les nuages se cognaient les uns aux autres. Le bruit était assourdissant. Encore un grand fracas... puis un autre. Je me réveillai en sursaut.

Quelqu'un était dans le salon.

Je m'assis, glacée d'effroi, dans l'obscurité. Mon cœur battait si vite que j'eus peur qu'il explose. Je tendis l'oreille dans l'espoir de m'être trompée. Un grand bruit retentit à nouveau, suivi par un cri strident. Bunny. Oh non ! Oh, mon Dieu, non !

Une sueur froide s'était mise à couler par tous mes pores. J'étais paralysée de peur. Ce devait être lui. Shaney devait être dans l'appartement. Elle avait dû le laisser entrer. Oh mon Dieu ! mais pourquoi avait-elle fait ça ?

Pendant quelques secondes, le silence fut total. Je me levai lentement de mon lit, terrifiée à l'idée de faire le moindre bruit. Je savais que mon téléphone portable était dans mon sac, mais je ne me rappelais pas où je l'avais posé. Sans doute sur le canapé, dans le salon. *Damned.* J'entendis de nouveau des cris.

— Tu es une salope ! Une fichue petite salope prête à vendre son cul pour réussir.

— Shaney, écoute. On devrait s'asseoir et en parler. Ça ne sert à rien de se battre.

Je me tenais à la porte, tremblante de la tête aux pieds. Je n'avais jamais eu aussi peur de ma vie. C'était comme dans un film d'horreur, sans la musique. Et sans la perspective d'une fin heureuse. J'eus soudain un haut-le-cœur, mais ce n'était pas le moment... Je devais réfléchir, et vite. Je pourrais sauter par la fenêtre de ma chambre, mais s'il m'entendait ? Et si je me cassais une cheville ? Je ne pourrais pas aller chercher du secours.

— Tu m'as ridiculisé. Tout le monde se fiche de moi chez nous pendant que tu t'exhibes avec ton joueur de rugby et que tu te crois quelqu'un parce que tu baisses ta culotte.

— Ce n'est pas ça, Shaney ! Tu te trompes. Tu sais bien que les journalistes inventent tout et n'importe quoi. C'est juste un ami. Il n'y a rien entre nous.

— Arrête de mentir, salope !

Nouveau fracas. Nouveau cri à vous figer le sang. Je ne pus en supporter davantage. J'ouvris la porte. Bunny était recroquevillée dans un coin, les mains sur la tête pour se protéger. Shaney, lui, tenait une énorme poêle en fonte. Le sol était couvert de verre brisé.

— Laisse-la tranquille, lui ordonnai-je d'une voix tremblante.

Il se retourna et me regarda.

— Tu es qui, toi ?

Il avait des yeux de fou. Un regard vraiment flippant. Le visage d'un homme tellement consumé par la haine que rien ne pourrait l'empêcher de se venger.

— Je suis la colocataire de Bunny, répondis-je en lançant un regard à la ronde dans l'espoir de retrouver mon sac. Je le vis à moitié ouvert sur la table de la cuisine. Je devais absolument le récupérer, mais comment ? En désespoir de cause, je me mis à prier frénétiquement.

— Ah oui ! fit-il en me dévisageant d'un œil sournois. Je sais qui tu es. Tu es la salope qui a essayé de se débarrasser de moi l'autre soir, c'est ça ?

— Tu avais trop bu, expliquai-je d'une voix d'un calme olympien qui ne reflétait en rien mon état général. Tu n'étais pas lucide.

— Eh bien, aujourd'hui, je le suis, lucide.

Je le fixai, ébahie.

— N'est-ce pas, poursuivit-il d'un ton menaçant.

Il planta ses yeux dans les miens et fit un pas vers moi en levant le bras. Je me ratatinai, horrifiée. Il n'allait tout de même pas me frapper ?

— Laisse-la ! cria Bunny. Elle ne t'a rien fait.

Il se retourna vers elle, leva la poêle et la lui balança en pleine figure.

Maintenant, c'est moi qui criais. Mon Dieu, mais personne ne nous entendait donc ? Bunny trébucha en arrière, la bouche pleine de sang. En tombant, l'arrière de sa tête tapa contre le mur et elle s'effondra par terre.

Je profitai que Shaney avait le dos tourné pour plonger en direction de mon portable. Il était maintenant en train de frapper méthodiquement Bunny sur la tête en criant comme un malade. Je fonçai dans ma chambre et, les doigts tremblants, réussis à composer le 17.

« Par pitié, répondez ! » suppliai-je mentalement en entendant sonner. J'étais paralysée de peur. « Par pitié, par pitié, répondez ! »

Une voix à l'autre bout me demanda d'où j'appelais.

— 6 A, Rosebush Terrace. Je crois que mon amie est morte.

Je gardais un œil terrorisé sur la porte. Bunny ne disait plus rien. Tout était horriblement silencieux et ma voix résonnait comme dans un haut-parleur.

— Terrace ?

— 6 A, Rosebush *Terrace*. Il est encore là. J'ai peur qu'il l'ait tuée…

Je me tus. J'avais vu une ombre dans le couloir. Oh, mon Dieu !

— Tu es là ?

Shaney parlait d'une voix plate et monocorde. Il avait l'air de cacher quelque chose derrière son dos. Sans doute la poêle.

— Tu crois que je vais te tuer ? Tu crois que je suis un monstre, c'est ça ? Qu'est-ce que cette traînée a bien pu te raconter ?

— Shaney, écoute, je sais que tu es en colère…

— Oui, je le suis, surtout depuis que tu as appelé la police, fit-il avec un mauvais sourire. Vous êtes bien assorties, Bunny et toi.

Je fis un pas en arrière. Il en fit un en avant.

— Bunny !!!

— Oh, elle n'est plus en état de t'aider !

— La police arrive, l'avertis-je dans l'espoir de le faire partir.

— Pas de problème. Quitte à être pris, autant que ça en vaille la peine.

Il se mit à défaire sa ceinture, une main toujours dans le dos.

— Et si on s'amusait un peu en attendant ?

Glacée de terreur, je le vis ôter sa ceinture. Elle tomba par terre dans un bruit sourd.

Je saisis l'objet le plus proche : un pied de lampe en bois. Des deux mains, je l'abattis sur sa tête. Il l'attrapa et le jeta vers la fenêtre. La vitre se brisa. Je ne tournai pas la tête pour voir les dégâts. Je gardais les yeux fixés sur Shaney. Je voyais maintenant ce qu'il tenait caché derrière son dos. Un couteau.

Nous restâmes à nous regarder en chiens de faïence pendant ce qui sembla être une éternité. Puis Shaney fit un pas en avant.

— Tu ne voudrais quand même pas que je tranche ta ravissante petite gorge ? murmura-t-il.

Il me poussa sur le lit. J'étais paniquée maintenant. J'étais faite comme un rat.

— Pose le couteau, Shaney, suppliai-je, les joues mouillées de larmes. S'il te plaît.

Il était sur moi à présent, le bout pointu du couteau enfoncé dans ma joue. Je fermai les yeux, terrorisée.

— Je ne te fais pas confiance, dit-il en me soufflant son haleine fétide dans la figure.

Je luttais de toutes mes forces. Quand on sonna enfin à la porte, je sentis chaque fibre de mon corps se détendre. Nouveau coup de sonnette. J'ouvris la bouche pour crier mais Shaney me plaqua sa main dessus.

— Tais-toi, salope.

La rage m'envahit soudain. Pas question de le laisser continuer à me faire du mal. Qu'il aille en enfer. Je levai la tête de l'oreiller et lui fis un magnifique coup de boule.

Profitant du fait qu'il était à moitié assommé, je le repoussai de toutes mes forces et m'extirpai de sous lui. Cramponnée au bord du lit, je tentai de retrouver mon équilibre avant de foncer vers la porte. Du sang coulait de ma main droite, mais c'était sans importance. Surgissant de nulle part, Shaney se jeta brutalement sur moi. Paniquée, j'essayai d'atteindre la porte. Mais il m'attrapa la cheville et me fit tomber. Ma tête heurta contre la poignée de la porte. Je tentai de dégager ma jambe. Si seulement j'arrivais à sortir de la chambre… J'entendis un grand fracas dans l'entrée. La police était là. J'étais sauvée, pensai-je, avant de sentir une douleur fulgurante me transpercer l'omoplate. Je tombai en avant, le couteau profondément enfoncé dans le dos.

36

— S alut.

C'était ma sœur Gemma, penchée au-dessus de moi. Il y avait aussi ma mère et mon père. Qu'est-ce qu'ils faisaient là autour de mon lit ? Étrange… Puis je sentis la douleur. Une douleur atroce. Comme si j'avais été hachée en petits morceaux et recousue entièrement. Gemma m'apprit qu'on m'avait fait vingt et un points de suture.

Toute la scène me revint d'un coup.

Des policiers voulurent me voir en privé. Ils étaient très gentils. Je leur demandai s'ils avaient pu parler à Bunny. Mais non. Elle était toujours inconsciente. Je me mis à pleurer. Ma mère et Gemma aussi. Même mon père avait l'air ému.

Ma mère me dit que A-J attendait dehors. Apparemment, on ne l'avait pas encore autorisée à entrer, vu mon état. Ma main, cassée, était plâtrée. J'étais très mal.

Gemma me dit qu'elle allait faire un tour et dire à A-J de repasser plus tard. J'acquiesçai avec gratitude. Je n'avais envie de parler à personne. Je souffrais trop. Je voulais fermer les yeux et dormir pour toujours.

Gemma partit et, à ma grande surprise, revint deux minutes plus tard avec A-J. La vue de ce visage familier me fit chaud au cœur, même si j'eus du mal à sourire.

— Je suis vraiment désolée, dit-elle en s'agenouillant près du lit. Je suis passée chez toi ce matin et les voisins m'ont tout raconté. Je suis venue ici aussi vite que j'ai pu. J'espère que tu ne m'en veux pas.

Je secouai faiblement la tête. Les murs se rapprochèrent de moi. J'avais le plus grand mal à rester éveillée.

— Elle est shootée, expliqua Gemma. Tu peux repasser plus tard ?

A-J resta à genoux.

— Fiona, qu'est-ce qui s'est passé ?

— Shaney... Shaney est entré dans l'appartement.

— Et il t'a poignardée ? C'est ça ? Et Bunny ? Il l'a poignardée aussi ? Comment va-t-elle ?

— Il l'a frappée. Il l'a frappée au visage. Il m'a frappé et il... il avait un couteau. Il a dû...

— Allez Angela-Jean.

La voix de ma sœur me sembla être à des millions de kilomètres de là.

— Il est temps de partir maintenant.

37

Je vécus toute cette journée dans le brouillard. Chaque fois que je me réveillais, quelqu'un me demandait quelque chose. Bunny était toujours sous assistance respiratoire. Elle avait deux côtes cassées ainsi que des blessures à la tête. J'étais inconsolable. Dire que la veille, j'étais si heureuse !

Comment tout avait-il pu basculer si vite ?

Ma mère et mon père étaient à la hauteur de la situation, de même que ma sœur. Elle avait plus ou moins pris le contrôle de la situation. Dans ces moments-là, on comprend vraiment à quel point la famille est importante. Personne d'autre n'avait été prévenu, et c'était mieux ainsi. Je ne voulais pas qu'on me voie dans cet état.

À onze heures, on vint nous dire que Bunny s'était réveillée. Gemma m'emmena en fauteuil roulant dans sa chambre. Je fus horrifiée en voyant dans quel état elle était. Méconnaissable ! Ses yeux formaient comme deux gros trous noirs et violets dans son visage. Ses lèvres étaient fendues et enflées, et elle avait le nez cassé. Elle parvint malgré tout à esquisser un sourire en me voyant.

— On est belles ! lâcha-t-elle entre deux sanglots. J'aimerais bien t'embrasser mais je ne peux pas bouger.

— On n'a qu'à faire semblant.

— On m'a dit qu'on t'avait recousue…

— C'est bon, ça va aller.

— Tu m'as sauvé la vie, Fiona. Tu en es consciente, n'est-ce pas ?

— Shaney va aller en prison et c'est ça l'essentiel. Il n'a que ce qu'il mérite.

— Tu m'as quand même sauvé la vie.

Gemma me ramena dans ma chambre. Elle me demanda si j'étais au courant de la situation de Bunny.

— Je savais que Shaney était violent, mais je ne le pensais pas capable de ça.

Gemma hocha la tête.

— Comme beaucoup de femmes. J'ai vu des tas de situations analogues quand je bossais aux urgences. Les hommes violents ne changent jamais. Au contraire, ils empirent.

— On n'est pas près de le revoir, sauf au tribunal. J'espère qu'il va être emprisonné à vie.

— Hum, ça m'étonnerait.

— Ah bon ? Mais il faut qu'on l'enferme longtemps. Ils nous a gravement blessées, sans parler du fait que… sans parler du fait que… Oh, Gemma, l'espace d'un instant, j'ai cru qu'il allait me violer.

Gemma se plaqua la main devant la bouche, horrifiée.

— Oh, mon Dieu. Tu l'as dit à la police ?

En la voyant ainsi choquée, je compris soudain l'énormité de la chose. Il m'avait fallu tout ce temps pour comprendre ce qui m'était vraiment arrivé.

— Non, Gemma. J'avais tout verrouillé dans ma tête.

Des flots de larmes jaillirent de mes yeux. Elle prit mes mains tremblantes dans les siennes et les serra.

— Ça ira mieux demain, me promit-elle.

38

Mais le lendemain, ça ne fit qu'empirer. Je me réveillai,
comme le reste de l'Irlande, au son de la nouvelle de
notre agression.

Tous les journaux du pays couvraient l'événement. Les photos
de Bunny s'étalaient sur des pages entières. Celles où elle était couverte de bleus et que j'avais prises avec mon appareil jetable. Je fus
horrifiée de les voir ainsi exposées aux yeux du grand public.

La veille, j'avais cru toucher le fond. Mais non. Le pire restait à
venir. J'étais complètement désemparée.

A-J nous avaient vendues. Oui. Elle nous avait trahies, nous,
ses amies, pour une histoire. Ou plutôt dix versions différentes
d'une histoire. Je n'avais plus confiance en personne. Je me sentais vide. Tous les articles citaient mon témoignage. Jamais celui
de Bunny.

Il y avait des photos de moi, de A-J et de Bunny à une soirée.
« *Les filles dans les jours heureux* », disait la légende. Il y avait aussi
une photo de Shaney qui avait l'air d'un gangster, et une photo du
frère de Bunny accompagnée de détails sur son passé trouble et ses
déboires avec la police. Et puis il y avait aussi l'histoire du loto.

La nouvelle it girl d'Irlande était bel et bien mise à nu.

A-J avait apparemment décroché le scoop de l'année sur le dos
de ses copines qui agonisaient à l'hôpital. Je ne l'aurais jamais crue

capable de faire une chose pareille. J'avais tort. Il y avait aussi une photo de Connor dans les journaux. Il allait aimer…

Mon téléphone sonna. Oh, et si c'était lui ! Je n'avais pas encore pu l'appeler. Avait-il lu les journaux ? Me détestait-il pour l'avoir impliqué là-dedans ?

C'était une journaliste qui me demanda si j'avais une minute à lui accorder. J'étais clouée au lit, non ? Bien sûr que j'avais une minute. J'avais même la journée, si elle voulait ! Je lui dis que je récupérais bien. Elle me demanda de ne parler à personne d'autre afin d'avoir l'exclusivité. Je fus à deux doigts de l'envoyer balader, mais je me retins et lui expliquai que je ne donnerais l'exclusivité à personne. Le pire c'est que j'étais sûre qu'elle mettrait « exclusif » en gros sur la manchette. Tous les journalistes font ça.

Le téléphone sonna à nouveau. Un autre journaliste. Comment Johnnie Waldren réagissait-il à tout ça ? Je haussai les sourcils, médusée. « Comment Johnnie Waldren réagissait-il à tout ça ? » Par pitié ! Qui est-ce qui avait été poignardé ?

— Je ferais mieux d'aller voir Bunny, dis-je à Gemma. Si ça sonne tout le temps ici, ça doit être l'horreur dans sa chambre. Tu peux m'y conduire ?

★

★   ★

— Encore deux jours ? Allez Johnnie, je veux voir comment elle va. Elle voudra bien. Allez. Laisse-moi entrer !

Mais Johnnie ne bougea pas d'un pouce. Son immense corps bloquait le passage.

— Je suis désolé, Fiona. Vraiment. Mais elle m'a demandé de ne pas te laisser entrer.

— Pourquoi ?

— À cause des photos. Elle m'a dit que c'était toi qui les avais prises, que c'était un piège. Elle m'a aussi dit que tu avais donné des interviews hier sans lui en parler.

C'était trop injuste.

— Mais je n'ai pas donné d'interviews hier ! Je n'ai parlé qu'à A-J !

Gemma me ramena dans ma chambre. Découragée, je me remis au lit. Je fermai les yeux. Je n'avais qu'une envie : disparaître de la surface de la terre. Quand je les rouvris, Gemma était partie et Connor était assis auprès de moi. Je n'avais jamais été aussi heureuse de voir quelqu'un de ma vie. Ses yeux inquiets cherchaient les miens.

— Désolée, Connor. J'aurais dû t'appeler.

— Je sais, fit-il tendrement.

— Je n'avais vraiment pas la force de téléphoner.

Il me caressa doucement la tête.

— En arrivant au travail ce matin, j'ai découvert que tu faisais la une des journaux. Tu imagines ma surprise ? De voir ma copine comme ça ?

— Pardon, répétai-je, secrètement ravie qu'il ait dit « ma copine ».

— J'ai foncé directement ici. J'ai dû brûler tous les feux rouges. Oh, Fiona, j'ai eu tellement peur !

— Tu as eu peur ? Eh bien, si tu veux le savoir, moi aussi. Et pas qu'un peu. Moi qui rêve d'une vie tranquille... J'ai tant de choses à te raconter... Je ne sais pas par quoi commencer...

— L'important, c'est que tu te reposes. Tu me raconteras ça plus tard. Rien ne presse. Essaie de dormir un peu. Tu as eu un grand choc et... j'ai prévu de rester un moment.

Je lui obéis et fermai les yeux en réprimant un sourire. Sa « copine » ? Non mais vous avez entendu ça ?

39

L e troisième jour après mon arrivée, les médecins m'annon-
cèrent que je pourrais sortir le lendemain, mais je devais me
ménager pendant quelques semaines. Bunny, elle, devait
rester encore un peu en observation.

La perspective de rentrer chez moi et de me retrouver seule dans
l'appartement ne me réjouissait pas. J'étais morte de trouille en
pensant à ce qui m'était arrivé. J'avais été à deux doigts de mourir.
Il avait fallu un miracle pour que le couteau me tranche la main et
non la gorge. J'aurais aussi pu être violée et ma vie aurait basculé à
jamais.

Gemma ne pouvait pas rester. Elle devait rentrer à Cardiff pour
son travail. Dervala me proposa de venir. Visiblement, ça lui faisait
très plaisir. Depuis cette nuit de cauchemar, elle prenait son pied.
Tous les journaux de la veille l'avaient présentée comme « une
amie bouleversée ». C'était d'ailleurs bizarre que Bunny ne l'ait pas
encore congédiée. Dervala était passée la voir plus tôt dans la
journée et en avait profité pour faire une OPA sur les chocolats
que des fans inquiets avaient envoyés. Quant à A-J, c'était silence
radio. On racontait qu'elle avait gagné tellement d'argent avec son
histoire qu'elle avait de quoi retourner en Nouvelle-Zélande.

— Elle l'a toujours joué perso, lâcha Dervala, assise sur mon lit,
feuilletant les journaux pour voir si sa photo était dedans.

Je fus tentée de lui dire que c'était l'hôpital qui se moquait de la charité, mais je n'en fis rien.

— Mes cheveux ont l'air vachement clairs sur les photos, poursuivit-elle en faisant la moue. Il faut que je fasse corriger ça la prochaine fois que j'irai chez le coiffeur. Au fait, il y a de beaux médecins dans le coin ?

Gemma faillit dire quelque chose, mais elle se tut en voyant la porte s'ouvrir. C'était une Ellie très enceinte qui portait le plus beau bouquet de fleurs que j'aie jamais vu. J'étais super heureuse de la voir.

Elle prit place près de mon lit et écouta patiemment mon histoire. Elle me demanda si Connor était passé me voir. J'acquiesçai en rougissant légèrement.

— Il a dû esquiver les paparazzis qui l'attendaient à l'entrée, mais il est venu dès qu'il a appris la nouvelle, lui expliquai-je.

Je me redressai pour mieux respirer le parfum subtil qui émanait du bouquet coloré. Elle hocha la tête en silence. L'espace d'un instant, ce fut comme autrefois quand on vivait ensemble. Moi, dans mon lit, désemparée, en train de lui parler de mes problèmes, et elle, assise à l'autre bout, me donnant des conseils. Je finis par lui dire que Bunny ne voulait plus me parler.

— Eh bien, elle a intérêt à me parler, à moi. J'ai un petit cadeau pour elle dans mon sac. Je ne peux pas passer voir l'une sans voir l'autre.

— Ça m'étonnerait qu'elle accepte.

— Ça vaut quand même la peine d'essayer, fit Gemma en se levant.

Quinze minutes plus tard, Ellie était de retour, un grand sourire aux lèvres.

— Mets-toi dans ton fauteuil, je t'emmène. Bunny veut te voir. Apparemment, tu lui manques déjà beaucoup.

40

Si je croisais A-J dans la rue, je lui dirais probablement bonjour. Oui, certainement. Bien sûr, je ne m'arrêterais pas longtemps, mais je ne la snoberais pas. Je suis simplement triste pour elle. Elle mourra sans connaître le sens des mots « loyauté » et « amitié ».

Dans la presse, une histoire chasse l'autre. Mais quand on en monte une sur le dos de ses amis, on les perd à jamais. Et dans ce métier, on n'est jugé qu'à l'aune de son dernier article. Et on est très, très remplaçable. Si vous en doutez, vous n'avez qu'à lancer un caillou dans la mer et voir la vitesse à laquelle le trou qu'il fait se referme après l'impact. A-J va péter un câble. C'est ce qui arrive à la plupart de ceux qui se livrent à ce petit jeu.

Je suis prête à lui pardonner, mais pas Bunny. Elle dit que si elle tombe un jour sur elle par hasard, elle changera de trottoir pour l'éviter. Je la comprends. Après tout, ce n'est pas mon histoire qu'on a déballée dans les journaux. De plus, je ne suis pas du genre rancunier.

Le procès de Shaney est pour bientôt. Inutile de vous dire que je le redoute. Mais ça pourrait être pire. Bunny pourrait être morte. Ou moi.

Bunny et moi sommes plus proches que jamais maintenant. Elle a fini par comprendre que je n'avais rien à voir avec la parution de ses photos dans les journaux. Mais le jour où c'est sorti, elle était trop abattue pour réfléchir. Bunny a repris son travail à la télé la semaine dernière et son fan-club grossit rapidement. Contrairement à ce qu'elle craignait, toute la publicité faite autour de son agression n'a fait qu'accroître sa popularité. Le pouvoir des médias...

Je suis de nouveau sur les rails. Ma blessure à l'épaule guérit bien. En fait, je suis plus meurtrie psychologiquement que physiquement. Mais ça devrait s'améliorer avec le temps. Connor a été très présent ces dernières semaines. Je fais beaucoup de cauchemars. Quand je me réveille à trois ou quatre heures du matin, couverte de sueur, je l'appelle et il me rassure de sa voix douce. Sa petite sœur, qui est coiffeuse indépendante, vient chez moi tous les deux jours me laver les cheveux car j'ai encore du mal à me débrouiller seule avec ma main cassée. Elle m'a dit qu'il était fou de moi, mais qu'il fallait garder ça secret. Pas de souci. Je ne suis pas bête à ce point !

Je suis assise dans le bureau de Cecille. C'est le dernier vendredi avant Noël et le magazine, saturé de régimes « après fêtes », est parti à l'impression. Ce soir, on fait la fête entre collègues. On a tous hâte d'y être. En attendant, je décompresse. Cecille a sorti deux flûtes en cristal et une bouteille de pétillant. Le reste de la rédaction est parti.

— Tant qu'à le faire, autant le faire avec classe, me lance-t-elle en souriant. Alors, qu'est-ce que ça te fait de devenir rédactrice en chef ?

— Je pense pouvoir m'en tirer...

Je la regarde servir le champagne en aspergeant un plat de petits-fours.

— Après tout, depuis que A-J nous a plantés, c'est moi qui fais presque tout le boulot.

— C'est vrai. Et du très bon boulot. Bon, dit-elle en levant son verre, on boit à quoi ?

— À l'avenir d'*Irish Femme* ?

Franchement, j'ai un peu lancé ça au hasard en pensant que c'était la meilleure chose à dire.

— Écoute, c'est Noël, chérie, s'esclaffe Cecille. Oublie le politiquement correct jusqu'à l'année prochaine. Eh oui, je suis humaine, mais ne le dis à personne. Alors, on boit à quoi ? À la vie ?

La vie ? Pourquoi pas ? C'est une cause pour laquelle il vaut vraiment la peine de trinquer !

— Santé !

Je heurte mon verre contre le sien et le porte lentement à ma bouche pour savourer les bulles. Hum, c'est bon. La vie est belle. Et elle va l'être encore plus. J'ai vécu des sales moments, plus durs que ce que j'aurais pu imaginer. Mais une nouvelle vie s'ouvre devant moi. Et elle a l'air chouette. Je vais grandir avec elle. Oui, la vie vaut vraiment la peine qu'on trinque pour elle. Tchin, tchin !

Dans la collection
Girls in the city
chez Marabout :

Chère lectrice

Merci d'avoir choisi ce Girls in the city
pour passer un moment agréable.
Mais savez-vous que Girls in the city, c'est une nouvelle comédie
tous les mois pour faire le plein d'intrigues pleines d'humour,
parfois policières, pour entrer dans les coulisses de la mode,
du cinéma, de la téléréalité, des magazines people ?
Parce qu'on a toutes en nous quelque chose de Bridget,
retrouvez-nous chaque mois chez votre libraire préféré !

Et désormais sur le site de la collection :
www.girlsinthecity.fr

EMBROUILLES À MANHATTAN
Meg Cabot

Fandesleaterkinney : Qu'est-ce que tu fous ?

Katylafait : Je BOSSE. Et arrête de te connecter sur ma messagerie instan-tanée pendant les heures de travail, tu sais que la RATT n'aime pas ça.

Fandesleaterkinney : La RATT peut crever. Et tu ne bosses pas. Je te rap-pelle que je vois ton bureau du mien. Tu es encore en train de rédiger une de tes fameuses listes. À faire, hein ?

Katylafait : Même pas vrai ! Je réfléchis seulement aux multiples échecs et aux innombrables erreurs de jugement qui semblent avoir constitué ma vie jusqu'à présent.

Fandesleaterkinney : Tu n'as que vingt-cinq ans, crétine ! Tu n'as même pas encore commencé à vivre.

MES AMANTS, MON PSY ET MOI
Carrie L. Gerlach

Règle n° 1 : Ne jamais sortir avec son boss.

Règle n° 2 : Se méfier des promesses faites un soir de pleine lune sur plage déserte ; elles ne survivent jamais au voyage du retour.

Règle n° 3 : S'il vit encore chez ses parents, il y a de fortes chances pour qu'il vous prenne pour sa mère et qu'il vous réclame de l'argent de poche.

Ce roman drôlissime vous fera économiser les frais d'une épuisante et interminable analyse chez votre psy favori !

SEXE, ROMANCE ET BEST-SELLERS
Nina Killham

Décoiffé, la chemise déchirée, les chaussures dégoulinantes de boue, il était appuyé contre le bureau du commissariat de Venice Beach. Depuis des années, les femmes essayaient de le séduire. Et depuis des années, malgré leurs efforts vraiment héroïques, elles échouaient. Les conséquences prenaient même parfois des proportions insoupçonnables pour certaines d'entre elles : spasmes musculaires, crises cardiaques, blessures provoquées par des tirs croisés. Mais c'était la première fois que quelqu'un en mourait.
— Profession ? demanda le brigadier.
— Auteur de romans d'amour.

ET PLUS SI AFFINITÉS
Amanda Trimble

Ah ! Au secours ! Mais c'est quoi cet... ?
En passant devant le kiosque de Lincoln Park, j'attrape mon magazine préféré et là, je me sens mal. Cramponnée au *City Girls* qui est quand même l'hebdomadaire le plus lu de Chicago, je lis, écrit en énorme : « Un agent très spécial dévoile tout. » Mais ce n'est pas tout car, sous le titre, on voit une paire de fesses en gros plan. La poisse ! Dites-moi que j'hallucine... Non, c'est bien moi.

Comment gagner sa vie quand on est jolie, pressée et dingue de fringues ? Victoria Hart a trouvé la solution en devenant « agent très spécial », sorte d'entremetteuse de charme. Ne le dites surtout pas à sa mère...

PROJECTION TRÈS PRIVÉE À TRIBECA
Rachel Pine

Tout juste embauchée par une puissante maison de production ciné-matographique, Karen pense enfin vivre son rêve. Située à Tribeca, le nouveau quartier à la mode de Manhattan, cette maison est aux mains de Phil et Tony Waxman, des jumeaux sans scrupules.
Karen saura-t-elle résister et garder la tête sur les épaules ? Ou devra-t-elle partir si elle tient à sauver son âme ?

Une plongée hilarante et époustouflante dans le monde sans pitié des producteurs de cinéma.

MARIAGE MANIA
Darcy Cosper

Dix-sept mariages en six mois ! Malgré son aversion épidermique pour l'institution, Joy, 30 ans, ne peut échapper à ces invitations. Mais le plus important est que le garçon avec lequel elle vit depuis 18 mois, Gabriel, partage son point de vue : aucun des deux ne souhaite se marier. Non, ça, jamais !

Au cours des six mois qui vont s'écouler, Joy pourra-t-elle concilier ses convictions les plus profondes avec l'affection qu'elle éprouve pour ceux de ses amis ou de sa famille qui s'engagent ? Son couple supportera-t-il les épreuves ?

Une comédie new-yorkaise décapante et drôlissime.

MARIAGE (EN DOUCE) À L'ITALIENNE
Meg Cabot

Que feriez-vous si votre meilleure amie partait se marier en douce en Italie ? Et si vous décidiez de tenir le livre de bord de cette fugue romantique alors que le témoin de son futur mari est un journaliste prétentieux, égoïste et, par-dessus le marché, opposé à cette union ? Si vous deviez faire avec lui le voyage jusqu'à un village isolé des Marches ? Et que, cerise sur le gâteau, vous étiez contrainte et forcée de passer les quelques jours précédant la noce avec cet insupportable snobinard terrorisé à la vue d'un chat ?

Une comédie absolument moderne, résolument décapante et connectée *via* Internet.

L'EX DE MES RÊVES
Carole Matthews

Comment garder le sourire quand on vient de se faire plaquer pour une bimbo affublée d'un 90 D ? Josie décide de faire bonne figure en se rendant au mariage de sa cousine à New York, la capitale des célibataires ! Mais saura-t-elle résister à un futur ex-mari qui ne veut plus divorcer ? D'autant qu'elle a rencontré un séduisant journaliste spécialiste de rock n'roll dans l'avion pour New York... Et comment préviendra-t-elle le jeune marié que sa femme vient de s'enfuir avec son ex-petit ami ? Et si, grâce à John Lennon, tout se terminait bien ?

Une comédie romantique et désopilante avec des personnages attachants et des scènes hautes en couleur.

DIVORCE À PETIT FEU
Clare Dowling

À peine mariée, Jackie quitte Henry sur un coup de tête et croit trouver en Dan l'Homme à épouser. Et s'il suffisait de divorcer ? Mais ce qui devait être une pure formalité s'éternise et devient chaotique. D'autant plus que l'avocate de Jackie finit par coucher avec l'avocat de la partie adverse, que sa copine complètement coincée se découvre une passion sexuelle irrépressible pour un Polonais, et que sa sœur se retrouve enceinte de jumeaux après une nuit bondage passée entre les bras d'un juge sexagénaire…

Une comédie à l'anglaise, excentrique et déjantée.

UN BÉBÉ MADE IN L.A.
Risa Green

Et si Andrew avait raison ? Et si je n'étais pas prête pour avoir un enfant ? Je m'empare d'une feuille de papier et trace deux colonnes :

Contre le bébé :
Je vais devenir grosse.
Je vais mettre des vêtements de grossesse.
Je ne suis pas faite pour devenir mère.

Pour le bébé :
Suis encore jeune : plus facile de maigrir après.
Habits de bébé, surtout de fille !!!!!
Bon. Ma liste a l'air bancale sans le dernier « pour ». Je ne vais pas trop forcer. Je trouve que j'ai déjà bien avancé pour ce soir.

Une comédie vivante, drôle et sarcastique, calée sur les neuf mois de grossesse de l'héroïne.

UNE MAMAN À L.A.
Risa Green

Très bien. Je vais réussir à le déclarer ouvertement : c'est chiant d'avoir un bébé et ça ne ressemble en rien à ce que j'avais imaginé.

Je sais ce que vous pensez. Vous vous dites : qu'y a-t-il de si horrible ? En quoi est-ce pénible à ce point ? D'accord. Premièrement, il y a le manque absolu de sommeil. Sans compter qu'il faut lui donner le sein. Mais ce n'est pas tout. Il y a pire que pleurer, se lever la nuit, avoir des seins douloureux et être dans l'incapacité de régler les heures de tétée. Quand vous avez un bébé et que par malchance vous en êtes la mère, la vie s'arrête brutalement. « Vous » n'existe plus. Il n'y a plus de « nous ». Il y a le bébé et, tout simplement, plus rien d'autre n'existe. Et ma vie de femme dans tout ça ?

La suite de *Un bébé made in L.A.*

LE PRINCE CHARMANT MET DE L'AUTOBRONZANT
Ellen Willer

Il s'appelle Frantz, il est grand et il est beau. On le dit riche, intelligent et bien élevé. C'est le célibataire dont toutes les femmes rêvent. Dans l'émission de télé-réalité produite par Emmanuelle, il va devoir faire son choix entre dix candidates au mariage.

Qui séduit qui ? Qui court après qui ? Qui trahit qui ?

Producteurs sans scrupules, paparazzis, palaces de la côte d'Azur et plateaux TV donnent un rythme d'enfer à ce roman drôle et percutant. Plus vrai que nature, il nous plonge dans un monde cynique et fascinant, en plaçant la caméra là où on ne l'attend pas : en coulisses.

Les coulisses d'une émission de télé-réalité comme si vous y étiez.

CLEPTOMANIA
Mary Carter

« Je, soussignée Melanie Zeitgar, saine de corps (moins sept kilos) et d'esprit, m'engage à : ne plus jamais voler ★.

★ Exceptions : ruptures, gain de poids, perte d'emploi, auditions ratées, auditions réussies après lesquelles personne ne me rappelle, factures de carte Bleue élevées, caries, traumatisme lié à l'utilisation d'un menu de téléphone automatisé, visite-surprise d'un tueur en série ou d'un cambrioleur, visite-surprise de ma mère ou de Zach, pas de visite ni de coup de fil de AMVM (l'Amour de Ma Vie du Moment) – c'est-à-dire Ray. »

Melanie Zeitgar, 29 ans, vit à New York et rêve de devenir actrice. Entre les petits boulots humiliants et les castings de pub, elle cache un lourd secret : elle est cleptomane. La rencontre avec le beau et célèbre Greg donnera-t-elle un nouveau sens à sa vie ?

Les aventures abracadabrantes d'une cleptomane dans la Grande Pomme.

HAPPY END À HOLLYWOOD
Carole Matthews

« Je sais précisément à quel moment je suis tombée amoureuse. À quel endroit aussi. Au Salon du livre de Londres. Je me souviendrai éternellement de l'heure exacte : 15 h 45.
Si je n'ai aucune idée de qui il est, ou pas encore, je suis déjà mordue, folle amoureuse de lui. Il y avait bien longtemps que je n'avais pas ressenti de tels picotements dans tout le corps.
J'ai également des fourmis dans les pieds, mais cette sensation provient sans doute davantage de mes chaussures et d'un oignon naissant que de la flèche de Cupidon. »

Lorsqu'elle rencontre Gil, un riche producteur hollywoodien, Sadie se dit qu'il est temps de changer de vie. Mais à peine arrivée sur Sunset Boulevard, elle enchaîne les désillusions…

Une héroïne parachutée dans l'univers de Hollywood avec ses bimbos aux dents longues et ses vieilles stars déchues.

SEXE, AMITIÉ ET ROCK N'ROLL
A.M. Goldsher

Meilleures amies depuis l'enfance, Naomi et Jenn partagent la même passion pour la musique. Elles décident de tenter leur chance à Manhattan en jouant dans des clubs.

Très vite, le groupe qu'elles ont formé avec Travis et Franck est remarqué par un label qui les prend en main : conseillers en tous genres, relooking, plans promo, passages télé, photos… tout s'enchaîne à un rythme d'enfer. Mais le succès a un prix : tensions, rivalités, mensonges… Naomi saura-t-elle tirer son épingle du jeu sans y perdre son âme ?

L'ascension fulgurante d'un groupe de musique qui catapulte l'héroïne dans le monde des célébrités.

Une comédie rock'n'roll dans un univers électrique.

MA VIE PRIVÉE SUR INTERNET
Carole Matthews

Le jour où Emily découvre que son petit copain a mis sur Internet une photo d'elle nue, dans une position ridicule et coiffée d'un chapeau de mère Noël, elle pense que rien de pire ne peut lui arriver. Erreur, les ennuis ne font que commencer : Emily perd son travail, sa maison, son boy-friend, devient la risée de tous et la cible des paparazzis. Jusqu'à ce qu'elle rencontre un photographe qui lui propose de tirer profit de la situation… Ce qui lui semble être la fin du monde n'est en fait que le début d'une meilleure vie.

Un roman drôle, riche en rebondissements et coquin juste comme il faut !

PLAQUÉE POUR LE MEILLEUR
Clare Dowling

Comment ne pas se laisser abattre alors qu'on s'est fait plaquer par celui qu'on croyait depuis toujours l'homme de sa vie ? C'est la question que se pose Judy, 30 ans et des poussières. Alors qu'elle s'apprête à vivre « le plus beau jour de sa vie », la nuit précédant le mariage, Barry, son futur mari, disparaît sans laisser de trace. Le mariage est annulé.

Où trouver un peu de réconfort dans un moment pareil ? Auprès de ses amis ? de sa famille ? ou, mieux, auprès du séduisant Lenny, un vieil ami de Barry parti vivre en Australie et qui a la réputation d'être un tombeur ? Et si le bonheur était à ce prix...

Une comédie drôle et enlevée, où l'héroïne voit son image traditionnelle du « bonheur »... comment dire... légèrement bousculée !

BIMBO MAIS PAS TROP
Kristin Harmel

Belle, intelligente et drôle, Harper, 35 ans, a tout pour elle. Tout sauf quelqu'un qui l'aime. Depuis que Peter l'a quittée, elle a bien rencontré des garçons mais tous ont fini par s'enfuir. Et si elle était trop brillante, trop impressionnante ?

Harper et ses trois meilleures amies décident de mettre au point un plan pour en avoir le cœur net : le plan Bimbo. Le jeu consiste à enchaîner les rendez-vous pendant quelques semaines, travestie en blonde idiote, afin de voir si les hommes réagissent différemment. Les paris sont lancés !

Encore une histoire de blonde idiote qui rigole pour un rien et bat des cils en posant des questions stupides ? Pas vraiment ! Plutôt une comédie qui ne se termine pas par un classique « Ils se marièrent et eurent beaucoup d'enfants » !

LE PRINCE CHARMANT
FAIT PÉTER L'AUDIMAT
Ellen Willer

Frantz est de retour. Emmanuelle, la trentaine séduisante, est à ses côtés. Chargée de tourner une fiction adaptée d'une série américaine à succès, elle l'entraîne dans son tourbillon : stylisme, décors, scénaristes, comédiens... tous les ingrédients pour faire exploser l'audimat. Et pourtant...

Pour compliquer encore les choses, lors d'un séjour à New York, elle tombe dans les bras d'un très jeune homme...

Entre Paris et New York, une comédie drôle et enlevée qui dévoile les dessous d'une série télé. Du casting à la diffusion, de l'écriture au tournage, des coulisses au plateau, les histoires d'amour, les ruptures, les trahisons, sous le regard amusé des paparazzis.

Le nouvel épisode très attendu des aventures de Frantz, le plus irrésistible des princes charmants.

DOUBLE JEU
Emma Lewinson

« Dis donc, c'est vraiment le prince charmant ton mec ! Tu me le présentes quand ? »

Quand Emma rencontre Mark, elle le trouve tellement parfait qu'elle ne peut s'empêcher d'en vanter les mérites à Candice, sa meilleure amie : Mark est tellement beau, tellement attentionné, tellement talentueux... tellement la perle rare. Candice, un poil jalouse, finit par trouver, elle aussi, chaussure à son pied...

Et si Candice avait juste piqué le fiancé de sa meilleure amie ? Et si Candice, pharmacienne, approvisionnait Emma en antidépresseurs pour la rendre K.-O. ? Et si elle avait un plan machiavélique en tête ?

Une intrigue à l'humour acéré où le suspense prend vite le pas sur la comédie.

EN FINALE DE FAME GAME
Carole Matthews

Fern, 35 ans, a une voix sublime mais n'a pas encore trouvé le moyen d'en vivre. Serveuse dans un pub, elle y chante deux soirs par semaine avec un guitariste, Carl. Elle cumule les petits boulots jusqu'à ce que Carl, fou amoureux d'elle, lui trouve une mission d'intérim en tant qu'assistante… d'un grand chanteur d'opéra, Evan. Sans le lui dire, Carl envoie leur candidature au jeu télévisé Fame Game, qui chaque année découvre une nouvelle star. Parachutée dans un monde d'ados formatés aux pré-sélections, Fern passe avec succès toutes les sélections, dont un membre du jury n'est autre qu'Evan…

Une comédie riche, dynamique et drôle avec la rencontre de deux univers que tout sépare, l'opéra et la pop.

ARNAQUE À L'AMNÉSIE
Caprice Crane

À 25 ans, Jordan n'aime pas sa vie. Si elle a tout pour elle, elle manque de confiance et d'amour-propre. Au travail, sa supérieure hiérarchique lui vole ses idées et sa promotion n'arrive jamais. Dirk, son petit ami, la trompe, mais là encore elle se tait. Sa mère et sa sœur sont unies contre elles, lui faisant sentir qu'elle n'est que la fille d'un premier mariage.

Jordan rumine tout cela sans trouver de solution. Jusqu'à ce qu'elle se fasse renverser par une voiture. Elle décide alors de feindre l'amnésie. Une nouvelle vie commence pour elle…

Feindre l'amnésie pour tout recommencer à zéro, voilà un sujet fascinant qui permet toutes les fantaisies !

MA VIE DE STAR EST UN ENFER
A.M. Goldsher

Tout s'est enchaîné très vite pour Naomi et Jenn : à peine remarquées par un label, leur groupe s'est retrouvé propulsé en tête des charts. Difficile de garder la tête sur les épaules lorsqu'on est catapulté dans le monde des célébrités. Tandis que Naomi plaque tout pour aller vivre sur la côte Ouest, Jenn décide de suivre une carrière en solo.
Harcelée par les paparazzis, épuisée par les tournées, elle craque. D'autant plus que son dernier album a connu un succès mitigé et qu'elle ne sait plus trop sur qui elle peut compter. Heureusement, le fantôme de Billie Holiday va jouer le rôle de la bonne étoile…

L'envers du décor, ou la vie pas tous les jours rose d'une pop star.

BLONDE LÉTALE
Kate White

Tout avait commencé par une coïncidence. Pas une de ces coïncidences glaçantes qui vous donnent l'impression que quelqu'un vient de piétiner votre tombe. En fait, je me suis par la suite rendu compte que l'appel téléphonique que j'avais reçu cette nuit-là, à la fin de l'été, n'était pas si imprévisible que cela. Mais, sur le coup, il m'avait laissée sans voix. Et, bien entendu, il marqua le début d'une série d'événements atroces...

Une comédie doublée d'une énigme policière, avec des suspects et des mobiles à foison, et un suspens qui vous tient en haleine jusqu'à la dernière page...

UN BREAK POUR KATE
Carole Matthews

Kate, 35 ans, mène une vie de femme au foyer qui frise la perfection. Son mari occupe son temps libre entre le jardinage et le golf, ses enfants sont des modèles d'équilibre alimentaire, et son souci du jour est de savoir quand faire son repassage… Kate n'a aucune raison de se plaindre mais elle commence à se lasser de cette vie trop parfaite. Son mari lui propose de se prendre un week-end pour elle toute seule. Relevant le défi, elle s'inscrit à un séminaire de taï chi et entraîne son amie Sonia avec elle. Mais faire le point n'est pas facile, surtout quand on trouve l'un des participants très très séduisant…

Enfin une comédie brillante sur la lassitude de la femme au foyer ! Pour ne plus jamais associer *desperate* à *housewife* !

THE BOY NEXT DOOR
Julie Cohen

Le lendemain matin, j'ai ouvert les yeux. J'avais mal à la tête. Très mal.
Ma table de chevet m'est apparue clairement. Sur le dessus était posée
une bouteille d'alcool que j'avais achetée un an plus tôt pendant des
vacances à Naxos, et qui était restée pleine aux trois quarts depuis onze
mois. Elle était vide. Un souvenir me chatouillait l'arrière de la
migraine. J'avais travaillé au pub et rencontré cet homme. Et puis... la
nuit dernière... Ce n'est qu'en vidant le contenu de la poubelle de la
cuisine par terre, assise parmi les peaux de banane, le marc de café et
les emballages de fromage que j'ai dû admettre l'inévitable conclusion. J'avais couché avec un homme qui ressemblait à une star des
années 1980 sans utiliser de préservatif.

Ou comment l'histoire d'une nuit peut bouleverser sa vie...

CINQ FILLES, 3 CADAVRES
MAIS PLUS DE VOLANT
Andrea H. Japp

Cinq copines partagent depuis toujours leurs déboires professionnels et sentimentaux : Emma la blonde pulpeuse en mal d'enfant, Nathalie la mère au foyer qui vient de se faire plaquer, Hélène la tête chercheuse qui a fait de son absence de diplomatie une arme redoutable, Charlotte la psy qui finit toujours par coucher avec le plus gratiné de ses patients, et enfin Juliette, l'esthéticienne qui dorlote une clientèle masculine triée sur le volet.

Le jour où Charlotte découvre un cadavre enchaîné au volant de sa voiture, elle panique et appelle immédiatement ses amies à la rescousse. Très vite, elles échafaudent un plan mais se retrouvent prises dans des histoires qui les dépassent largement, d'autant plus que d'autres cadavres s'en mêlent et que le premier a disparu…

Quand la reine du crime s'attaque à la chick lit, autant dire qu'on s'amuse drôlement et qu'on tourne les pages aussi vite qu'on engloutit un macaron !

HOT
Julia Harper

« Turner observa toute cette agitation autour d'elle, ces gens qui parlaient, discutaient en essayant de prendre un air important. Elle se dit que ce serait le moment idéal pour un braquage. Elle jeta un coup d'œil à la caméra de surveillance qui enregistrait tous les mouvements à l'intérieur de la banque. Puis elle se dirigea tranquillement jusqu'au grand bureau en bois imitation acajou de Calvin et ouvrit le tiroir central. Là, juste en plein milieu, apparut une enveloppe rouge dans laquelle était rangée la clé du coffre. Elle la regarda. Elle n'aurait plus jamais une occasion pareille. Elle le savait parce que cela faisait quatre ans 'qu'elle attendait cet instant. C'était à son tour de braquer la banque. »

Une souris de bibliothèque qui porte de fausses lunettes, qui aime les escarpins rouges très sexy et qui lit des romans de soft-porn, il n'en faut pas plus pour intriguer mais aussi troubler John MacKinnon, agent très spécial du FBI.

UNE PETITE ENTORSE À LA VÉRITÉ
Nina Siegal

« Pendant deux ans, j'avais été considérée comme une étoile montante du journalisme, débauchée à grands frais pour écrire des articles brillants dans la rubrique Style du journal. J'assistais alors à des galas fastueux, j'étais invitée à des soirées mondaines grouillant de célébrités, je foulais le tapis rouge des soirées de premières. J'avais accès aux coulisses de tous les événements les plus courus de la ville. Mais, à un moment, les choses avaient mal tourné, puis elles avaient empiré jusqu'à toucher le fond du fond. Au bout du compte, j'avais été mutée à la rubrique Nécro pour y finir mes jours au milieu des gratte-papier, des syndicalistes et autres fourmis sans identité. »

Valérie s'ennuie ferme depuis sa disgrâce jusqu'au jour où un appel énigmatique lui apprend qu'elle a commis une grave erreur dans la nécrologie d'un artiste très en vue. Alors qu'elle enquête dans le New York arty et branché de Soho, les ennuis commencent…

COCKTAILS, RUMEURS ET POTINS
Marisa Mackle

« Recherche : super-coloc'

Elle doit être drôle (amusante, pas flippante), me prêter ses belles frin-gues (pas me piquer les miennes), être jeune dans sa tête (mais surtout pas étudiante), avoir un boulot décent (et de jour), ne pas oublier d'acheter du PQ. Elle ne doit pas squatter le téléphone, passer l'aspira-teur entre minuit et 7 h du mat', ramener des hommes bizarres à la maison, draguer mon copain (si j'en ai un, un jour), laisser des cheveux dans la baignoire. »

Alors qu'elle cherche la colocataire idéale, Fiona, 29 ans, commence un boulot dans un magazine féminin. Très vite, AJ la prend sous son aile et lui apprend les ficelles du métier. Fiona découvre vite que le monde des pigistes aux rubriques Potins et Beauté repose sur des coups bas et des ragots en veux-tu en voilà, entre deux coupes de cham-pagne. Fiona saura-t-elle profiter des bons côtés de son boulot sans s'y perdre ?

Si vous avez toujours rêvé de travailler dans un magazine féminin, vous ne pourrez pas dire qu'on ne vous aura pas prévenue !

AMOUR, BOTOX® ET TRAHISON
Chloë Miller

Fiona (architecte de 47 ans, divorcée) a toujours été une femme très séduisante. Mais alors qu'elle se sent très jeune dans sa tête, son corps commence à accuser le coup et ses aventures sentimentales s'en ressentent. Sur les conseils de sa fille Shirley qui il n'y a pas si longtemps encore pouvait passer pour sa petite sœur, elle recourt à la chirurgie esthétique. Fiona fait en sorte de mener de front sa carrière et ses opérations. Elle prétexte des « déplacements », une cure fabuleuse au Mexique, et s'absente juste le temps nécessaire pour qu'on ne voie pas trop les cicatrices. Très vite, le résultat est bluffant, un vrai coup de jeunesse ! À tel point que Fiona se fait courtiser par un jeune homme de l'âge de sa fille… et se laisse séduire. Tout juste si elle s'inquiète que Janus la laisse payer toutes les additions, qu'il la laisse lui offrir un loft… heureuse de faire plaisir à son nouvel amant dont la présence à ses côtés lui fait tourner la tête ! Mais Janus est-il le fils de bonne famille déshérité qu'il prétend être ?

Une comédie sans concession menée tambour battant dans la grosse pomme !

LE MYSTERE DUNBLAIR
Jemma Harvey

Comment avouer à votre meilleure amie que vous n'avez aucune
envie de travailler avec elle ?
« — Je ne connais rien au jardinage, ai-je objecté.
— Tu n'en as pas besoin ! Mon Dieu, tu crois que je mets la main à
la pâte ? Tu imagines dans quel état seraient mes ongles ? On paye des
gens pour ça : des documentalistes, des assistants, que sais-je encore ?
Tu es productrice, non ? Alors contente-toi de faire ton boulot. Et
puis, tu seras l'invitée de la plus célèbre rock star de tous les temps,
dans son fabuleux château écossais. Que veux-tu de plus ? »
Meilleures amies depuis l'enfance, Roo et Delphi tournent une série
d'émissions de jardinage dans un château sur lequel pèse une sombre
histoire : une future mariée aurait disparu le jour de ses noces, il y a
700 ans, dans un labyrinthe végétal…

**Une comédie hilarante qu'on ne lâche pas, avec des réparties
vipérines et un savoureux tableau du monde de la télé. À lire
en cas de coup de blues !**

Pour l'éditeur, le principe est d'utiliser des papiers composés de fibres naturelles, renouvelables, recyclables et fabriquées à partir de bois issus de forêts qui adoptent un système d'aménagement durable.

En outre, l'éditeur attend de ses fournisseurs de papier qu'ils s'inscrivent dans une démarche de certification environnementale reconnue.

Photocomposition Nord Compo

Imprimé en Allemagne par GGP Media GmbH

Pour le compte des Éditions Marabout.
Dépôt légal : mai 2010
ISBN : 978-2-501-06483-5
40.5364.1
Édition 01